Centre international d'études pédagogiques

Commission nationale du DELF et du DALF

Réussir le

Dalf

Niveaux C1 et C2 du Cadre européen commun de référence

Dominique CHEVALLIER-WIXLER
Dorothée DUPLEIX
Ingrid JOUETTE
Bruno MÈGRE

didier

Conception graphique couverture : Michèle Bisgambiglia
Conception graphique intérieur : Isabelle Aubourg
Suivi d'édition : Anne A édition
Mise en pages : Nicole Pellieux

© Les Éditions Didier, août 2007   ISBN 978-2-278-06101-3   Imprimé en France

SOMMAIRE

PRÉFACE

Le DELF, Diplôme d'études en langue française, et le DALF, Diplôme approfondi de langue française, sont les certifications officielles du ministère français de l'Éducation nationale en français langue étrangère. Depuis leur création en 1985, près de 3 000 000 de candidats se sont présentés à ces épreuves organisées dans 154 pays.

Ce succès s'explique en partie par l'émergence d'une société de la mobilité, plus exigeante en terme de formation. Vous êtes nombreux à apprendre des langues étrangères et le français en particulier et nous vous en félicitons, nous qui œuvrons pour la construction d'un monde plurilingue.

Le DELF et le DALF ont aussi construit leur succès sur des qualités qui font leur force : réflexion pédagogique, pertinence de l'évaluation et qualité du dispositif. Leur harmonisation sur le *Cadre européen commun de référence pour les langues* et la création de six diplômes correspondant aux six niveaux du Cadre s'inscrivent dans cette dynamique.

La Commission nationale du DELF et du DALF est associée de longue date aux Éditions Didier dans la conception d'ouvrages d'entraînement aux certifications officielles françaises (DELF-DALF et TCF), et je suis sûre que cette collection aidera les candidats qui souhaitent valider leurs compétences en français à bien se préparer à ces épreuves. Elle constitue aussi un outil de référence pour leurs enseignants.

Les DELF A1, A2, B1, B2 et les DALF C1 et C2 ouvrent ainsi de nouvelles perspectives, internationales pour les candidats, et pédagogiques pour les enseignants. On ne peut que s'en réjouir.

Christine TAGLIANTE
Responsable du Pôle Évaluation et Certifications
CIEP

AVANT-PROPOS

Cet ouvrage est un outil d'entraînement aux examens du DALF (Diplôme approfondi de langue française) qui s'adresse aussi bien aux apprenants de français langue étrangère adultes qu'à leurs enseignants. Ces derniers pourront l'utiliser ponctuellement en complément du manuel de classe. Les candidats libres y trouveront l'aide nécessaire pour se préparer efficacement en autonomie aux examens.

L'ouvrage se compose de deux parties :
– préparation au DALF C1 ;
– préparation au DALF C2.

Chaque partie permet de s'entraîner aux différentes épreuves :

DALF C1 : compréhension orale, compréhension des écrits, production écrite, production orale

DALF C2 : compréhension et production orales, compréhension et production écrites

Pour chaque épreuve, l'ouvrage propose la méthodologie de travail suivante :

I – **Pour vous entraîner :** ces premières pages proposent des activités pour développer les compétences attendues ainsi que des méthodes de travail.

II – **Vers l'épreuve :** ces pages offrent des exercices variés et des exemples guidés pour systématiser les savoir-faire exigés par l'épreuve.

III – **Exemple d'épreuves :** cette dernière partie propose des exercices tels qu'ils pourront être proposés le jour de l'examen.

À la fin de chaque partie, une grille d'**auto-évaluation** permet à l'apprenant de faire le point sur ses capacités à réaliser les tâches demandées dans la compétence donnée.

Après le travail progressif d'entraînement, compétence par compétence, l'apprenant pourra se livrer à l'exercice tel qu'il sera présenté le jour de l'examen grâce au **sujet type**.

Au fil de l'ouvrage, des remarques et conseils accompagnent l'apprenant sur la démarche à suivre (cadres gris). Les candidats et les enseignants y trouveront également des parties consacrées à la méthodologie des exercices formels (par exemple, la synthèse de documents).

À la fin de l'ouvrage, les **transcriptions** des enregistrements sonores ainsi que les **corrigés** des exercices sont proposés.

LES AUTEURS

LE CADRE EUROPÉEN COMMUN
DE RÉFÉRENCE POUR LES LANGUES

En 1991, les experts de la Division des politiques linguistiques du Conseil de l'Europe ont décidé de la création d'un outil pratique permettant:
- d'établir clairement les éléments communs à atteindre lors des étapes de l'apprentissage;
- de rendre les évaluations comparables d'une langue à l'autre.

De cette réflexion est né le *Cadre européen commun de référence pour les langues: apprendre, enseigner, évaluer*, publié aux Éditions Didier en 2001.

Le *Cadre* définit **six niveaux de compétence en langue**, quelle que soit la langue. Il est de plus en plus utilisé pour la réforme des programmes nationaux de langues vivantes et pour la comparaison des certificats en langues. Aujourd'hui, l'impact du *Cadre*, traduit et diffusé en dix-huit langues, dépasse de loin les frontières de l'Europe.

Le Conseil de l'Union européenne (Résolution de novembre 2001) recommande son utilisation, facilitant ainsi la mobilité éducative et professionnelle.

Situé dans la continuité des approches communicatives, ce texte de référence, non prescriptif, propose de nouvelles pistes de réflexion comme la prise en compte des savoirs antérieurs du sujet, la primauté à la compétence pragmatique et la défense d'une compétence plurilingue et pluriculturelle.

Parce qu'il adhère aux recommandations du Conseil de l'Europe, le ministère de l'Éducation nationale français a demandé à la Commission nationale du DELF et du DALF d'harmoniser ses certifications sur les six niveaux de compétence en langue du *Cadre européen commun de référence pour les langues*. Une réforme du DELF et du DALF a donc été réalisée et six diplômes ont été mis en place en 2005, correspondant à chacun des six niveaux du *Cadre européen*:

DELF A1	niveau A1
DELF A2	niveau A2
DELF B1	niveau B1
DELF B2	niveau B2
DALF C1	niveau C1
DALF C2	niveau C2

Réussir le

Dalf

Niveau C1

du Cadre européen commun de référence

PRÉSENTATION DE L'ÉPREUVE DALF C1

L'apprenant de niveau C1 a acquis un degré d'autonomie qui lui permet de s'exprimer et de communiquer avec aisance et spontanéité sur une grande gamme de sujets complexes. Le DALF C1 est aujourd'hui requis pour entrer dans certaines grandes écoles.

En compréhension orale et écrite, l'apprenant autonome (niveau C1) peut comprendre dans le détail des textes et des interventions complexes et longues pratiquement sans effort. La compréhension d'expressions idiomatiques et de nuances fines de la langue ne lui posent pas de difficultés.

En production orale et écrite, l'apprenant du niveau C1 a acquis une maîtrise des outils d'articulation du discours qui lui permet de produire un discours clair, structuré et cohérent sur des sujets complexes. Il est capable d'exprimer un point de vue de manière élaborée en utilisant un schéma argumentatif complexe. Il est également en mesure de mettre en œuvre des capacités de médiation : prise de notes détaillées, résumé, reformulation, compte rendu…

L'examen dure environ 4 h 00 et se divise en deux temps. Les épreuves collectives se déroulent le même jour ; au nombre de trois, elles se succèdent dans l'ordre suivant :
– la compréhension orale
– la compréhension des écrits
– la production écrite
L'épreuve de production orale constitue une épreuve à part, pour laquelle le candidat est convoqué séparément.

Compréhension orale (40 minutes environ)
Réponse à des questionnaires de compréhension portant sur des documents enregistrés :
– un document long (entretien, cours, conférence…) d'une durée d'environ huit minutes (*deux écoutes*) ;
– plusieurs brefs documents radiodiffusés : flashs d'informations, sondages, spots publicitaires… (*une écoute, durée maximale des documents : 10 min*).

Compréhension des écrits (50 minutes)
Réponse à un questionnaire de compréhension portant sur un texte d'idées (littéraire ou journalistique), de 1 500 à 2 000 mots.

Production écrite (2 h 30)
Épreuve en deux parties :
– synthèse à partir de plusieurs documents écrits d'une longueur totale d'environ 1 000 mots,
– essai argumenté à partir du contenu des documents.
Deux domaines au choix du candidat : lettres et sciences humaines ou sciences

Production orale (0 h 30, plus 1 h 00 de préparation)
Exposé à partir de plusieurs documents écrits, suivi d'une discussion avec le jury.
Deux domaines au choix du candidat : lettres et sciences humaines ou sciences

DIPLÔME APPROFONDI DE LANGUE FRANÇAISE

DALF C1

Niveau C1 du *Cadre européen commun de référence pour les langues*

DALF C1 - nature des épreuves	durée	note sur

Compréhension de l'oral
▶ Réponse à des questionnaires de compréhension portant sur des documents enregistrés :
  – un document long (entretien, cours, conférence…) *deux écoutes* ;
  – plusieurs brefs documents radiodiffusés (flashs d'informations, sondages, spots publicitaires…) *une écoute*.
Durée maximale des documents : 10 minutes.
	40 min environ	/25

Compréhension des écrits ▶ Réponse à un questionnaire de compréhension portant sur un texte d'idées (littéraire ou journalistique).	50 min	/25

Production écrite
▶ Épreuve en deux parties :
  – synthèse à partir de plusieurs documents écrits ;
  – essai argumenté à partir du contenu des documents.
Deux domaines au choix du candidat : lettres et sciences humaines ou sciences.
	2 h 30	/25

Production orale ▶ Exposé à partir de plusieurs documents écrits, suivi d'une discussion avec le jury. *Deux domaines au choix du candidat : lettres et sciences humaines ou sciences.*	30 min préparation : 1 h 00	/25

▶ **Note totale :**   **/100**

▶ **Seuil de réussite pour obtenir le diplôme : 50/100**
▶ **Note minimale requise par épreuve :**   **5/25**
▶ **Durée totale des épreuves collectives :**   **4 h 00**

COMPRÉHENSION DE L'ORAL

▶ Réponse à des questionnaires de co mpréhension portant sur des documents enregistrés:
  – un document long (entretien, cours, conférence…) *deux écoutes*;
  – plusieurs brefs documents radiodiffusés (flashs d'informations, sondages, spots publicitaires…) *une écoute*.

Durée maximale des documents: 10 minutes.

COMPRÉHENSION DE L'ORAL

Le niveau C1 (selon le *Cadre européen commun de référence pour les langues*)

Je peux suivre une intervention d'une certaine longueur sur des sujets abstraits ou complexes même hors de mon domaine mais peux avoir besoin de faire confirmer quelques détails, notamment si l'accent n'est pas familier.

Je peux reconnaître une gamme étendue d'expressions idiomatiques et de tournures courantes en relevant les changements de registre.

Je peux suivre une intervention d'une certaine longueur même si elle n'est pas clairement structurée et même si les relations entre les idées sont seulement implicites et non explicitement indiquées.

Je peux suivre facilement des échanges complexes entre des partenaires extérieurs dans une discussion de groupe et un débat, même sur des sujets abstraits, complexes et non familiers.

Je peux suivre la plupart des conférences, discussions et débats avec assez d'aisance.

Je peux extraire des détails précis d'une annonce publique émise dans de mauvaises conditions et déformée par la sonorisation (par exemple, des annonces publiques dans une gare, un stade).

Je peux comprendre des informations techniques complexes, telles que des modes d'emploi, des spécifications techniques pour un produit ou un service qui me sont familiers.

Je peux comprendre une gamme étendue de matériel enregistré ou radiodiffusé, y compris en langue non standard et identifier des détails fins incluant l'implicite des attitudes et des relations des interlocuteurs.

Je peux suivre un film faisant largement usage de l'argot et d'expressions idiomatiques.

Je peux utiliser les indices contextuels, grammaticaux et lexicaux pour en déduire une attitude, une humeur, des intentions et anticiper la suite.

► L'épreuve

C'est la première épreuve de l'examen. Elle se compose de deux exercices enchaînés.

Exercice 1

Pour le premier exercice, vous entendrez **deux fois** un enregistrement sonore de 6 minutes environ (entretien, cours, conférence, extrait d'émission radiophonique...). Le questionnaire auquel vous devrez répondre comporte une quinzaine de questions. Vous devrez répondre à des questions fermées (il n'y a pas de réponse à rédiger) et à des questions ouvertes (il y a une réponse à rédiger dont seul le contenu sera évalué et non la manière de l'exprimer).

Le jour de l'examen
- vous aurez 3 minutes pour lire les questions avant d'écouter l'enregistrement, et ainsi préparer votre écoute ;
- puis vous écouterez l'enregistrement. Durant l'écoute, vous pourrez prendre des notes en utilisant librement l'espace réservé sur votre copie d'examen (colonne de droite sur la copie). Cependant, seules les réponses portées dans les emplacements réservés aux réponses seront prises en compte lors de la correction ;
- vous aurez ensuite 3 minutes pour commencer à répondre aux questions ;

– vous écouterez une deuxième fois l'enregistrement ;
– vous aurez encore 5 minutes pour compléter vos réponses.

Les questions posées permettront de vérifier que vous êtes capable :
– d'identifier les informations particulières, spécifiques et détaillées, les principaux arguments, les idées exprimées dans un document complexe et long ;
– de repérer les points de vue des locuteurs, leurs rôles, leurs positions ;
– de comprendre l'implicite des discours ;
– de comprendre la logique interne du document, d'identifier un schéma argumentatif.

Exercice 2

Pour cet exercice, vous entendrez plusieurs courts documents radiodiffusés relativement complexes de 2 minutes environ (bulletins d'informations, publicités, sondages…). Vous entendrez chaque extrait **une seule fois** malgré des conditions sonores difficiles : débit rapide, écrit oralisé des journalistes, environnement sonore très présent.
Pour chaque extrait, vous devrez répondre à un questionnaire comportant entre une et cinq questions fermées (questions à choix multiples).

Le jour de l'examen
Pour chacun des extraits :
– vous aurez entre 20 et 50 secondes pour lire les questions ;
– puis vous écouterez l'enregistrement ;
– vous aurez ensuite entre 30 secondes et 1 minute pour répondre aux questions.

Les questions posées permettront de vérifier que vous êtes capable :
– d'identifier et de caractériser la nature, la fonction, le thème principal du document ;
– de repérer les locuteurs, leurs fonctions, leurs actions, leur point de vue ;
– de repérer les informations essentielles, les principaux arguments et les idées exprimées ;
– de comprendre l'implicite du discours.

► Pour réussir l'épreuve de compréhension de l'oral

- **Gérez votre temps**

- **Soyez un auditeur actif**

- **Prenez des notes**

- **Évitez le stress grâce à une bonne préparation**

Comme nous l'avons vu précédemment, les supports oraux sont variés. Il est impératif que vous écoutiez régulièrement les médias audiovisuels en français : télévision, radio, films… Vous devez être entraîné à vous adapter à ces conditions d'écoute particulières.

Pour vous entraîner

1. SURMONTER LES OBSTACLES DE L'ORAL

1 Tirer parti des caractéristiques de l'oral

Dans cette épreuve, vous devrez faire preuve d'un très bon niveau de compréhension en français sur des sujets abstraits ou complexes même hors de votre domaine de spécialité.

Pour faire face aux différents types de documents oraux le jour de l'épreuve, il est important que vous connaissiez leurs caractéristiques. En effet, vous pouvez entendre deux types d'enregistrements :

– **de l'oral spontané**, par exemple un débat, une conversation, un reportage, une interview, un témoignage…

– **de l'écrit oralisé**, par exemple une publicité, un bulletin d'informations, une chronique, un éditorial, une conférence…

Le tableau suivant présente les caractéristiques des types de documents que vous pouvez entendre. Le jour de l'examen, ces éléments de forme vous serviront à mieux comprendre le sens des documents écoutés.

Oral spontané	Écrit oralisé
Comporte les marques orales du discours (pauses, hésitations, répétitions, phrases inachevées…).	Pas de marques orales du discours.
Spontanéité plus ou moins grande.	Peu ou pas de spontanéité, discours très construit (par exemple un éditorial).
Le locuteur peut préparer à l'avance son intervention (prise de notes, recherche documentaire). Le locuteur peut également s'exprimer ou interagir sans préparation préalable.	L'intervenant (journaliste) produit un effet sur l'auditeur : redondances et reprises lexicales pour favoriser la mémorisation.

Le jour de l'examen, nous vous conseillons de vous intéresser à la forme du document avant de répondre aux questions. En effet, ce repérage sur la forme vous permettra de mettre en valeur les caractéristiques discursives du document et ainsi d'accéder au sens plus facilement.

Pour effectuer ce repérage, vous pourrez vous poser les questions suivantes :

– Combien y a-t-il de locuteurs ?

– Qui parle ? À qui ?

– S'agit-il d'un échange ?

– Où se trouvent-ils ? Sont-ils dans la même pièce ?

– De quoi parlent-ils ? Quel est le sujet du débat ?

– Quel type d'oral est-ce : de l'oral spontané ou de l'écrit oralisé ?

🎧 Enregistrement n° 1
Activité 1
Écoutez <u>deux fois</u> les cinq documents de l'enregistrement n° 1 et complétez le tableau au fur et à mesure.

	Document 1	Document 2	Document 3	Document 4	Document 5
Combien y a-t-il de locuteurs ?	2	2	1	2	1
Qui parle ? À qui ? *Phillipe*	Le producteur On air et chargé en m	Le cadre Les idées francaise	Le mde Le chercho du chat	Le mec à Mme Berau	Présentateur
Où se trouvent-ils ? Sont-ils dans la même pièce ?	Dans le studio air Oui	L'aussi qui subi Oui	Le salon	La télévise d'adosr en indue	Dans la radio

Activité 2
Écoutez <u>une fois</u> l'enregistrement n° 1 et identifiez la nature de chaque document. Par exemple : *bulletin d'informations, témoignages…*

	Document 1	Document 2	Document 3	Document 4	Document 5
Nature du document	Cahlier	Etudier	Témces	Entretier	Témns

Activité 3
Écoutez <u>une fois</u> l'enregistrement n° 1 et identifiez le thème de chaque document. Par exemple : *le système politique français, la vaccination…*

	Document 1	Document 2	Document 3	Document 4	Document 5
Thème du document	Chause le métier	Le vtuvn C	Les denels	Avin L'ardore bleu et se ai welt	La proude de revn par les station des ski

Activité 4
Écoutez <u>une fois</u> l'enregistrement n° 1 et identifiez le type d'oral de chaque document.

	Document 1	Document 2	Document 3	Document 4	Document 5
Type d'oral	Oral structré	Oral sidué	Écrit oralsé	Oral sructuré	Écrit oralsé

❷ Repérer les éléments qui structurent le discours

Les parties du discours peuvent se repérer grâce aux connecteurs utilisés. Ceux-ci ont des fonctions précises, ce qui facilitera votre compréhension (par exemple, *ainsi, en somme, bref…* indiquent la reprise d'une idée exprimée). Les connecteurs vous permettront d'identifier plus facilement le cheminement d'une réflexion, une prise de position…

🎧 Enregistrement n° 2

Activité 5

Écoutez une fois l'enregistrement n° 2, extrait 1, et répondez aux questions suivantes :

1. Combien y a-t-il de locuteurs ?

...... *2* ....

2. Qui parle ? À qui ?

...... *François Tilia → André (citation)* ....

3. S'agit-il d'un échange ?

...... *(Les vacataires)* ....

4. Où se trouvent-ils ? Sont-ils dans la même pièce ?

...... *Dans le studio* ....

5. De quoi parlent-ils ? Quel est le sujet du débat ?

...... *Les vacances* .... *Que pensez-vous de l'info*

6. Quel type d'oral entendez-vous ? Est-ce de l'oral spontané ou de l'écrit oralisé ?

...... *Oral spontané* ....

Activité 6

Écoutez deux fois l'enregistrement n° 2, extrait 2, et relevez au brouillon les connecteurs qui structurent le discours. Par exemple : *en effet, pourtant*… Classez-les dans le tableau ci-dessous :

Fonctions des connecteurs	Connecteurs relevés dans le discours	Notes personnelles, hypothèses, déductions
Introduit un premier argument, une première idée :	*Alors*	
Introduit un argument contraire :	*en même*	*en revanche*
Introduit une série ou une suite d'éléments :	*en plus* *De l'autre côté*	
Introduit un élément final :	*en fin*	
Ajoute ou renforce une idée, un élément dans le discours :	*en plus* *alors* *De l'autre put*	
Exprime une opposition :	*alors que*	*Je ne pense pas que dans le débat*
Introduit une explication, une justification :		
Marque une conséquence, un enchaînement :		
Exprime une concession (marque une conséquence qui n'est pas dans la logique des choses) :	*Je suis d'accord*	*Je pense aussi Certes Il est vrai que*
Introduit une reformulation :		

Tableau récapitulatif des connecteurs qui structurent le discours	
Pour introduire un premier argument, une première idée :	avant tout, d'abord, dans un premier temps, en premier lieu, initialement, premièrement, tout d'abord
Pour introduire une série ou une suite d'éléments :	après, deuxièmement, troisièmement, ensuite, mais aussi, puis, dans un deuxième temps
Pour introduire un élément final :	en définitive, enfin, finalement, somme toute, bref
Pour introduire un argument contraire / Pour exprimer une opposition :	cependant, il n'empêche que, mais, néanmoins, pourtant, toutefois au contraire, à l'opposé, à l'inverse alors que, tandis que mais, or d'autre part, d'un autre point de vue, en revanche, par ailleurs
Pour exprimer une concession :	certes certes... mais il est vrai que
Pour ajouter ou renforcer une idée :	d'autant plus que, de plus, en plus, également, en outre non seulement, mais encore / mais en plus
Pour introduire une explication, une justification :	assurément, car, effectivement, en effet, dans la mesure où, étant donné que, parce que, puisque
Pour marquer une conséquence, un enchaînement :	ainsi, alors, aussi, donc, c'est pourquoi, de ce fait, de la sorte, d'où, si bien que, de telle sorte que, en conséquence, en conséquent, par conséquent
Pour introduire une reformulation :	c'est-à-dire, autrement dit
Pour résumer :	en un mot, bref

Activité 7

Écoutez <u>deux fois</u> l'enregistrement n° 2, extrait 2, et relevez les expressions qui marquent l'implication des locuteurs dans le discours. Par exemple : *mais il est vrai que, en outre, il me semble...*

Expressions utilisées pour :	Journaliste	Françoise Frias	Professeur Gutierrez
donner son avis :			
demander l'avis de quelqu'un :			
exprimer une impression :			
exprimer son accord :			
partager un point de vue :			
exprimer son désaccord :			
exprimer un doute :			

Activité 8

Écoutez une fois l'enregistrement n° 2, extrait 2, et classez ensuite les arguments pour ou contre la vaccination obligatoire dans le tableau ci-dessous.

	Arguments en faveur de la vaccination obligatoire	Arguments contre la vaccination obligatoire
Françoise Frias	*(notes manuscrites)*	*(notes manuscrites)*
Professeur Guttierez	*(notes manuscrites)*	*(notes manuscrites)*

(notes manuscrites)

2. MÉTHODOLOGIE DE PRÉPARATION À L'ÉPREUVE DE COMPRÉHENSION DE L'ORAL

1 ## Prendre efficacement des notes

Le jour de l'épreuve, sur votre copie d'examen, un espace sera réservé à la prise de notes. Cette technique n'est pas obligatoire mais peut vous aider à hiérarchiser et à classer les **idées clés** d'un discours. Il s'agira donc de noter quelques mots clés ou expressions et non des phrases.

Activité 9

 Enregistrement n° 3

Écoutez deux fois l'enregistrement n° 3, relevez les cinq mots clés qui vous paraissent les plus importants et proposez une courte synthèse.

Mots clés :
Synthèse :

POUR VOUS ENTRAINER

Activité 10

🎧 **Enregistrement n° 4**

Écoutez <u>une fois</u> l'enregistrement n° 4, relevez cinq mots clés et proposez une courte synthèse.

Mots clés :	*Maladies* *De issues du son*	*sasolvation* *Hypersensibilité* *Eduble*	*2mots*
Synthèse :			

❷ Lire efficacement le questionnaire

Le jour de l'examen, pour montrer que vous avez compris le document sonore, vous devrez répondre à un questionnaire court ou long selon le type d'exercice.

Vous pourrez rencontrer des questions portant sur la **compréhension globale du document**. Ces questions portent sur l'ensemble du document et sont placées soit en tout début de questionnaire, soit à la fin. Elles vous permettront de vous familiariser avec le document afin de préparer vos réponses aux questions plus complexes.
Vous rencontrerez des questions portant sur :
– la nature du document : témoignage, interview, bulletin d'informations, débat, conférence ;
– la fonction du document : informer, critiquer, commenter, conseiller, rapporter, raconter ;
– le thème général : les accidents domestiques, la vaccination, la grogne des pêcheurs…

Exemples

Quel est l'objet principal du document ?
☐ Communiquer les résultats statistiques d'une série de sondages.
☐ Commenter les résultats d'une série de sondages.
☐ Contester les résultats d'un sondage.
☐ Illustrer les résultats d'un sondage.

Ce document est une émission à caractère :
☐ pédagogique.
☐ polémique.
☐ divertissant.

Les questions à choix multiples (QCM) exigent une lecture attentive : les propositions données sont parfois très proches !

Au niveau C1, vous rencontrerez plus souvent des questions portant sur la **compréhension de détails**, qui vous amèneront à relever des données ou informations précises : éléments chiffrés, arguments simples, informations particulières…

Exemples

Quel adjectif est utilisé pour caractériser les gens décrits dans ce reportage ?

....

Citez trois manières d'être généreux :

....

Quel est le conseil que donne le médecin ?

....

Quel est le sentiment de l'homme vis-à-vis de la prévention des accidents domestiques ?

....

Les questions portant sur la **compréhension approfondie ou fine** du document font appel à vos capacités de synthèse et de déduction pour identifier des informations implicites. Vous serez évalué sur vos capacités à identifier des sentiments, des opinions implicites, des arguments implicites. Vous pourrez également être évalué sur vos capacités à repérer les paramètres d'une situation d'énonciation.

Exemples

D'après le scientifique, les Français :
- ☐ ignorent tout de ce phénomène.
- ☐ ont une vision réduite du phénomène.
- ☐ connaissent parfaitement le phénomène.

En définitive, quel est le critère qui sert à hiérarchiser les différentes familles ?

....

Quel paradoxe le journaliste souligne-t-il en fin de reportage ? Répondez précisément.

....

Vers l'épreuve

Vous allez maintenant vous entraîner plus systématiquement à répondre aux types de questions proposées dans l'examen. Vous rencontrerez deux types de supports : courts et longs, comme le jour de l'examen. Avant de répondre, appliquez la méthode vue précédemment : lecture de la consigne, lecture des questions, réponses aux questions.
Les questions porteront quelquefois sur des données précises mais surtout sur des informations implicites qui n'apparaissent pas clairement dans les discours.
Pour répondre correctement, il est primordial que vous gériez bien votre temps.

Activité 1
🎧 Enregistrement n° 5
Écoutez <u>une fois</u> l'enregistrement n° 5 et répondez à la question.

Dans le jeu dont on parle, le joueur a gagné la partie :
- ☒ quand il a gagné le plus d'argent.
- ☐ quand il a arrêté les malfaiteurs.
- ☐ quand il a évité toutes les attaques des gangsters.

Activité 2
🎧 Enregistrement n° 6
Écoutez <u>une fois</u> l'enregistrement n° 6 et répondez aux questions.

1. **Qu'est-ce qui caractérise un « hardcoregamer » ?**
   - ☐ Il ne joue qu'aux jeux d'action.
   - ☒ Il est très dépendant des jeux vidéo.
   - ☐ Il ne joue que dans les salles de jeu spécialisées.

2. **En France, les jeux en réseau ont :**
   - ☐ un succès plutôt négligeable.
   - ☒ pas mal de succès.
   - ☒ beaucoup de succès.
   - ☐ un succès qu'il est difficile de mesurer.

3. **Lorsque les joueurs se retrouvent, ils jouent :**
   - ☐ les uns contre les autres.
   - ☐ les uns avec les autres.
   - ☒ au choix, avec ou contre d'autres.

4. **Pour le responsable interrogé, une salle de jeu sert à jouer et :**
   - ☐ offre la possibilité de consulter Internet.
   - ☒ permet de faire connaissance avec d'autres joueurs.
   - ☐ donne l'occasion de discuter de problèmes de société.
   - ☐ à rien d'autre, puisque c'est une salle de jeu.

Activité 3

🎧 Enregistrement n° 7

Écoutez underline{deux fois} l'enregistrement n° 7 et répondez aux questions en utilisant vos propres mots.

1. D'après l'historien, qu'est-ce qui a empêché l'unification de l'Europe ?

[réponse manuscrite] Le nationalisme et les attentes des pays ...

2. Selon l'homme interrogé, qu'est-ce qui a menacé la civilisation européenne ?

[réponse manuscrite] Le développement et des ...

3. Que veut dire l'historien quand il emploie l'expression « ouvrir une brèche dans la citadelle » ?

[réponse manuscrite] La fondation de la communauté européenne ... à signifié un pas vers une europe unie ...

Activité 4

🎧 Enregistrement n° 8

Écoutez une fois l'enregistrement n° 8 et répondez aux questions.

1. Dans le milieu scientifique, femmes et hommes sont traités différemment. Indiquez, pour les femmes, deux conséquences de cette situation.

– *[réponse manuscrite]* Elles doivent travailler plus ...

– *[réponse manuscrite]* Elles ... dans leur ...

2. Quelles qualités semblent faire défaut aux femmes ?

– *[réponse manuscrite]* De la ...

– *[réponse manuscrite]* De l'audace

– *[réponse manuscrite]* De la ...

3. Que révèle l'enquête menée par la Sofres ?

[réponse manuscrite] Les chercheurs sont plus ... Ils doivent plus ...

Activité 5

🎧 Enregistrement n° 9

Écoutez une fois l'enregistrement n° 9 et répondez aux questions.

1. Quelle est la spécificité des semelles présentées dans le document ?

[réponse manuscrite]

2. Quel est le délai de réalisation des semelles ?

3. Comment sont réalisées les semelles ?

[réponse manuscrite]

Activité 6

🎧 Enregistrement n° 10

Écoutez deux fois l'enregistrement n° 10 et répondez aux questions.

1. Quel est le thème de la conférence?

  La famille

2. Qui participait à la conférence?

  Médias européennes, français savants

3. En Europe, quelle est la proportion d'enfants de moins de trois ans accueillis dans des structures de garde?

  ☐ 8 %   ☒ 9 %   ☐ 49 %   ☐ 80 %

4. Que doivent désormais prendre en compte les modes d'accueil des enfants?

  – *Travail*
  – *Horaires inusuels*
  – *Proximité professionnelle*

5. Quels sont les axes développés dans la charte européenne?

  *Le développement de ... U ...
  l'égalité entre hommes et ...*

6. Pourquoi, le journaliste dit-il que l'exemple des Suédois incite à la réflexion?

  *Les femmes Suédoise des années 1970s savent ...
  théorisé la double ... ...
  la vie familiale et des temps de travail*

7. Quels sont les principaux obstacles rencontrés par les femmes qui concilient vie professionnelle et vie familiale?

  *x Le revenu des peu de ...
  x Temps du travail non adoré*
  *

Activité 7

🎧 Enregistrement n° 11

Écoutez deux fois l'enregistrement n° 11 et répondez aux questions.

1. Quel est le thème du document?

  Le temps des scientifiques

2. Complétez le tableau suivant:

Professionnels	Objet d'étude	Unité de référence
Géologue	Terre	4,5 Milliards d'an
Astronome	Planètes, l'univers	80 milliard d'ans
Physicien, chimiste	Particules des atomes	Dizains de ... secondes

3. Combien mesure une heure « astronomique »?

  625 millions années

4. Quelle est la profession de l'invité du journaliste?

  Astronome

5. Comment le professeur Andreï explique-t-il l'intérêt de l'heure astronomique ?

.... *Il est donné* ....

6. Quel est le petit lien qui existe entre le temps des hommes et le temps astronomique ?

.... *Nous a .... il .... C'est une petite échelle qui est inaccessible* ....

7. Quelle(s) contrainte(s) les astronomes peuvent-ils rencontrer au cours de leur recherche ?

.... *Outre les .... en balance* ....
.... *pendant les États* ....

Activité 8

🎧 **Enregistrement n° 12**

Écoutez <u>deux fois</u> l'enregistrement n° 12 et répondez aux questions.

1. Quelles sont la profession et la spécialité de Nathalie Fonterel ? ...... *Biomédialiste de l'art* ......

....

2. Complétez le tableau.

Nom de l'établissement cité dans le document	Statut	Date de création	Longueur de l'espace protégé
Z Q1Suda du littoral	☐ privé ☒ public ☐ mixte	*1975*	*800*

3. Les communes ont-elles conscience que la protection des rivages peut représenter un atout éco-nomique ? Répondez par oui ou non et relevez l'expression imagée qui justifie votre réponse.

☒ Oui   ☐ Non

Justification : ....

4. Cochez la bonne réponse.
   ☒ Le Conservatoire intervient à la demande des municipalités.
   ☐ Le Conservatoire intervient de sa propre initiative.
   ☐ Les deux possibilités existent.
   ☐ Le document ne permet pas de répondre.

5. À qui appartient l'île Tristan actuellement ?
   ☐ À des particuliers de Douarnenez.
   ☐ À la mairie de Douarnenez.
   ☒ Au Conservatoire du littoral.

6. Qu'est-ce qui satisfait Monique Prévos dans cette situation ?

....

....

7. Les terrains acquis sont victimes de leur succès. Dites pourquoi.

....

8. Comment le Conservatoire utilise-t-il son budget ?
   ☐ Le budget est principalement utilisé pour étendre le patrimoine.
   ☐ Le budget est également réparti entre l'extension du patrimoine et son entretien.
   ☒ Le budget est prioritairement consacré à la préservation du patrimoine.

9. Donnez une définition du génie écologique.

....

....

10. Donnez deux éléments indiquant que la Pointe du Raz était un site très dégradé.

– ....

– ....

11. Quelle action a été conduite?

....

12. Pour Denis Bredin, ces mesures ont-elles été efficaces?

☒ Oui   ☐ Non

Quelle justification donne-t-il?

....

....

13. Citez trois moyens de financement dont bénéficie le Conservatoire.

– ....

– ....

– ....

14. Expliquez ce qu'est le mécénat écologique à partir de l'exemple d'Armor Lux.

....

....

....

15. Quel est le titre du livre publié par le Conservatoire?

....

Activité 9

🎧 **Enregistrement n° 13**

Écoutez deux fois l'enregistrement n° 13 et répondez aux questions.

1. L'anthrax est communément appelé « maladie du charbon ». D'où vient ce nom?

....

2. Qu'est-ce qui fait peur dans l'anthrax?

....

3. Que veut montrer Steven Bloch avec l'exemple du vol international?

....

4. Quand la maladie de la variole a-t-elle officiellement disparu?

☐ Dans les années 70.   ☐ En 1980.   ☐ La maladie existe toujours.

5. Où se trouve le virus de la variole?

....

6. **Citez deux raisons qui justifient de maintenir l'existence du virus de la variole malgré le danger.**

   – ....

   – ....

7. **Qu'est-ce qui laisse penser que le virus de la variole peut se trouver à d'autres endroits ?**

   ....

8. **Quelle est la position de M. Simson et de l'OMS sur la localisation du virus de la variole ?**
   ☐ Seuls les États-Unis et la Russie détiennent le virus.
   ☐ Le virus ne se trouve pas seulement aux États-Unis et en Russie.
   ☐ On ne sait pas où se trouve le virus.

9. **Quelle est la recommandation de l'OMS en cas d'une attaque avec le virus de la variole ?**

   ....

10. **Que préconise-t-on en cas d'attaque utilisant le virus de la variole ?**
    ☐ Vacciner avant cinq jours tous ceux qui ont été en contact avec le virus.
    ☐ Attendre 4-5 jours puis vacciner la personne qui a été contaminée.
    ☐ Vacciner immédiatement toute la population.

Exemple d'épreuve

25 points (total des questions sur 50 points, à diviser par 2)

► ## PREMIÈRE PARTIE

Vous allez entendre <u>deux fois</u> un enregistrement sonore de 6 minutes environ.

– Vous aurez tout d'abord **3 minutes** pour lire les questions.
– Puis vous écouterez une première fois l'enregistrement.
– Vous aurez ensuite **3 minutes** pour commencer à répondre aux questions.
– Vous écouterez une deuxième fois l'enregistrement.
– Vous aurez encore **5 minutes** pour compléter vos réponses.

La colonne à droite du questionnaire est un **espace de brouillon** que vous pouvez utiliser librement pour prendre des notes. Cependant, seules les réponses portées dans la colonne de gauche seront prises en compte lors de la correction.

QUESTIONS

🎧 **Enregistrement n° 14**

Écoutez <u>deux fois</u> l'enregistrement et répondez aux questions.

1. **Comment s'appelle l'exposition présentée par le journaliste?**
   .... *1001 Lits* ....

2. **Quels sont les quatre paramètres qui conditionnent la façon de se coucher?**
   – ...... *La durée* ....
   – ...... *La relation* ....
   – ...... *Les ~~habitudes~~ culturels d'un pays* ......
   – ...... *L'éducation* ....

3. **De quelle époque datent les premières traces de couchage découvertes?**
   .... *De en temps pro-historique* ....

4. **Pourquoi peut-on comparer la manière de dormir à une technique?**
   .... *On apprend de choses — on ne code pas par ...* ......

5. **Associez les mots qui conviennent aux pratiques de couchage, en cochant la case correspondante.**

		Avant 1970	Après 1970
Position	Sur le ventre		X
	Sur le dos	X	
Équipement	Couette		X
	Draps	X	
Manière de dormir	Stricte	X	
	Libre		X

6. En ce qui concerne les pratiques de couchage observées dans le monde occidental, on distingue deux grandes parties géographiques. Lesquelles?

   – ....

   – ....

7. Qu'est-ce qui caractérise les deux sociétés évoquées? Comparez-les en complétant le tableau:

	Société 1	Société 2
	.......*Mediterran*.......	.......*Scandinavie / Nord*.......
Type de couchage	*Draps*	*Couette*
Chambre	*Non chauffée*	*Chauffée*
Habillement	*Vêtus*	*Sas vêtus*

8. Qu'est-ce que le journaliste trouve de paradoxal?

Les hubitet des pays nordu donet sas vêtus de pays batei sous un couette

DEUXIÈME PARTIE

Vous allez entendre <u>une seule fois</u> plusieurs courts extraits radiophoniques.

Pour <u>chacun des extraits</u>,
– Vous aurez entre **20 secondes et 50 secondes** pour lire les questions.
– Puis vous écouterez l'enregistrement.
– Vous aurez ensuite entre **30 secondes et 1 minute** pour répondre aux questions.

QUESTIONS

🎧 **Enregistrement n° 15**

Document 1

1. Les saisons astronomiques correspondent: *2 points*
   ☐ au printemps, à l'été, à l'automne et à l'hiver.
   ☒ à quatre parties de l'année.
   ☐ à un autre découpage.

2. Le nombre de saisons dépend: *2 points*
   ☐ des pluies.   ☒ de la latitude.   ☐ du continent.

Document 2

Le spot publicitaire dont vous avez entendu un extrait cherche à promouvoir: *2 points*
☐ une profession.   ☒ une technologie.   ☐ un placement bancaire.

Document 3

• **Interviewé numéro 1**
1. Quelle est sa position par rapport au droit de grève?   *2 points*
   ☒ Tout à fait favorable.   ☐ Réservé.
   ☐ Plutôt pour.   ☐ Plutôt contre.

- **Interviewé numéro 3**
2. Pour cette personne: *2 points*
    ☑ Les conditions de travail des grévistes sont pénibles.
    ☐ Les usagers ne devraient pas se laisser manipuler par les grévistes.
    ☐ Une bonne organisation permet d'éviter les désagréments.

- **Interviewé numéro 4**
3. Quelle est sa position par rapport au droit de grève?   *2 points*
    ☐ Totalement favorable.
    ☑ Totalement défavorable.
    ☐ Ne se prononce pas.

4. Selon elle,   *2 points*
    ☐ le droit de grève a vieilli.
    ☐ les usagers sont prioritaires.
    ☑ la défense du service public manque de continuité.

- **Interviewé numéro 5**
5. Quelle est sa position par rapport au droit de grève?   *2 points*
    ☐ Défavorable.
    ☑ Réservé.
    ☐ Ne se prononce pas.

6. Selon lui,   *2 points*
    ☐ il est aujourd'hui nécessaire de modifier la Constitution.
    ☐ prendre les usagers en otage est un bon moyen de pression.
    ☐ le droit de grève a des limites.

AUTO-ÉVALUATION

	oui	pas toujours	pas encore
Je peux suivre une intervention ou une conversation d'une certaine longueur, même si elle n'est pas clairement structurée et si les relations entre les idées ne sont pas explicitement exposées.	☐	☐	☐
Je peux comprendre une grande gamme d'expressions idiomatiques et de tournures courantes et reconnaître les changements de style et de ton.	☐	☐	☐
Je peux saisir des informations spécifiques dans des annonces publiques, même si la qualité de transmission est mauvaise – par exemple dans une gare ou lors d'une manifestation sportive.	☐	☐	☐
Je peux comprendre une information technique complexe, par exemple des modes d'emploi ou des précisions sur un produit ou un service qui me sont familiers.	☐	☐	☐
Je peux comprendre une conférence, un exposé ou un rapport dans le cadre de mon travail, de ma formation ou de mes études, même s'ils sont complexes quant au fond et à la forme.	☐	☐	☐
Je peux comprendre un film sans trop de difficulté, même s'il comporte beaucoup d'argot et d'expressions idiomatiques.	☐	☐	☐

COMPRÉHENSION DES ÉCRITS

Nature de l'épreuve

durée	note sur
50 minutes	*/25*

▶ Réponse à un questionnaire de compréhension portant sur un texte d'idées (littéraire ou journalistique).

COMPRÉHENSION DES ÉCRITS

Le niveau C1 (selon le *Cadre européen commun de référence pour les langues*)

 Je peux comprendre dans le détail des textes longs et complexes, qu'ils se rapportent ou non à mon domaine, à condition de pouvoir relire les parties difficiles.

 Je peux comprendre dans le détail une gamme étendue de textes que l'on peut rencontrer dans la vie sociale, professionnelle ou universitaire et identifier des points de détail fins, y compris les attitudes, que les opinions soient exposées ou implicites.

 Je suis habile à utiliser les indices contextuels, grammaticaux et lexicaux pour en déduire une attitude, une humeur, des intentions et anticiper la suite.

▶ L'épreuve

Elle porte sur un texte d'idées (littéraire ou journalistique) de 1 500 à 2 000 mots. En 50 minutes, vous devez être capable de répondre à un questionnaire de compréhension d'une dizaine de questions sur le texte.

Ces questions sont d'importance et de forme variables et sont destinées à vérifier votre compréhension fine et analytique du texte. On peut les classer en trois niveaux :

• **Compréhension globale :**
– identifier la nature du document ; son origine ; sa fonction ;
– dégager le thème essentiel abordé.

• **Compréhension de détail :**
– repérer les informations essentielles ;
– classer / comparer / hiérarchiser ces informations : mettre en relation et comparer deux informations données par le texte (deux statistiques, deux exemples, etc.).

• **Compréhension approfondie :**
– percevoir de manière plus fine la logique interne du document, l'importance relative des différentes informations, le point de vue de l'énonciateur (exemple : distinguer ce qui est d'ordre subjectif ou objectif dans le texte) ;
– expliciter l'enjeu et la portée du texte, la position de l'auteur, etc. ;
– expliciter un énoncé particulier (phrase, titre, citation) ;
– expliciter un exemple ou une information chiffrée.

Elles se présentent sous forme de QCM, de tableaux et de questions ouvertes demandant une réponse en trois à quatre lignes maximum. *Le questionnaire ne comprend pas de questions faisant appel à l'opinion personnelle ou à l'argumentation.*

Pour réussir l'épreuve de compréhension des écrits

Plusieurs lectures des textes seront nécessaires.

• En première lecture

Après avoir pris connaissance des questions, il vous faudra balayer le texte et identifier l'essentiel, repérer les idées importantes, l'articulation générale, l'enjeu. L'entraînement est la clé de la réussite et la partie *Pour vous entraîner* vous aidera à développer une approche efficace.

• Lecture approfondie

Après la phase de familiarisation au sujet, au style et à la structure du texte, vous devrez entrer dans le détail et les nuances de sens, atteindre un degré de compréhension fine qui vous permettra de justifier toute réponse de manière précise.

• Pour répondre aux questions

Il vous faudra être capable de rapporter des propos ou vous référer à un passage, le plus souvent en reformulant, comparant et interprétant, et montrer votre capacité à saisir l'implicite.

Le jour de l'examen, il est important que vous ayez bien assimilé les démarches associées aux conseils ci-dessous. Les activités proposées dans les pages qui suivent vous y aideront.

- Conseil n° 1 : Abordez les textes de façon active et critique (anticipez, déduisez, allez à la recherche de l'information).
- Conseil n° 2 : Ayez conscience de vos connaissances et mobilisez-les pour mieux pénétrer le texte.
- Conseil n° 3 : Utilisez la stratégie de lecture qui vous semble la mieux adaptée au contexte.
- Conseil n° 4 : Identifiez les indices contextuels : prenez du recul face au texte et saisissez les éléments externes qui peuvent aider à l'interpréter (titres, sous-titres, illustrations, graphiques, etc.).
- Conseil n° 5 : Servez-vous des indices sémantiques et syntaxiques pour anticiper la suite.
- Conseil n° 6 : Faites des hypothèses :
  - à l'aide d'indices contextuels ;
  - en utilisant vos connaissances et des expériences de situations similaires (connaissances référentielles sur le sujet ou contenu du texte) ;
  - en utilisant vos connaissances et vos expériences de lecture en langue maternelle ou en langue seconde (connaissances textuelles : reconnaissance du vocabulaire et des structures de phrases et reconnaissance de la structure générale du texte).

Pour vous entraîner

STRATÉGIES POUR AMÉLIORER LA COMPRÉHENSION DES ÉCRITS

Ce chapitre a pour but de vous préparer à l'épreuve de compréhension écrite du niveau C1 mais peut se révéler utiles pour la production orale où l'on vous demandera de faire un exposé en puisant des idées dans un corpus de textes.

Les activités variées et de difficulté progressive vous permettront de systématiser une approche allant de la compréhension globale vers la compréhension complète et nuancée du texte. Vous pourrez vous entraîner à saisir rapidement l'essentiel d'un texte, à accéder à la logique interne, à retenir et synthétiser une information, et à vous repérer dans le texte pour trouver ou retrouver un élément.

❶ Repérer des indices contextuels dans un texte

Activité 1

Le XIe congrès mondial des professeurs de français, qui s'est déroulé à Atlanta (USA) du 19 au 23 juillet, sur le thème « Le français, le défi de la diversité », a connu un grand succès. Les actes du congrès doivent être édités. En stage à la Fédération internationale des professeurs de français (FIPF), la mission qui vous a été confiée est de réunir tous les documents qui seront inclus dans les actes du congrès.

Lisez attentivement le programme des interventions lors de la cérémonie d'ouverture. Huit personnalités ont été invitées à s'exprimer (en personne ou par délégation).

Cérémonie d'ouverture du XIe Congrès des professeurs de français

➤ **Discours de Monsieur Abdou Diouf** .... Secrétaire général de l'Organisation internationale de la Francophonie (OIF)

➤ **Message de Monsieur Jacques Chirac** .... Président de la République française

➤ **Discours de Monsieur Xavier Darcos** .... Ministre délégué à la Coopération, au Développement et à la Francophonie de la République française

➤ **Allocution de Madame Nathalie Normandeau** ... Ministre du Développement régional et du Tourisme du Québec

➤ **Allocution de Son Excellence Michael F. Kergin** .... Ambassadeur du Canada aux États-Unis d'Amérique

➤ **Allocution de Madame Éliane De Pues-Levaque** .... Représentante permanente de la Communauté française de Belgique (Wallonie-Bruxelles)

➤ **Allocution de Madame Margot M. Steinhart** .... Présidente de l'Association américaine des professeurs de français

➤ **Discours de Monsieur Dario Pagel** .... Président de la FIPF

Activité 2

Lisez les extraits des différentes interventions et, grâce aux informations contenues dans le programme des interventions, retrouvez les auteurs. Vous êtes un lecteur averti et ces quelques phrases vous suffiront pour retrouver les auteurs des interventions.

Intervenant : ....

Indices retenus : ....

REF CA321

Pour l'ouverture du XIᵉ Congrès de la Fédération internationale des professeurs de français (FIPF), j'ai le plaisir de vous adresser mon chaleureux et fraternel salut au nom de notre amitié, car c'est sous ce signe, celui de l'amitié, que nous nous sommes donné rendez-vous à Atlanta.

C'est au nom de tous les membres de la FIPF que je souhaite la bienvenue

---

Intervenant : ....

Indices retenus : ....

REF CA322

It is a tremendous pleasure to the Canadians among us to be here in the great city of Atlanta. Ms. McLeveighn, please pass on our thanks to Madame the Mayor for the city's wonderful hospitality.

Monsieur le Président,

Le Canada célèbre fièrement cette année le 400ᵉ anniversaire de la présence française en Amérique. Jacques Cartier avait, le premier, exploré la région en 1534. Mais c'est en 1604, à la tête d'un groupe de quatre-vingts marins et colons, que les explorateurs Samuel de Champlain et Pierre Duguas-Demons ont été les premiers Français à s'installer de façon permanente sur une île, juste au sud de ce qui est devenu de nos jours la province du Nouveau-Brunswick. Cette première implantation permanente est considérée comme le véritable acte fondateur du Canada.

Durant ces 400 ans, malgré les aléas de l'histoire, la langue française n'a

---

Intervenant : ....

Indices retenus : ....

REF CA 323

Je voudrais d'abord adresser un salut cordial et chaleureux aux autorités américaines qui nous accueillent aujourd'hui. Madame la Représentante du Maire d'Atlanta, merci de votre présence à cette cérémonie d'ouverture du XIᵉ Congrès des professeurs de français. Cette présence témoigne de l'esprit de liberté et d'ouverture de votre grand pays. Elle témoigne aussi de la considération que vous portez aux professeurs de français

Intervenant : ....

Indices retenus : ....

REF CA324

C'EST avec grand plaisir que la Communauté française Wallonne de Bruxelles s'associe au onzième congrès de la Fédération internationale

Intervenant : ....

Indices retenus : ....

REF CA325

IL me fait plaisir, au nom du gouvernement du

Intervenant : ....

Indices retenus : ....

REF CA326

NOUS vous accueillons
Le charme, l'histoire
Qu'à l'époque in
emporte le vent » Atlanta peut

Intervenant : ....

Indices retenus : ....

REF CA327

JE suis très heureux d'être parmi vous ce matin pour inaugurer, au nom des autorités françaises, le XIe Congrès mondial de ce grand partenaire qu'est pour nous, depuis près de quarante ans, la FIEP. Je remercie

Intervenant : ....

Indices retenus : ....

REF CA328

LA cause qui nous rassemble m'est chère et je suis particulièrement heureux de m'associer à vous pour ce XIe Congrès de la Fédération internationale des professeurs de français.
C'est un message de sympathie, de soutien, de reconnaissance que je souhaite vous adresser par l'intermédiaire de M.

Activité 3

Inscrivez vos conclusions dans le tableau ci-dessous.

FIPF_Atlanta	Cérémonie d'ouverture	
	Intervenant	**Code**
	M. Abdou Diouf	....
	M. Jacques Chirac	....
	M. Xavier Darcos	....
	Mme Nathalie Normandeau	....
	Son Excellence Michael F. Kergin	....
	Mme Éliane De Pues-Levaque	....
	Mme Margot M. Steihart	....
	M. Dario Pagel	....

❷ Lecture globale, lecture analytique et lecture sélective

La lecture devrait se faire en deux temps : une lecture globale suivie d'une lecture analytique.

1. Dans la phase de **lecture globale**, vous identifiez d'abord les éléments paratextuels (titre, intertitres, source, etc.) avant de commencer la lecture. Celle-ci devrait se faire sans retour en arrière, sans s'arrêter sur des passages éventuellement difficiles ou des mots inconnus). À ce stade, la lecture devrait vous permettre de distinguer les éléments principaux des éléments secondaires.

2. La **lecture analytique** consiste en une manière méthodique d'aborder le texte. L'objectif est de vous approprier le contenu du texte. Vous suivez une démarche progressive : en lisant, vous vous posez des questions et vous construisez du sens :
• Quel est le problème posé ? À quelle(s) question(s) cherche-t-on à répondre ? À quel problème cherche-t-on une solution ?
• Quels sont les principaux concepts développés ? Quelles sont les notions abordées ?
• À quelles références sociales, historiques, scientifiques, culturelles, politiques renvoie l'article ?
• À quelles personnalités fait-on référence ?
• Sur quelles références théoriques, bibliographiques s'appuie le discours ?
• Quelles sont les explications ou les éléments de réponse proposés ?

Procédez par étapes :
– cherchez et trouvez l'information ;
– synthétisez et/ou reformulez : un mot pourra résumer un paragraphe ou mettre l'accent sur un point essentiel par exemple.

Cette approche prend du temps mais vous permet d'accéder à un niveau de compréhension fine.

3. Appelée aussi lecture de recherche, la **lecture sélective** relève d'une stratégie consistant à s'appuyer sur les indices du texte pour trouver ou retrouver rapidement une information. La rapidité du repérage est le gage de l'efficacité. La démarche relève d'un choix. On peut dire qu'il s'agit d'une lecture d'élimination lorsque l'on laisse délibérément de côté un document ou une partie d'un document pour se concentrer sur le reste, susceptible d'intéresser en fonction de la réponse à une question donnée par exemple. Une deuxième sélection s'opère ensuite pour éviter la lecture intégrale de certains passages puis alterner et se concentrer sur d'autres. Souplesse et capacité à aborder le texte comme une image vous feront gagner un temps précieux.

Activité 4

Lisez ce texte en adoptant une technique de lecture globale. Ce document est « exigeant ». Ne vous laissez pas impressionner. À l'issue de cette lecture, en une dizaine de minutes, écrivez une note de lecture de cinq ou six lignes.

 Ne cherchez pas de mots dans le dictionnaire avant la fin de l'activité 8.

ROLAND BARTHES OU LA TRAVERSÉE DES SIGNES

CONFÉRENCES - DÉBATS - RENCONTRES

Il y a déjà vingt ans, Roland Barthes* nous quittait, **fauché** par une camionnette alors qu'il se rendait au Collège de France où il occupait la chaire de **sémiologie**.

Le temps du **purgatoire** est passé. Celui de la relecture commence.

Roland Barthes fut un acteur majeur dans le débat d'idées des trente glorieuses*, ces années d'effervescence théorique qui placèrent la France au premier rang des exportations de la pensée.

On a parlé de philosophie du soupçon pour caractériser cette période de réflexion critique au sein du **paradigme** structural.

Le qualificatif se veut négatif alors que l'entreprise fut féconde, surtout chez un Roland Barthes que son **idiosyncrasie** a toujours entraîné dans une lutte brillante et sans pitié contre toutes les idées reçues, c'est-à-dire contre cette bêtise du **consensus** social dont il partage avec Flaubert, la haine.

Ce réflexe intellectuel l'a conduit à regarder, et à nous faire voir, comme jamais avant lui, tous les objets auxquels il s'est intéressé. Ce fut le théâtre antique puis celui de Brecht et de Vilar, le texte de l'histoire avec Michelet, le cinéma d'Eisenstein, les œuvres picturales de Twombly, la photographie comme concept, sans oublier la littérature aussi bien contemporaine que classique, celle de Robbe-Grillet, de Sollers, de Sarduy, mais aussi celle de Chateaubriand, de Flaubert, de Proust… La liste est impossible à égrener.

Il a été le compagnon de route des avant-gardes littéraires et théoriques parce qu'il les a cru engagées dans une recherche des processus à l'œuvre dans la signification. Et l'on sait combien il a fait sienne cette question du sens. Au point que devant tout, ou presque, ce qu'il a écrit on pourrait placer en facteur commun cette interrogation qui sert de titre à l'un des fragments du *Roland Barthes par Roland Barthes*: « Qu'est-ce que ça veut dire? ».

Si pour Jean-Paul Sartre l'homme est un fabricant de récit, pour Roland Barthes il est un producteur de sens. Et ce sens, hors de toute **herméneutique** de la vérité, il s'est employé à en dévoiler les strates selon cette technique si **barthésienne** de l'**effeuillage**. C'est peut-être là la plus grande constance de cette intelligence que sa passion pour l'intelligibilité emporte avec délice jusqu'au **nomadisme** de l'esprit. Il ne faut, en effet, jamais oublier l'aspect délicieux de la quête intellectuelle de Roland Barthes, car le plaisir est toujours au rendez-vous chez cet amoureux de l'écriture.

Le colloque, et les rencontres qui le précèdent, s'attacheront à faire vibrer toutes les facettes d'un penseur et d'un écrivain qui ne se voulait assigné à résidence dans aucune théorie, ni dans aucun objet.

http://www.centrepompidou.fr

* Roland Barthes (1915-1980). ** Trente glorieuses: 1945-1975.

Activité 5

Lisez le texte une deuxième fois en adoptant une approche analytique et en résumant chaque paragraphe par un ou quelques mots qui vous serviront d'aide-mémoire lorsqu'il vous faudra rechercher une information à un endroit précis du texte.

Activité 6

Pour vérifier ce que vous avez retenu concernant Roland Barthes ou, dans le cas contraire, votre capacité à retrouver une information (lecture sélective), nous vous proposons de compléter la fiche ci-dessous.

Statut, fonction occupée	....
Apogée de sa carrière	....
Objet de ses recherches	....
Affinités intellectuelles	....
Son désaveu	
Période	....
Objet – motif	....
Conséquence	....
Et aujourd'hui ?	....

Activité 7

En complément de l'activité précédente, et pour vous aider à prendre conscience de l'efficacité de votre approche en tant que lecteur (capacité à retenir une information ou à vous orienter dans le texte pour la retrouver), nous vous proposons de renseigner les rubriques thématiques ci-dessous.

Référent(s) historique(s) : ....

Référent(s) géographique(s) : ....

Référent(s) littéraire(s) : ....

Référent(s) culturel(s) : ....

39

POUR VOUS ENTRAÎNER

Activité 8

Nous avons sélectionné des mots du texte pour leur difficulté. Le contexte aide généralement à accéder à la compréhension. Dans le cas contraire, il convient d'essayer d'identifier les éléments qui composent le mot : selon les cas, vous pouvez retrouver ou vous appuyer sur l'étymologie (origine du mot), utiliser la dérivation (formation du mot) pour découvrir le sens de nouveaux mots. Ne consultez un dictionnaire qu'en dernier ressort.

Essayez de donner une définition des mots ci-dessous ou d'en dégager le sens.

Exemple : Fauché : *qu'on a fait tomber en blessant, en tuant, qu'on a renversé (image de la faux, outil permettant de couper les blés)*

Sémiologie : ....

Purgatoire : ....

Paradigme : ....

Idiosyncrasie : ....

Consensus : ....

Herméneutique : ....

Barthésienne : ....

Effeuillage : ....

Nomadisme : ....

Sans l'aide du dictionnaire, le sens de certains mots vous aurait sans doute échappé. Les conseils que nous vous donnions page 38 vous invitaient à ne pas vous arrêter sur des mots inconnus. C'est la raison pour laquelle cette activité était placée en huitième position. La compréhension d'un texte, il est utile de le rappeler, n'est pas dépendante de la connaissance de chacun des mots qu'il contient.

Activité 9

Reformulez les extraits qui suivent sans en reprendre les termes. Allez à l'essentiel et essayez toujours d'être concis : soyez fidèle à l'idée mais exprimez-la si possible en moins de mots.

1. « Roland Barthes nous quittait, fauché par une camionnette. »

    ....

2. « Le temps du purgatoire est passé. Celui de la relecture commence. »

    ....

3. « Il a été le compagnon de route des avant-gardes littéraires et théoriques parce qu'il les a cru engagées dans une recherche des processus à l'œuvre dans la signification. »

    ....

4. « Le colloque, et les rencontres qui le précèdent, s'attacheront à faire vibrer toutes les facettes d'un penseur et d'un écrivain qui ne se voulait assigné à résidence dans aucune théorie, ni dans aucun objet. »

    ....

❸ Décoder l'implicite

Activité 10

Lisez le discours qui suit en adoptant les principes déjà énoncés pour la lecture globale (page 37). Vous disposez d'environ 10 minutes pour parcourir le texte et en relever les idées principales.

Séance de l'Assemblée Nationale du 17 septembre 1981

M. le président.

La parole est à M. le garde des sceaux, ministre de la Justice*.

M. le garde des sceaux.

Monsieur le président, mesdames, messieurs les députés, j'ai l'honneur au nom du Gouvernement de la République, de demander à l'Assemblée nationale l'abolition de la peine de mort en France.

En cet instant, dont chacun d'entre vous mesure la portée qu'il revêt pour notre justice et pour nous, je veux d'abord remercier la commission des lois parce qu'elle a compris l'esprit du projet qui lui était présenté et, plus particulièrement son rapporteur, M. Raymond Forni, non seulement parce qu'il est un homme de cœur et de talent mais parce qu'il a lutté dans les années écoulées pour l'abolition. Au-delà de sa personne et comme lui, je tiens à remercier tous ceux, quelle que soit leur appartenance politique qui, au cours des années passées, notamment au sein des commissions des lois précédentes, ont également œuvré pour que l'abolition soit décidée, avant même que n'intervienne le changement politique majeur que nous connaissons.

Cette communion d'esprit, cette communauté de pensée à travers les clivages politiques montrent bien que le débat qui est ouvert aujourd'hui devant vous est d'abord un débat de conscience et le choix auquel chacun d'entre vous procédera l'engagera personnellement.

Raymond Forni a eu raison de souligner qu'une longue marche s'achève aujourd'hui. Près de deux siècles se sont écoulés depuis que, dans la première assemblée parlementaire qu'ait connue la France, Le Pelletier de Saint-Fargeau demandait l'abolition de la peine capitale. C'était en 1791.

Je regarde la marche de la France. La France est grande, non seulement par sa puissance, mais au-delà de sa puissance, par l'éclat des idées, des causes, de la générosité qui l'ont emporté aux moments privilégiés de son histoire.

La France est grande parce qu'elle a été la première en Europe à abolir la torture malgré les esprits précautionneux qui, dans le pays, s'exclamaient à l'époque que, sans la torture, la justice française serait désarmée, que, sans la torture, les bons sujets seraient livrés aux scélérats. La France a été parmi les premiers pays du monde à abolir l'esclavage, ce crime qui déshonore encore l'humanité.

Il se trouve que la France aura été, en dépit de tant d'efforts courageux l'un des derniers pays, presque le dernier – et je baisse la voix pour le dire – en Europe occidentale, dont elle a été si souvent le foyer et le pôle, à abolir la peine de mort. Pourquoi ce retard ? Voilà la première question qui se pose à nous. Ce n'est pas la faute du génie national.

C'est de France, c'est de cette enceinte souvent, que se sont levées les plus grandes voix, celles qui ont résonné le plus haut et le plus loin dans la conscience humaine, celles qui ont soutenu, avec le plus d'éloquence la cause de l'abolition. Vous avez, fort justement, monsieur Forni, rappelé Hugo, j'y ajouterai, parmi les écrivains, Camus. Comment, dans cette enceinte, ne pas penser aussi à Gambetta, à Clémenceau et surtout au grand Jaurès ? Tous se sont levés. Tous ont soutenu la cause de l'abolition. Alors pourquoi le silence a-t-il persisté et pourquoi n'avons-nous pas aboli ?

http://www.peinedemort.org

* Robert Badinter

Activité 11

Lisez une nouvelle fois le discours en changeant votre approche. Adoptez un type de lecture analytique. Si vous avez effectivement saisi l'essentiel lors de la phase de lecture globale, vous êtes désormais en mesure de suivre la pensée de Robert Badinter. Posez-vous des questions et trouvez-en les réponses au fil de la lecture. Nous vous suggérons de résumer chaque paragraphe en quelques mots.

Activité 12

Pour vérifier l'efficacité de votre lecture, répondez à ces questions de compréhension. Reportez-vous au texte si nécessaire.

1. D'où est extrait le document ? ....

2. Quel était le sujet à l'ordre du jour de la séance à l'Assemblée nationale, le 17 septembre 1981 ?

....

3. Quelle fonction occupait Raymond Forni ? ....

4. Quelles sont les idées principales développées dans le texte ? ....

Activité 13

Reportez-vous au texte et retrouvez rapidement les informations demandées.

a) Dites où et comment Robert Badinter évoque :

– l'importance du moment : ....

– les qualités humaines de Raymond Forni : ....

– la responsabilité de l'assistance : ....

– la peine de mort : ....

b) Dites où il est question implicitement de :

– l'arrivée de la gauche au pouvoir : ....

– l'encouragement à ne pas s'abriter derrière la ligne ou les consignes de vote du parti :

....

– Mao Tsé Toung : ....

– honte : ....

Activité 14

Retrouvez comment Robert Badinter hiérarchise l'information dans les deux avant-derniers paragraphes de son discours (« La France est grande... du génie national »).

Thème	Ce qui est comparé	Place de la France
Abolition de la torture	*France et Europe*	*Une des premières*
....	....	....
....	....	....

4 Décoder l'implicite : aller plus loin

> Suivez les étapes que nous vous proposons pour découvrir l'analyse de Jean-Louis Andreani sur Mme Royal et la démocratie d'opinion et développez un peu plus vos réflexes de lecteur expérimenté.
>
> Mesurez ce que vous apportent la lecture globale d'un document, la lecture analytique de son contenu et la lecture sélective permettant de retrouver ou de chercher rapidement une information.

Activité 15

Dans un premier temps, ne lisez pas l'article. Testez votre faculté de saisir le non dit (hors contexte), le sous-entendu, le message implicite, en vous intéressant à l'analyse des six phrases suivantes. Chaque phrase recèle au moins un indice lexical, grammatical, stylistique ou une formulation permettant une interprétation logique, repérable par tout lecteur attentif. La lecture de l'article, dans un deuxième temps, vous permettra de vérifier si vous étiez sur la bonne voie.

a. « Ériger au rang de priorité la réduction de la fracture entre le « peuple » et ses élites aurait dû inspirer les dirigeants des différents partis, en particulier le PS, bien avant que Mme Royal ne s'en empare. »

Que faut-il en déduire ? *or, ils ne l'ont pas fait.*

Indice : *temps du verbe principal (aurait dû inspirer): conditionnel.*

Sous-entendu : *ça ne les intéresse pas, ils préfèrent maintenir la fracture et rester dans l'élite.*

b. « De tous ces points de vue, la volonté de valoriser la "démocratie participative" n'a rien de critiquable en soi. »

Que faut-il en déduire ? *il existe d'autres points de vue.*

Indice : *de tous ces points de vue.*

Sous-entendu : *selon le point de vue, la volonté de valoriser la démocratie participative est critiquable en soi.*

Autre déduction possible : *mais elle est peut-être critiquable dans la manière dont elle est faite.*

Indice : *n'a rien de critiquable en soi.*

Sous-entendu : ....

c. « Longtemps, la désacralisation de la politique en France a semblé relever de l'urgence. »

Que faut-il en déduire ? *or aujourd'hui,* ....

Indice : ....

Sous-entendu : ....

d. « On tombe aujourd'hui d'un excès dans l'autre... »

Que faut-il en déduire ? ....

Indice : *opposition excès / dans l'autre*

Sous-entendu : ....

e. « Et Michel Rocard, qui fut le premier dirigeant à théoriser les rapports entre l'opinion et le politique, souligne aujourd'hui, après avoir passé trois ans à Matignon, que gouverner au sondage relève de l'impossible. »

Que faut-il en déduire ? *s'il dit cela, c'est qu'il a essayé* ....

Indice(s) : ....

Sous-entendu : ....

f. « Dans un ouvrage qui survole six siècles de crises, voire d'effondrements français (*Le Phénix français*, Flammarion, 18 euros), le journaliste Georges Valance souligne que le pays, à chaque fois, a repris pied grâce à une impulsion forte, donnée par un personnage politique déterminé, qui ne craint pas de prendre des risques. L'inverse, en somme, d'un mode de gouvernement à la godille, qui ferait de l'image et de l'écoute des sondages sa principale force. »

Que faut-il en déduire ? : ....

Indice(s) : ....

Sous-entendu : *le pays a besoin de* .... *et non de* ....

Activité 16

Parcourez le document en vous intéressant à ce qui relève du paratexte (type de texte, rubrique, titre, source, intertitre, procédés de mise en évidence à l'intérieur du texte) et lisez uniquement la première ou les deux premières lignes de chaque paragraphe.

ANALYSE

Mme Royal et la démocratie d'opinion, par Jean-Louis Andreani

LE MONDE | 31.10.06 | 14h54 • Mis à jour le 31.10.06 | 16h04

1 La méthode Royal est-elle susceptible, ou non, de rapprocher les citoyens de la politique ? C'est l'une des principales questions soulevées par le phénomène qu'a réussi à créer autour d'elle la présidente du Parti socialiste de Poitou-Charentes. La favorite des sondages au sein du PS affiche une volonté très claire de réduire le fossé entre la population et ses élus, de faire reculer un scepticisme

5 qui mine la démocratie et qui avait provoqué, notamment, l'horreur politique du 21 avril 2002.

L'objectif avoué est louable. Ériger au rang de priorité la réduction de la fracture entre le « peuple » et ses élites aurait dû inspirer les dirigeants des différents partis, en particulier le PS, bien avant que Mme Royal ne s'en empare. Être à l'écoute de la population, en particulier de celle qui souffre, restaurer l'espoir des moins favorisés, rompre le splendide isolement des palais nationaux, sortir

10 d'un moule intellectuel qui peut pousser à la cécité politique est urgent.

De tous ces points de vue, la volonté de valoriser la « *démocratie participative* » n'a rien de critiquable en soi. Associer davantage les citoyens à la gestion locale est une idée ancienne, prônée par exemple par le mouvement des groupes d'action municipale (GAM), qui avait servi de laboratoire politique à la gauche dans les années 1960 et 1970. Plus récemment, le gouvernement de la gauche

15 plurielle avait fait voter la loi du 27 février 2002 sur la « *démocratie de proximité* », qui explore cette même voie en créant des « *conseils de quartier* » dans les villes de plus de 80 000 habitants.

Mais jusqu'où faut-il étendre le champ de la démocratie participative ? Est-il souhaitable de donner davantage de pouvoirs aux instances à travers lesquelles elle s'exprime ? Faut-il bousculer les élus qui ont parfois des réticences face à de tels contre-pouvoirs ? Jusqu'à quel point la démocratie par-

20 ticipative peut-elle « *changer la vie* » ? Ces débats sont permanents et légitimes.

Le problème soulevé par le phénomène Royal n'est pas là. La candidate potentielle a une façon de présenter les choses qui crée une ambiguïté, voire une sensation de malaise, et qui explique que ses adversaires, de droite comme de gauche – qui cherchent évidemment le défaut de la cuirasse –, puissent la taxer de populisme et de démagogie, en trouvant un écho dans une partie de l'opinion

25 et des militants socialistes.

Ce serait faire injure à Mme Royal de penser qu'elle ne maîtrise pas son vocabulaire. Or celui qu'elle emploie n'est pas neutre.

Lorsqu'elle utilise des termes comme « *jury* », « *surveillance populaire* » (avant de les abandonner devant les critiques qu'ils provoquent) ; quand elle accuse ses adversaires d'avoir « *peur du*

---

30 *peuple* », ou de prétendre que « *tout va bien* », elle ne contribue pas à dissiper la défiance à l'égard du personnel politique. Au contraire, elle l'entretient, la justifie, qu'elle le veuille ou non. Autant dire que ce n'est sans doute pas la meilleure manière de s'y prendre pour restaurer l'image du politique.

Longtemps, la désacralisation de la politique en France a semblé relever de l'urgence. Les sarcasmes 35 contre cette République « *monarchique* » allaient de pair avec la revendication d'un État et d'une politique devenus plus « *modestes* », gage d'un fonctionnement plus démocratique et d'une meilleure proximité avec le citoyen. On tombe aujourd'hui d'un excès dans l'autre, en faisant des élus des personnages assez peu fiables pour n'être autorisés à agir qu'avec l'aval explicite et sous la surveillance constante, jusqu'au sein du conseil des ministres, de leurs électeurs.

40 L'approche politique de Mme Royal pose aussi la question du rapport à l'opinion et à ses fluctuations. Ségolène Royal est populaire au PS parce qu'elle est en tête des sondages d'opinion. Et elle doit ce résultat, en bonne partie, au fait de coller aux tendances dégagées par les sondages thématiques, sur les questions qui préoccupent le pays. Autrement dit, la boucle est bouclée : les sondages mènent le jeu.

45 Cela fait longtemps qu'ils tiennent une place importante dans le paysage politique, et ceux qui affirment s'en moquer sont souvent les premiers à les éplucher avec un soin obsessionnel. Au demeurant, la prise en compte de l'opinion est aussi un élément de modernisation de la démocratie, et il est difficile de gouverner durablement contre elle. Mais un nouveau pas est franchi, avec toutes les inquiétudes que peut soulever cette évolution.

RENVERSER LES RÉSULTATS

50 Lorsque Mme Royal explique que, sur la Turquie, son opinion sera celle du peuple, elle tourne le dos à l'idée selon laquelle l'homme, ou la femme, politique était supposé (e) être élu (e) à partir de convictions qu'il (elle) a su défendre avec assez de force pour les faire partager. L'exemple de la peine de mort, abolie par la gauche contre tous les sondages et qui suscite maintenant un large consensus, a été cité à de multiples reprises, mais il conserve sa valeur.

55 Il est bien sûr permis de défendre une conception inverse de celle illustrée alors par l'initiative de François Mitterrand sur le châtiment suprême. Il est plus difficile de prétendre qu'elle restaure la légitimité du politique. En poussant le raisonnement à ses limites, autant vaudrait déterminer quel est le meilleur institut de sondages, puis décider que son directeur deviendra président, avec pour mission de mettre en œuvre une politique inspirée des réponses à des questionnaires judicieusement 60 établis et soumis à un échantillon représentatif de la population…

Outre les objections de principe, la faisabilité de ce type de gouvernement est elle-même incertaine. Tous les sondeurs et les politiques savent que l'opinion est versatile, qu'elle peut être convaincue à force de pédagogie ou intoxiquée à coups de désinformations. Les sondages peuvent se tromper, être contradictoires.

65 Laurent Fabius avait fait un jour la démonstration, à la télévision (lors de l'émission « L'heure de vérité » d'Antenne 2 en décembre 1987), qu'on peut renverser les résultats d'un sondage en quelques minutes, rien qu'en changeant de ton… Et Michel Rocard, qui fut le premier dirigeant à théoriser les rapports entre l'opinion et le politique, souligne aujourd'hui, après avoir passé trois ans à Matignon, que gouverner au sondage relève de l'impossible.

70 Dans un ouvrage qui survole six siècles de crises, voire d'effondrements français (*Le Phénix français*, Flammarion, 18 euros), le journaliste Georges Valance souligne que le pays, à chaque fois, a repris pied grâce à une impulsion forte, donnée par un personnage politique déterminé, qui ne craint pas de prendre des risques. L'inverse, en somme, d'un mode de gouvernement à la godille, qui ferait de l'image et de l'écoute des sondages sa principale force.

JEAN-LOUIS ANDREANI
Article paru dans l'édition du 01.11.06

Maintenant, répondez aux questions :

1. Dans quelle rubrique d'un quotidien ou d'un magazine classeriez-vous cet article ?

Dans la .... [réponse manuscrite]

2. Quel est le sujet abordé ? *La démocratie d'opinion* [réponse manuscrite]

3. S'agit-il d'un sujet d'actualité ? *Oui, ... l'article est de 2006* [réponse manuscrite]

Activité 17

Lisez une nouvelle fois le texte en privilégiant une approche vous permettant d'accéder à une compréhension fine et de détail, de retenir l'essentiel et de vous repérer dans le texte. Écrivez une note de lecture en quatre à six lignes dans laquelle vous résumerez l'essentiel de ce que contient l'article.

Activité 18

Répondez aux questions suivantes :

1. Pour quelle raison Jean-Louis Andreani a-t-il écrit son article « Mme Royal et la démocratie d'opinion » :

☐ La critiquer ouvertement ?
☒ La soutenir de manière nuancée ?
☐ S'interroger et alerter ?

Justification : ....

2. Quel ton prend parfois l'article ?

a. **Polémique :** OUI (NON)

Justification : ....

b. **Admiratif :** OUI (NON)

Justification : ....

c. **Ironique :** (OUI) NON

Justification : ....

d. **Humoristique :** (OUI) NON

Justification : ....

3. Sur quels aspects de la démocratie participative le journaliste émet-il des réserves ? Citez-en au moins trois.

....
....
....

4. D'après Jean-Louis Andreani, associer davantage les citoyens à la gestion locale :

☐ ça ne marche pas.   ☐ c'est dépassé.
☐ ça a déjà été expérimenté.   ☐ c'est impensable.

5. À quel moment Jean-Louis Andreani pousse-t-il son raisonnement jusqu'à l'absurde ?

....

6. Quel est l'état de la France (si l'on s'en tient aux indices contenus dans cet article)?

☐ Florissant?   ☑ Inquiétant?   ☐ Désespéré?

Justification: ....

7. Qu'évoque le titre de l'ouvrage cité en référence?

....

8. Selon Jean-Louis Andreani, de quel type de dirigeant un pays a-t-il besoin?

....

9. Pour permettre au lecteur de revenir plus facilement sur certains points, des intertitres seraient utiles. Rajoutez-les.

INT 1 ....

INT 2 ....

INT 3 ....

....

10. Intéressez-vous à ce passage chargé d'implicite (ll. 17-20):

a. « Est-il souhaitable de donner davantage de pouvoirs aux instances à travers lesquelles elle s'exprime? »

Citez au moins une instance mentionnée dans le texte. ....

Dites quelle est la position exprimée implicitement par l'auteur. ....

b. « Faut-il bousculer les élus qui ont parfois des réticences face à de tels contre-pouvoirs? »

Selon vous, quelle est la raison implicite de ces réticences? ....

Quelles associations d'idées Jean-Louis Andréani incite-t-il à faire?

démocratie participative = ...

c. « Jusqu'à quel point la démocratie participative peut-elle « changer la vie »? Ces débats sont permanents et légitimes. »

Quel doute l'auteur exprime-t-il? ....

POUR ALLER PLUS LOIN

1. Exprimez avec vos propres mots:

a. la notion de démocratie: ....

b. ce qu'on entend par démocratie d'opinion: ....

c. ce qu'est la démocratie participative: ....

2. Vers la production orale: nous vous proposons d'organiser un débat sur le thème: « Rapprocher les citoyens de la politique est-il un objectif en soi? »

Cette activité peut se pratiquer en binôme ou en groupe, avec ou sans temps de préparation. Exposez votre point de vue de manière claire, accompagné si possible d'au moins un argument convaincant. Soyez discret lorsque vous cherchez un mot, une expression, une formulation particulière, masquez vos hésitations en reformulant un argument, une question...

Pour ajouter une note d'humour, tout en servant notre propos, reportez-vous au Pipotron et au générateur de langue de bois (voir C1, Production orale, pp. 107-108).

VERS L'ÉPREUVE

Vers l'épreuve

Il est temps de faire appel à l'ensemble des compétences que vous avez développées en tant que lecteur efficace pour aborder un texte d'un format correspondant à ce qui peut vous être proposé le jour de l'examen tant sur le fond (texte d'idées, littéraire ou journalistique) que sur la forme (longueur de 1 500 à 2 000 mots).

Toutefois, pour poursuivre votre entraînement, nous vous proposons de commencer par un texte court (environ 600 mots) afin de vous familiariser avec un type et un nombre de questions standards.

Nous passerons ensuite à un texte plus exigeant, d'environ 1 700 mots auxquels se rattachent deux questionnaires : l'un de format examen, l'autre se présentant sous forme de questions ouvertes uniquement, portant sur l'implicite, l'interprétation fine et les connaissances civilisationnelles ou lexicales.

SUJET 1

Lisez le texte puis répondez aux questions.

Mondialisation

Par Sylvain Allemand
Sciences Humaines du 16/04/07

Les pro, les anti et les alter

Dans son acception la plus générale, la mondialisation désigne en français l'émergence d'enjeux de portée non plus locale ou nationale mais planétaire. C'est une notion relativement ancienne, forgée dès les années 40-50, qui aurait pu trouver à s'appliquer aux questions environnementales dont l'importance est allée croissant dans les débats internationaux, avec la reconnaissance de l'existence de biens publics mondiaux (les ressources halieutiques, plus récemment la couche d'ozone, etc.). Seulement, les premiers à en avoir fait un véritable usage, à partir des années 80-90, sont les économistes (Theodore Levitt) et des consultants en management (Kenichi Ohmae) anglo-saxons qui parlaient alors de *globalization* (traduit indifféremment en français par globalisation ou mondialisation).

Par là, ils suggèrent l'avènement d'une nouvelle étape dans l'histoire du capitalisme marquée par la globalisation financière, l'émergence de multinationales globales (c'est-à-dire capables de concevoir, produire et distribuer des produits en exploitant des ressources naturelles, humaines et financières à travers le monde), la libéralisation du commerce ou encore la constitution d'ensembles régionaux (Union européenne, Mercosur...). D'où, durant plusieurs années, la tentation des chercheurs comme des médias et des opinions publiques à assimiler la mondialisation à des phénomènes essentiellement économiques ou financiers.

Aujourd'hui, un fort consensus se dégage pour considérer que la mondialisation n'est pas que cela, qu'elle a aussi des implications politiques, sociales et culturelles, liées à l'essor des migrations internationales, des médias ou des moyens de télécommunication. Ceux qu'on désigne par « antimondialisation » commencent à se définir comme les partisans d'une « altermondialisation ». Ils se disent non pas hostiles à la mondialisation – qu'elles le veuillent ou non, les sociétés sont mondialisées, c'est-à-dire interdépendantes sinon soumises aux influences extérieures – mais à une conception par trop libérale et financière de celle-ci. Ils soulignent la contradiction entre, d'une part, des capitaux et des marchandises dont la libéralisation favorise les flux et, d'autre part, le renforcement des frontières qui rend plus difficile la libre circulation des candidats à l'émigration.

Le phénomène des mobilisations antimondialisation qui se sont succédées depuis Seattle est lui-même interprété comme une autre facette de la mondialisation, qui préfigure l'émergence d'une société civile mondiale susceptible d'exercer à terme une pression sur les multinationales, les organisations internationales (FMI, OMC...) et les États.

Mais la mondialisation n'entraîne-t-elle pas une unification du monde, tant du point de vue économique que culturel ou politique, et donc la dissolution des identités nationales ? D'aucuns le pensent pour le regretter en considérant que la mondialisation participe fondamentalement d'une occidentalisation des valeurs, avec notamment l'imposition d'une conception occidentale des droits de l'homme, sinon d'une américanisation des modes de vie (la « macdonaldisation »). D'autres y voient au contraire un processus favorable aux échanges entre les peuples et donc à la prise de conscience de la diversité de leurs cultures respectives. Fût-ce avec le concours des industries culturelles, la *world music* montre comment ces échanges favorisent les phénomènes de métissage, d'hybridation ou encore de créolisation (selon l'expression de l'écrivain et poète antillais Édouard Glissant).

Dans cette perspective, la mondialisation encouragerait l'émergence d'une nouvelle échelle d'appartenance (la citoyenneté mondiale) qui s'ajouterait, sans les exclure, aux identités nationales mais aussi locales ou ethniques. En l'absence d'un espace public mondial, ce sentiment d'appartenance s'exprimerait à l'occasion de manifestations de portée mondiale comme les Jeux olympiques, la coupe mondiale de football, ainsi que certains événements retransmis par les médias comme le décès de Lady Diana ou l'attaque contre les tours du World Trade Center. Il en résulterait l'émergence d'un imaginaire commun, ce que le sociologue canadien Marshall McLuhan avait déjà pressenti, quarante ans plus tôt, avec son idée de village global.

Questions :

1. **Reformulez le sous-titre :** ....

2. **Quel est le but poursuivi par le journaliste dans cet article ?**
   ☐ Défendre la mondialisation.
   ☐ Dénoncer la mondialisation.
   ☐ Exposer les conséquences de la mondialisation.
   ☐ Présenter une image nuancée de la mondialisation.

3. **À quoi a-t-on assisté entre 1980 et 1990 ?**
   ☐ À l'évolution d'une problématique.
   ☐ À l'évolution d'un concept.
   ☐ À l'utilisation d'un concept.
   ☐ À l'abandon d'un concept.

   Justification : ....

4. **On peut dire que les chercheurs, les médias et l'opinion publique :**
   ☐ ont été trompés par les économistes.
   ☐ ont mal interprété les idées des économistes.
   ☐ ont rejeté partiellement les idées des économistes.
   ☐ ont adopté assez massivement la vision des économistes.

5. **Dans le texte, que signifie « un fort consensus se dégage [...] » ?**
   ....

6.a **En quoi la position des « antimondialisation » a-t-elle évolué ?**
   ....

6.b **Que contestent-ils ?**
   ....

7. **Qu'entend-on par « des mobilisations antimondialisation » ?**
   ....

8. Vrai, faux? Cochez la case correspondante.

	V	F
La mondialisation est unanimement considérée comme un danger pour les identités nationales.		
Certains pensent que la mondialisation vient d'une occidentalisation des valeurs.		
Occidentalisation est synonyme d'américanisation.		
Les phénomènes de métissage, d'hybridation ou encore de créolisation font peur à certains.		

9. Sur quelle note commence le dernier paragraphe?
- ☐ Enthousiaste.
- ☐ Sceptique.
- ☐ Optimiste.
- ☐ Pessimiste.

Justification: ....

10. Quel effet « boule de neige » la mondialisation entraîne-t-elle (paragraphe 6)? (2 à 3 lignes)

....

....

....

SUJET 2

Chasseurs de déprime

Mais pourquoi les bonnes nouvelles de la modernité se transforment toutes en catastrophes? Éléments de réponse par Roger Sue, sociologue frondeur.

On pourrait dire de Roger Sue qu'il est un empêcheur de désespérer en rond. Son dernier livre, *La Société contre elle-même*, interroge en effet le pessimisme ambiant, que l'actualité des banlieues rend aujourd'hui si vif, toutes ces inquiétudes sur le déclin de notre société que l'on sent minée par le chômage et l'exclusion, l'insécurité et la violence, l'individualisme et la solitude.
Sociologue, professeur à l'université de Paris-V-Sorbonne, Roger Sue s'attaque en particulier à cet étrange paradoxe qui veut que toutes les bonnes nouvelles de la modernité – la réduction continue de la place du travail dans la vie de chacun, par exemple, et la libération qu'elle représente, ou la conquête progressive de l'autonomie par l'ensemble des individus – se transforment illico en catastrophes – en l'occurrence misère et précarité d'un côté, égoïsme et repli sur soi de l'autre.
La Société contre elle-même constitue ainsi une sorte de synthèse de ses précédents travaux sur l'économie, le lien social, les mutations du travail et la démocratie. Particulièrement tonique, voire provocatrice. « À qui profitent les mauvaises nouvelles? » interroge le bandeau placé en travers du livre…

Télérama: Voici un discours qui tranche sur la morosité générale et l'inquiétude soulevée par l'actualité.
Roger Sue: D'une certaine façon, je partage pourtant le pessimisme ambiant, car ce sentiment collectif de la décomposition de notre société est un facteur objectif de déclin. Même s'il ne correspond pas, à mes yeux, à la réalité de la situation, y compris en banlieue où la majorité des jeunes demande avant tout reconnaissance et intégration. Toute la question est donc de comprendre le mécanisme de cette machine à perdre qui convertit systématiquement les grandes évolutions sociales *a priori* favorables en agents de désordre et d'angoisse. Plusieurs raisons peuvent expliquer cette représentation négative de la réalité. La première est d'ordre culturel. Voilà une génération au moins que le discours intellectuel s'est replié sur une posture critique où la dénonciation succède à la proposition. Depuis les Lumières, la fonction des intellectuels était essentiellement de décrypter les temps nouveaux, de penser l'avenir et le progrès, de tracer une route. Aujourd'hui, avec le discrédit des principales idéologies

(le socialisme, le libéralisme), la modernité s'est progressivement désenchantée et la tendance est à la déconstruction de nos illusions, aux théories de l'impuissance.

Télérama : Par exemple ?

Roger Sue : Jean Baudrillard traite de l'aliénation par la consommation et de l'avènement d'un monde-marchandise. Guy Debord prolonge cette vision en dévoilant les artifices d'une société où l'image se substitue à la réalité. Michel Foucault, avec la métaphore de la prison, ou Pierre Bourdieu, à travers la notion de « reproduction », renforcent le sentiment d'enfermement dans des structures de pouvoir et d'aliénation. La critique ne se fait jamais constructive, ne propose aucune alternative. […]

Télérama : La mutation du travail est exemplaire à cet égard…

Roger Sue : Cette question a été largement désertée par les intellectuels. Depuis la fin du XVIIIe siècle pourtant, la réduction annoncée de la place du travail dans nos sociétés, la perspective de temps libéré qui lui est attachée constituent une bonne nouvelle qui a fait rêver de nombreuses générations. Car cette évolution a été perçue aussi bien par les économistes marxistes – Marx lui-même évoque le dépassement de la société du travail – que par les penseurs libéraux apôtres de la société d'abondance. Mais voilà que, faute d'en avoir anticipé les conséquences, nous avons réussi l'exploit d'en faire le grand mal du monde industrialisé avec son cortège de chômage et de précarité ! Et la question a été occultée autant par les politiques – c'est-à-dire par ceux qui pouvaient préparer le terrain de cette mutation fondamentale, proposer une alternative – que par les intellectuels ! Même dans les années 80, quand on parlait de partage du travail, on est passé à côté de la question, sans voir qu'aujourd'hui 90 % de notre temps de vie éveillée se situe hors travail et qu'il peut être source de nouvelles richesses. Pour aller plus loin, sans doute faudra-t-il mieux reconnaître certaines activités comme la formation, la participation à des associations d'intérêt général, à des missions d'utilité sociale, les instituer plus fortement et indemniser ceux qui y contribuent.

Télérama : Les intellectuels ne sont pas seuls en cause. Vous rappelez que l'utilisation des mauvaises nouvelles peut être aussi un art de gouverner.

Roger Sue : Faute d'envisager un nouvel ordre social, ce qui demande beaucoup de courage, d'acceptation d'éventuelles défaites électorales, les politiques se sont aperçus du profit qu'ils pouvaient tirer d'une vision dégradée de notre société. En dramatisant la situation (violence, précarité, perte des valeurs), ils se présentent comme un rempart et s'exonèrent de leur impuissance face aux défis économiques et sociaux. Cette stratégie, évidente lors de la campagne présidentielle de 2002, pourrait bien se reproduire en 2007. Nicolas Sarkozy est un phénomène sociologique, de ce point de vue. Les phrases particulièrement provocatrices qu'il a prononcées sur les jeunes de banlieue, celles qui ont mis le feu aux poudres, sont-elles seulement un dérapage ? L'abandon des efforts de politique d'intégration, la police de proximité par exemple, la réduction drastique des subventions aux associations sont-ils de simples maladresses ? Qui tirera les marrons du feu si s'amplifie l'image d'une France à feu et à sang ?

Télérama : Cette vision noire de la réalité ne tient-elle pas également à notre propre regard, plus aigu et plus exigeant ?

Roger Sue : C'est sans doute une des raisons principales. Ces dernières décennies, nous avons beaucoup évolué, jusqu'à constituer cette « société d'individus » dont parlait Norbert Élias. Des individus qui se prennent pour tels, mieux formés et informés, plus mobiles et autonomes, disposant de plus de temps personnel. Et par conséquent plus critiques que leurs aînés. Or, si la réalité a évolué plutôt positivement – diminution des conflits armés, progression des droits de l'homme, augmentation de la richesse économique (même si elle est inégalement répartie), etc. –, nous avons changé beaucoup plus vite encore. Autrement dit, le monde des subjectivités s'est considérablement transformé face à un monde objectif, institutionnel qui n'a pas suffisamment évolué. De ce décalage naissent frustrations et insatisfactions. La banlieue est emblématique de ce fossé entre des jeunes qui ont pris conscience de leur valeur en tant qu'individus et des institutions incapables de répondre à leur désir d'intégration. Ce qu'il faut bien comprendre, c'est que cette conscience aiguë de sa propre individualité conduit chacun, quelle que soit sa condition, à s'estimer, et à bon droit, l'égal de l'autre. Il y a quantité de bac + 2 en banlieue, et je retrouve sur les bancs de la Sorbonne de nombreux jeunes de ces quartiers qui se demandent ce qu'ils vont devenir. […]

Télérama : Le renforcement de l'autonomie de l'individu, voilà encore une bonne nouvelle transformée en mauvaise quand on ne cesse de fustiger l'individualisme, le repli sur soi et la désagrégation du lien social…

Roger Sue : Ce qui est faux. Le lien social, aujourd'hui, se construit par le bas, entre les individus eux-mêmes, beaucoup plus qu'à travers les institutions, le travail, la famille, les Églises ou les syndicats. Prenez l'exemple des associations, jamais leur essor n'a été aussi grand. Il en existe aujourd'hui plus d'un million, et huit Français sur dix déclarent avoir une relation avec une association. On rejoint là encore le programme de la modernité, initié par les Lumières, qui décrit la relation d'association entre les individus s'estimant aussi libres qu'égaux, comme le prototype du lien social moderne. Prenez l'exemple des technologies de communication, téléphone mobile ou Internet, et l'extraordinaire vitesse de leur diffusion.

Télérama : Cette demande sociale inédite annonce selon vous un nouveau stade de l'économie. Que voulez-vous dire ?

Roger Sue : En clair, que cette économie immatérielle que l'on nous annonce, largement issue de la révolution informationnelle, repose avant tout sur la compétence, le savoir, l'expérience, la créativité de chacun. C'est-à-dire le capital humain. Comme dans la vie sociale, l'individu va se trouver au centre de l'économie, elle-même centrée sur lui : sa formation tout au long de sa vie, sa santé, son bien-être. C'est évidemment une bonne nouvelle. Cette nouvelle économie de l'homme peut être une source extraordinaire de développement. Et si la qualité de la ressource humaine devient le ressort majeur de la productivité et de la croissance, tous les moyens devraient être mis en œuvre pour l'épanouissement de chacun. De telles promesses devraient nous réjouir, et c'est le contraire, une fois encore, qui se produit : tout ce qui a trait au capital humain n'est pas aujourd'hui considéré comme une ressource, mais comme un coût. À l'aune de l'économie néoclassique qui continue de nous régir, les dépenses de santé et de formation sont invariablement présentées comme des charges insupportables…

Télérama : Et dans le domaine politique, quelles sont les conséquences de la nouvelle demande sociale ?

Roger Sue : Il y a un grand décalage entre l'évolution des gens et le politique, qui est resté calé sur la gestion d'une société de masse. On ne gouverne pas de la même façon une société de castes, de classes, de masse ou d'individus. Aujourd'hui, nous sommes à nouveau confrontés à la question de la représentation, c'est-à-dire à la question essentielle de la démocratie. Le problème est de savoir comment les individus peuvent entrer dans le jeu politique, comment la société civile peut y trouver sa place. Sans doute l'association a-t-elle là encore un rôle à jouer. J'observe que tous les mouvements sociaux qui se mettent en place à l'extérieur des grandes organisations prennent spontanément la forme associative. Contrairement à ce qu'on dit, les individus n'ont pas déserté le civisme et la démocratie, mais ils éprouvent de plus en plus de difficultés à assouvir leur désir de participation dans le cadre politique actuel. En fait, nous vivons une révolution anthropologique. L'individu veut être partie prenante dans l'économie, dans le politique, dans le lien social. À nouvel individu, nouvelle société.

Propos recueillis par Michel Abescat, *Télérama* n° 2914, 16 novembre 2005.

Questionnaire n° 1 -- Format examen

1. Dans quel but a été réalisée cette interview?
- ☐ Faire la promotion du dernier livre de Robert Sue.
- ☐ Prier Robert Sue de présenter une analyse de la société actuelle.
- ☐ Demander à Robert Sue d'expliciter sa démarche intellectuelle.

2. Quel constat sert de point de départ aux travaux de Robert Sue?

....

3. Vrai, faux? Cochez la case correspondante.

	V	F
Le sociologue cherche à comprendre le mécanisme de cette « machine à perdre ». *Justification:*		
Il est capable d'en dégager les rouages. *Justification:*		
Il peine toutefois à identifier un phénomène de cause à effet.		

4. Robert Sue identifie la cause des retombées négatives de la diminution du temps de travail.

a. Quelle est-elle? ....

b. À qui peut-on en imputer particulièrement la responsabilité? ....

5. Quel enjeu constitue un frein pour voir changer les choses?

....

6. Les politiques essaient de se forger une image de:
- ☐ rassembleur.   ☐ meneur.   ☐ protecteur.   ☐ intimidateur.

7. Pour défendre leurs intérêts, les politiques ont recours à:
- ☐ l'exagération.   ☐ l'atténuation.   ☐ la dissimulation.

8. Associez chaque expression au mot qui convient:

a. « mettre le feu aux poudres »
- ☐ déclencher   ☐ broyer   ☐ brûler

b. « tirer les marrons du feu »
- ☐ savourer   ☐ profiter de   ☐ se brûler

c. « une France à feu et à sang »
- ☐ domptée   ☐ révoltée   ☐ blessée

9. Quel est le sentiment de Robert Sue face aux propos de Nicolas Sarkozy? Justifiez.
- ☐ hostile.   ☐ perplexe.   ☐ dubitative.
- ☐ indifférente.   ☐ suspicieuse.

Justification: ....

10. Exprimez avec vos propres mots l'idée défendue par l'auteur dans le passage: « Des individus qui se prennent pour tels, mieux formés et informés, plus mobiles et autonomes, disposant de plus de temps personnel. Et par conséquent plus critiques que leurs aînés. »

....

....

11. Robert Sue commente la construction du lien social et estime:
☐ qu'elle est au point mort.
☐ qu'elle s'est désagrégée.
☐ qu'elle s'est renforcée.
☐ qu'elle est entrée dans une nouvelle logique.

Justification: ....

12. Quelle tendance note-t-on en ce qui concerne les associations? Leur développement est...
☐ frappant.   ☐ problématique.   ☐ en crise.   ☐ excessif.

13. Selon Robert Sue, comment l'individu, en tant que travailleur, devrait-il être perçu?

....

14. En conclusion, le monde change parce que l'homme moderne:
☐ est prêt à faire la révolution.
☐ a évolué dans ses aspirations.
☐ n'adhère pas à la société qui lui est proposée.
☐ veut tirer plus de bénéfices de la société.

Questionnaire n° 2 – Pour aller plus loin

Ce questionnaire offre une approche complémentaire. Il présente les particularités suivantes:
– il comporte plus de questions ouvertes;
– les indicateurs vous permettant de répondre aux questions sont plus difficiles à saisir, et méritent parfois une interprétation plus approfondie;
– certaines questions feront appel à des connaissances purement lexicales ou encore civilisationnelles.

1. Robert Sue a trois casquettes. Lesquelles?

....

2. Que signifie selon vous « un empêcheur de désespérer en rond »?

....

3. Quelles valeurs semblent reculer?

....

4. Expliquez: « [...] ce sentiment collectif de la décomposition de notre société est un facteur objectif de déclin. »

....

5. Quels mots évoquent l'absence de liberté?

....

6. À quoi correspondent les années 80 en France?

....

7. Quel fossé existe aujourd'hui entre la représentation que les politiques se font de la société et la société elle-même?

....

8. Selon Robert Sue, assiste-t-on au rejet du politique par l'individu?

....

Exemple d'épreuve

[...] Considérons un peu notre système d'éducation et d'enseignement. Je suis bien obligé de constater que ce système, ou plutôt ce qui en tient lieu, (car, après tout, je ne sais pas si nous avons un système, ou si ce que nous avons peut se nommer *système*), je suis obligé de constater que notre enseignement participe de l'incertitude générale, du désordre de notre temps. Et même il reproduit si exactement cet état chaotique, cet état de confusion, d'incohérence si remarquable, qu'il suffirait d'observer nos programmes et nos objectifs d'études pour reconstituer l'état mental de notre époque et retrouver tous les traits de notre doute et de nos fluctuations sur toute valeur. [...]

L'enseignement montre donc son incertitude et le montre à sa façon. La tradition et le progrès se partagent ses désirs. Tantôt il s'avance résolument, esquisse des programmes qui font table rase de bien des traditions littéraires ou scientifiques ; tantôt le souci respectable de ce qu'on nomme les *humanités* le rappelle à elles, et l'on voit s'élever, une fois de plus, la dispute infinie que vous savez entre les morts et les vivants, où les vivants n'ont pas toujours l'avantage. Je suis bien obligé de remarquer que, dans ces discussions et dans cette alternative, les questions fondamentales ne sont jamais énoncées. Je sais que le problème est horriblement difficile. La quantité croissante des connaissances d'une part, le souci de conserver certaines qualités que nous considérons, à tort ou à raison, non seulement comme supérieures en soi, mais comme caractéristiques de la nation, se peuvent difficilement accorder. Mais si l'on considérait le sujet lui-même de l'éducation : *l'enfant*, dont il s'agit de faire un homme, et si l'on se demandait ce que l'on veut au juste que cet enfant devienne, il me semble que le problème serait singulièrement et heureusement transformé, et que tout programme, toute méthode d'enseignement, comparés point par point, à l'idée de cette transformation à obtenir et du sens dans lequel elle devrait s'opérer, seraient par là jugés. Supposons, par exemple, que l'on dise :
– Il s'agit de donner à cet enfant (pris au hasard) les notions nécessaires pour qu'il apporte à la nation un homme capable de gagner sa vie, de vivre dans le monde moderne où il devra vivre, d'y apporter un élément utile, un élément non dangereux, mais un élément capable de concourir à la prospérité générale. D'autre part, capable de jouir des acquisitions de toute espèce de la civilisation, de les accroître ; en somme, de coûter le moins possible aux autres et de leur apporter le plus...

Je ne dis pas que cette formule soit définitive ni complète, ni même du tout satisfaisante. Je dis que c'est dans cet ordre de questions qu'il faut, avant toute chose, fixer son esprit quand on veut statuer sur l'enseignement. Il est clair qu'il faut d'abord inculquer aux jeunes gens les conventions fondamentales qui leur permettront les relations avec leurs semblables, et les notions qui, éventuellement, leur donneront les moyens de développer leurs forces ou de parer à leurs faiblesses dans le milieu social. Mais quand on examine ce qui est, on est frappé de voir combien les méthodes en usage, si méthodes il y a, (et il ne s'agit pas seulement d'une combinaison de routine, d'une part, et d'expérience ou d'anticipation téméraire, d'autre part), négligent cette réflexion préliminaire que j'estime essentielle. Les préoccupations dominantes semblent être de donner aux enfants une culture disputée entre la tradition dite *classique*, et le désir naturel de les initier à l'énorme développement des connaissances et de l'activité modernes. Tantôt une tendance l'emporte, tantôt l'autre ; mais jamais, parmi tant d'arguments, jamais ne se produit la question essentielle :
– Que veut-on et que faut-il vouloir ?

C'est qu'elle implique une décision, un parti à prendre. Il s'agit de se présenter *l'homme de notre temps*, et cette *idée de l'homme* dans le milieu probable où il vivra doit être d'abord établie. Elle doit résulter de l'observation précise, et non du sentiment et des préférences des uns et des autres, – et de leurs espoirs politiques, notamment. Rien de plus coupable, de plus pernicieux et de plus décevant que la politique de parti en matière d'enseignement. Il est cependant un point où tout le monde s'entend, s'accorde déplorablement. Disons-le : l'enseignement a pour objectif réel, le *diplôme*.

Je n'hésite jamais à le déclarer, le diplôme est l'ennemi mortel de la culture. Plus les diplômes ont pris de l'importance dans la vie, (et cette importance n'a fait que croître à cause des circonstances économiques), plus le rendement de l'enseignement a été faible. Plus le contrôle s'est exercé, s'est multiplié, plus les résultats ont été mauvais.

Mauvais par ses effets sur l'esprit public et sur l'esprit tout court. Mauvais parce qu'il crée des espoirs, des illusions de droits acquis. Mauvais par tous les stratagèmes et subterfuges qu'il suggère ; les recommandations, les préparations stratégiques, et, en somme, l'emploi de tous expédients pour franchir le seuil redoutable. C'est là, il faut l'avouer, une étrange et détestable initiation à la vie intellectuelle et civique.

D'ailleurs, si je me fonde sur la seule expérience et si je regarde les effets du contrôle en général, je constate que le contrôle, en toute matière, aboutit à vicier l'action, à la pervertir… Je vous l'ai déjà dit : dès qu'une action est soumise à un contrôle, le but profond de celui qui agit n'est plus l'action même, mais il conçoit d'abord la prévision du contrôle, la mise en échec des moyens de contrôle. Le contrôle des études n'est qu'un cas particulier et une démonstration éclatante de cette observation très générale.

Le diplôme fondamental, chez nous, c'est le baccalauréat. Il a conduit à orienter les études sur un programme strictement défini et en considération d'épreuves qui, avant tout, représentent, pour les examinateurs, les professeurs et les patients, une perte totale, radicale et non compensée, de temps et de travail. Du jour où vous créez un diplôme, un contrôle bien défini, vous voyez aussitôt s'organiser en regard tout un dispositif non moins précis que votre programme, qui a pour but unique de conquérir ce diplôme par tous moyens. Le but de l'enseignement n'étant plus la formation de l'esprit, mais l'acquisition du diplôme, c'est le minimum exigible qui devient l'objet des études. Il ne s'agit plus d'apprendre le latin ou le grec, ou la géométrie. Il s'agit *d'emprunter*, et non plus *d'acquérir*, d'emprunter ce qu'il faut pour passer le baccalauréat.

Ce n'est pas tout. Le diplôme donne à la société un fantôme de garantie, et aux diplômés des fantômes de droit. Le diplômé passe officiellement pour savoir : il garde toute sa vie ce brevet d'une science momentanée et purement expédiente. D'autre part, ce diplômé au nom de la loi est porté à croire qu'on lui doit quelque chose. Jamais convention plus néfaste à tout le monde, à l'État et aux individus, (et, en particulier, à la culture), n'a été instituée. C'est en considération du diplôme, par exemple, que l'on a vu se substituer à la lecture des auteurs l'usage des résumés, des manuels, des comprimés de science extravagants, les recueils de questions et réponses toutes faites, extraits et autres abominations. Il en résulte que plus rien dans cette culture adultérée ne peut aider ni convenir à la vie d'un esprit qui se développe.

Paul Valéry, « Le bilan de l'intelligence », *Variété III*, 1936.

Répondez aux questions en cochant la bonne réponse, ou en écrivant l'information demandée (dans ce cas, formulez votre réponse avec vos propres mots ; ne reprenez pas de phrases entières du document, sauf si cela vous est précisé dans la consigne).

1. Quel est le but poursuivi par Valéry dans ce texte ?   *2 points*
- ☐ Défendre l'environnement classique contre les nouveaux programmes.
- ☐ Critiquer le manque de connaissances et de culture des élèves.
- ☑ Analyser et critiquer le système et l'enseignement de son époque.

2. Pour Valéry, quelles sont les questions à se poser avant d'envisager l'élaboration d'un système éducatif ?   *3 points*

.... Il faut demander ce que doivent des actions ......
..... il s'agit des tradition dans élèves ce veut ......
.... Qu deun une edut Que ... et on et au ....

3. Pourquoi, selon Paul Valéry, le diplôme nuit-il à la qualité de l'enseignement ?   *3 points*

.... L'ensuyent a'pour utile just de remar les diplom ....
.... d'enquière, gem attrib, ce de s'avise de ....

.... cavaceurs las
le seule but de l'ensuit est de gagon
... un diplom

4. Selon Valéry...

a) **le terme de « système » traduit parfaitement la réalité qu'il désigne.** *2 points*

☐ Vrai ☒ Faux ☐ On ne sait pas

b) **le système éducatif:** *3 points*

☒ reflète les incertitudes propres à la mentalité de l'époque.

☐ est en contradiction avec la société qui, elle, est chaotique.

☐ permet de lutter contre la perte des valeurs.

5. Vrai, faux, on ne sait pas? Cochez la case correspondante. *3 points*

L'éducation doit préparer le sujet à s'intégrer dans l'environnement socioéconomique.

☒ Vrai ☐ Faux ☒ On ne sait pas

Il faut inculquer aux enfants le goût de la compétition.

☐ Vrai ☒ Faux ☐ On ne sait pas

L'apprentissage des connaissances modernes finit toujours par l'emporter.

☐ Vrai ☒ Faux ☐ On ne sait pas

6. Quelle est l'idée essentielle défendue par Valéry? *2 points*

☒ Les diplômes dégradent le rapport que l'élève entretient avec la culture.

☐ Les diplômes ont au moins l'avantage de pousser les élèves à travailler davantage.

☐ Les diplômes constituent le seul moyen d'inciter les élèves à se cultiver.

7. Selon Paul Valéry, en quoi l'idée de contrôle nuit-elle à l'action? *2 points*
Expliquez-le avec vos propres mots.

...... *La contrôle ... ... et ... ...* ......

....

8. Expliquez ce que signifie la phrase suivante: *3 points*
« Le diplôme donne à la société un fantôme de garantie. »

...... *Parce que en réalité les diplômes ne sont* ......

....

....

....

9. L'expression « des comprimés de science extravagants » désigne: *2 points*

☐ des connaissances incroyables pour l'époque.

☐ des médicaments pour les examens.

☒ des livres de préparation aux diplômes.

AUTO-ÉVALUATION

AUTO-ÉVALUATION

	oui	pas toujours	pas encore
Je peux comprendre et résumer oralement des textes exigeants et d'une certaine longueur.	☐	☐	☐
Je peux lire des rapports détaillés, des analyses et des commentaires dans lesquels sont exposés des opinions, des points de vue et des relations d'idées.	☐	☐	☐
Je peux extraire des informations, des idées et des opinions de textes hautement spécialisés dans mon domaine de compétence (par exemple des rapports de recherche).	☐	☐	☐
Je peux comprendre des instructions et des indications complexes et d'une certaine longueur, par exemple sur l'utilisation d'un nouvel appareil, même si elles ne sont pas en relation avec mon domaine de spécialisation ou d'intérêt, à condition d'avoir suffisamment de temps pour les lire.	☐	☐	☐
Je peux comprendre tous types de correspondance en recourant de temps en temps au dictionnaire.	☐	☐	☐
Je peux lire couramment des textes littéraires contemporains.	☐	☐	☐
Dans un texte littéraire, je peux faire abstraction de l'histoire racontée et saisir les messages, idées et rapports implicites.	☐	☐	☐
Je peux reconnaître le contexte social, politique ou historique d'une œuvre littéraire.	☐	☐	☐

PRODUCTION ÉCRITE

▶ Épreuve en deux parties :
- synthèse à partir de plusieurs documents écrits ;
- essai argumenté à partir du contenu des documents.

Deux domaines au choix du candidat : lettres et sciences humaines ou sciences.

PRODUCTION ÉCRITE

Le niveau C1 (selon le *Cadre européen commun de référence pour les langues*)

Je peux m'exprimer dans un texte clair et bien structuré et développer mon point de vue.

Je peux écrire sur des sujets complexes dans une lettre, un essai ou un rapport, en soulignant les points que je juge importants.

Je peux adopter un style adapté au destinataire.

► **Présentation de la synthèse de documents : page 61.**

► **Présentation de l'argumentation : page 80.**

Pour vous entraîner

1. LA SYNTHÈSE DE DOCUMENTS

❶ Bien réussir sa synthèse de documents

1. Gérez votre temps !

Dans le cadre du DALF C1, vous disposez de 2 heures 30 pour rédiger votre synthèse de documents et votre essai argumentatif. Étant donné que, pour la synthèse, vous avez des documents à lire, nous vous conseillons de lui réserver plus de temps. À titre indicatif, nous vous conseillons de consacrer :
- 1 heure 30 à la synthèse de documents ;
- 1 heure à l'essai argumentatif.

2. Pas de panique !

La synthèse de documents est très certainement l'exercice qui effraie le plus les étudiants en français langue étrangère, surtout lorsqu'il doit être réalisé dans le cadre d'un examen. Pourtant, cet exercice n'est pas si difficile lorsqu'on en a compris les règles. En effet, la réussite de la synthèse de documents est d'abord conditionnée par le respect strict d'une méthode de travail.

3. Respectez les règles !

La synthèse de documents est soumise à des règles immuables. Le candidat doit, à partir de plusieurs documents écrits et/ou iconographiques, restituer, avec ses propres mots, les idées essentielles des auteurs en respectant un plan qu'il a, au préalable, élaboré. Le candidat ne doit en aucun cas donner son opinion : il doit strictement respecter la pensée des auteurs.

La synthèse de documents va permettre d'évaluer vos capacités à :
- comprendre et mettre en relation des documents écrits et/ou iconographiques ;
- faire preuve d'esprit de synthèse ;
- faire preuve d'objectivité ;
- organiser et articuler vos idées ;
- soigner la qualité linguistique de votre français.

Une fois les règles comprises et après un certain entraînement, vous serez capable de traiter presque tous les documents accessibles à votre niveau.

❷ Le sujet de la synthèse de documents

Les consignes de la synthèse de documents sont toujours les mêmes. Ce sont les documents à partir desquels vous devrez réaliser votre synthèse qui changent. Cette consigne ressemble à :

Vous ferez une *synthèse* des documents proposés, en 220 mots environ. Pour cela, vous dégagerez les idées et les informations essentielles qu'ils contiennent, vous les regrouperez et les classerez en fonction du thème commun à tous ces documents, et vous les présenterez avec vos propres mots, sous forme d'un nouveau texte suivi et cohérent. Vous donnerez un *titre* à votre synthèse.

Attention ! Vous devez *rédiger un texte unique en suivant un ordre qui vous est propre*, et non mettre trois résumés bout à bout ; vous ne devez pas introduire d'autres idées ou informations que celles qui se trouvent dans le document, ni faire de commentaires personnels ; vous pouvez bien entendu réutiliser les « mots clefs » des documents, mais non des phrases ou des passages entiers.

> ***Règle de décompte des mots:*** *est considéré comme mot tout ensemble de signes placé entre deux espaces. « c'est-à-dire » = 1 mot; « un bon sujet » = 3 mots; « Je ne l'ai pas vu depuis avant-hier » = 7 mots.*

Les documents de départ sont généralement tirés de la presse écrite et il s'agit le plus souvent d'articles d'opinion (argumentatifs) ou informatifs, de tableaux, de graphiques ou de caricatures. Il est important de noter que les documents qui constituent le sujet ne proviennent pas tous de la même source journalistique et ne sont pas nécessairement datés de la même année.

Les documents déclencheurs (les documents à partir desquels vous devrez réaliser votre travail) ont une longueur totale comprise entre 800 et 1 200 mots. La consigne vous indiquera claire-ment le nombre de mots.

❸ Les critères d'évaluation de votre travail

Votre travail sera évalué à partir de deux grands groupes de critères :

1. le respect des règles de la synthèse de documents (sélection et reformulation des idées essen-tielles, mise en commun des documents, organisation de votre travail) ;

2. les qualités linguistiques de votre travail.

Ces deux groupes possèdent chacun des critères spécifiques. Voici deux tableaux qui vous per-mettront :

– d'identifier les critères d'évaluation utilisés par les correcteurs ;

– de comprendre à quoi ils correspondent ;

– d'identifier les améliorations que vous pouvez apporter à votre travail.

Tableau 1. Le respect des règles de la synthèse de documents

Quels sont les critères utilisés par le correcteur pour évaluer votre production ?	Que devez-vous faire pour répondre correctement à ces critères ?
Respect de la consigne	• Lisez et relisez la consigne : attention au nombre de mots exigés. • Prenez le temps, au début de votre travail, de faire un plan et, pendant la rédaction de votre travail, de le respecter scrupuleusement. • Soyez certain de bien connaître les règles générales de la synthèse de documents*. • Gardez-vous un laps de temps suffisant, en fin de rédaction, pour compter les mots de votre production.
Compréhension et reformulation	• Lisez et relisez les documents pour être certain de bien en saisir le sens. • Assurez-vous de dégager un thème unique qui englobe toutes les idées essentielles des documents. • N'oubliez aucune idée essentielle. • Faites bien la différence entre les éléments essentiels et les éléments superflus du document. • Faites preuve d'esprit de synthèse : allez directement à l'essentiel ! Ne prenez pas le risque de vous perdre dans des explications superficielles, inutiles et hors sujet. • Ne recopiez pas de phrases du document. Utilisez vos propres mots. • Réemployez les mots clés. • Vos idées doivent toutes être liées au thème général (idée centrale, problématique) du sujet.

---

* Un paragraphe complet est consacré aux règles fondamentales de la synthèse de documents (voir p. 64).

Organisation du plan	• Faites preuve de logique : traitez une idée essentielle par paragraphe. Vous éviterez ainsi les répétitions. • Faites preuve de concision : choisissez des idées essentielles suffisamment distinctes et éloignées les unes des autres. Vous éviterez ainsi les redondances et les incohérences.
Cohérence et articulation des idées, des opinions et des illustrations	• Soignez votre présentation : détachez bien physiquement votre introduction, les différents paragraphes de votre développement et votre conclusion. • Utilisez autant que possible des connecteurs, des marqueurs de relations pour articuler les idées entre elles. • Attention cependant ! Choisissez exclusivement des connecteurs dont vous connaissez la signification. Sinon, vous risqueriez de produire un travail incohérent. • Utilisez aussi suffisamment de conjonctions de coordination pour articuler vos phrases les unes avec les autres.

Tableau 2. Les qualités linguistiques de votre travail

Quels sont les critères utilisés par le correcteur pour évaluer votre production ?	Quelles sont les règles grammaticales que vous devez suffisamment maîtriser pour répondre correctement à ces critères ?
Degré d'élaboration des phrases	• Les temps verbaux (conjugaison et utilisation) : notions du présent, du passé et du futur. • Les modes et les notions qui y sont rattachés : comment exprimer la condition, les sentiments, la volonté, le doute, l'opinion, le jugement, la déclaration, la nécessité, l'hypothèse, la nuance, l'opposition, la comparaison… • Les pronoms personnels (sujets et objets) : leur utilisation et leur place dans la phrase. • Les prépositions.
Maîtrise du vocabulaire	• Le lexique (noms, adjectifs, adverbes, verbes) : votre connaissance du lexique doit correspondre à votre intention d'énonciation. C'est-à-dire que vous devez maîtriser un nombre suffisant de mots, de termes et d'expressions (idiomatiques ou non) afin de faire correctement passer votre message. • Votre lexique doit être en adéquation avec le ton que vous désirez donner à votre essai.
Étendue du vocabulaire	• Votre lexique doit être suffisamment riche pour éviter les répétitions.
Morphosyntaxe	• Les accords en genre et en nombre : noms, pronoms, adjectifs, participes passés. • Les conjugaisons verbales : terminaisons verbales en fonction des temps et des modes utilisés. • Les terminaisons verbales : terminaisons des infinitifs, des participes passés et des verbes conjugués.
Orthographe	• L'orthographe usuelle : connaissance suffisante des règles orthographiques (par exemple, les doubles consonnes, les accents…).
Ponctuation	• Les majuscules : n'oubliez pas les majuscules (devant les noms propres, les titres…). • La ponctuation : votre travail doit être ponctué (ni trop, ni trop peu). La ponctuation : – facilite la lecture d'un essai ; – donne de la cohérence à votre travail ; – permet d'éviter les phrases trop longues (qui risquent d'être incohérentes, voire difficilement compréhensibles).

Considérez ce tableau comme un aide-mémoire. Mettez toutes les chances de votre côté : respectez scrupuleusement tous les critères qui y figurent.

4 # La méthode de travail

Votre synthèse de documents, dans son ensemble, sera composée :
– d'une courte introduction ;
– d'un développement★.

L'exercice de la synthèse de documents ne se limite pas à sa rédaction. Vous devrez obligatoirement, avant de vous lancer dans le travail de rédaction, effectuer un travail de repérage d'idées dans les documents supports, et élaborer un plan. Rappelez-vous que vous devez respecter la pensée des auteurs. <u>Vous n'êtes donc pas autorisé à donner votre opinion</u>. Restez objectif !

Afin de vous faciliter la production de cet exercice, nous vous conseillons de suivre les étapes suivantes :

1. Lecture des documents

La lecture des documents déclencheurs doit se faire de façon attentive. Cette première étape est capitale car vous devez lire plusieurs documents et vous ne pouvez pas vous contenter pas d'une seule lecture ! Cette étape vous permettra d'éviter les faux-sens ou, plus grave encore, les hors sujets.

Il est fort possible, cependant, que vous ne compreniez pas tous les mots ou toutes les expressions utilisées dans le document. Ne paniquez pas, ne vous avouez pas vaincu ! Essayez d'en comprendre le sens global, essayez de porter votre attention sur le contexte, et poursuivez votre lecture.

Ne voyez pas cette étape comme une montagne infranchissable. Consacrez-lui le temps nécessaire !

2. Repérage des éléments

Pour l'exercice de la synthèse de documents, le travail de repérage des éléments essentiels et secondaires est capital. Il comporte, en outre, une caractéristique importante : il est obligatoire de rapprocher les documents les uns des autres. C'est-à-dire que les éléments essentiels et secondaires que vous aurez repérés doivent, la plupart du temps, être présents dans plusieurs documents.

Durant vos lectures (et pas simplement au cours de la première lecture), il sera nécessaire, qu'à partir des documents supports, vous dégagiez les éléments suivants :

• **Les idées essentielles :** elles doivent contenir les informations nécessaires à la compréhension de chacun des documents qui sont proposés. Elles peuvent différer légèrement d'un document à l'autre. Cependant, c'est à vous de faire le tri afin de relever des idées essentielles qui, d'une façon ou d'une autre, se retrouvent dans différents documents (il n'est pas nécessaire que toutes les idées essentielles se retrouvent dans tous les documents, mais il doit y avoir des idées qui se recoupent entre les documents proposés). Durant votre travail de rédaction, ces idées essentielles, une fois développées, doivent restituer le sens général des documents sans qu'une seule information importante ne soit mise de côté. Ce sont les idées essentielles (de deux à quatre) qui vont vous servir à structurer votre travail et à élaborer les grandes parties (parties principales) de votre plan.

• **Les idées secondaires :** elles permettent de soutenir, d'illustrer le développement, au moment de la rédaction de votre travail, de chacune des idées essentielles. Comme pour les idées essentielles, des idées secondaires peuvent se retrouver dans divers documents. Si les idées essentielles peuvent être comparées au squelette de votre compte rendu, les idées secondaires en constituent le muscle.

• **Le thème général :** le thème général doit englober, réunir, regrouper <u>toutes les idées essentielles de tous les documents</u> : les idées essentielles doivent donc toutes, sans exception, y être rattachées. Le thème général doit apparaître clairement dans votre introduction, lorsque vous en serez à la phase de rédaction.

★ Il n'y a pas de conclusion dans une synthèse de documents, sauf si cela est spécifiquement demandé dans la consigne. Dans le cadre de l'examen du DALF C1, la conclusion n'est pas demandée ; vous ne devez donc pas en faire.

POUR VOUS ENTRAINER

- **Les mots clés :** ces mots, pris de façon isolée, doivent tous être rattachés au thème général. L'étape de repérage des mots est à placer là où elle vous convient le mieux. Généralement, le repérage des mots clés se fait au fur et à mesure des lectures.

Tous ces éléments ne peuvent apparaître qu'à force de relectures. Ils ne vont certainement pas vous sauter aux yeux à la première lecture. Il vous appartient, à l'aide d'un stylo, tout au long de vos lectures, de souligner, encadrer, surligner, entourer ces différents éléments. C'est grâce au travail de repérage que vous pourrez, ensuite, élaborer votre plan. Il s'agit d'une étape primordiale.

Nous pouvons schématiser l'étape de repérage de cette manière :

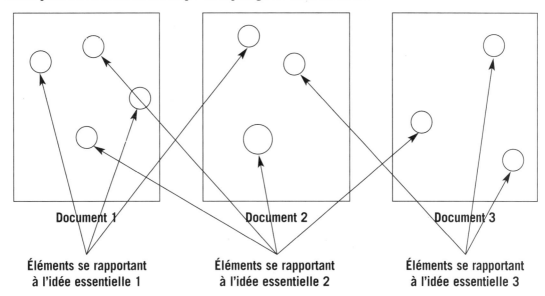

Document 1 — Document 2 — Document 3

Éléments se rapportant
à l'idée essentielle 1

Éléments se rapportant
à l'idée essentielle 2

Éléments se rapportant
à l'idée essentielle 3

Une fois ce premier travail réalisé, vous pouvez :
– réunir toutes les idées essentielles sous un thème général unique ;
– repérer des idées secondaires permettant d'illustrer, de définir ou de soutenir chacune des idées essentielles.
Lorsque vos idées sont classées et hiérarchisées, vous pouvez réaliser un schéma de ce type :

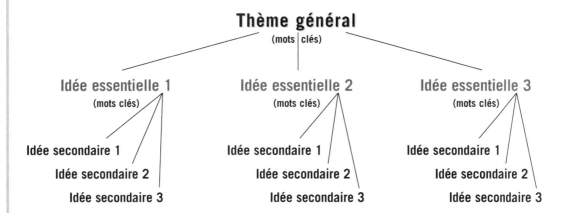

Thème général
(mots clés)

Idée essentielle 1 — Idée essentielle 2 — Idée essentielle 3
(mots clés) — (mots clés) — (mots clés)

Idée secondaire 1 — Idée secondaire 1 — Idée secondaire 1
Idée secondaire 2 — Idée secondaire 2 — Idée secondaire 2
Idée secondaire 3 — Idée secondaire 3 — Idée secondaire 3

Il est important, en marge du travail de repérage que vous effectuez (mots clés, thème général, idées essentielles, idées secondaires), d'isoler toutes les informations qui n'apportent rien à la compréhension générale du document et qui ne font que l'illustrer. N'oubliez pas que vous devez respecter un nombre défini de mots. C'est ainsi que vous ferez preuve, également, d'esprit de synthèse.
La moitié du travail de la synthèse de documents est effectuée à la fin de cette étape.

3. Élaboration du plan

Le repérage des idées essentielles et des idées secondaires va vous permettre d'élaborer relativement rapidement votre plan. Attention ! C'est à vous d'ordonner et d'articuler les idées essentielles que vous avez sélectionnées.

Nous vous conseillons de mettre sur papier votre plan en évitant de faire des phrases trop longues : contentez-vous de nommer vos idées essentielles et vos idées secondaires. Chacune des idées essentielles sélectionnées correspondra à une partie, donc à un paragraphe.

Votre travail doit ressembler au schéma suivant :

> **Introduction**

> **Idée essentielle 1**
> - **idée secondaire 1**
> - **idée secondaire 2**
> - **idée secondaire 3**

> **Idée essentielle 2**
> - **idée secondaire 1**
> - **idée secondaire 2**
> - **idée secondaire 3**

4. Rédaction

Règles générales

N'oubliez pas de respecter les règles générales de la synthèse de documents tout au long de votre rédaction.

– **N'utilisez jamais la première personne du singulier et du pluriel** (je, nous) : vous rendez compte de la pensée d'un ou plusieurs auteurs, vous rapportez les propos essentiels des documents qu'ils ont rédigés. Il vous appartient donc de trouver des formules impersonnelles, indirectes, ou d'entrer directement dans le vif du sujet.

– **Évitez absolument de recopier des phrases des documents supports :** vous devez vous exprimer avec vos propres mots. Ne citez pas non plus de passages des documents : synthétisez les idées qui vous paraissent importantes et reformulez-les.

– **Respectez la longueur de votre synthèse de documents :** vous ne devez pas excéder le nombre de mots qui vous est donné dans le sujet (une marge de 10 % de mots, en plus ou en moins, est toutefois tolérée). Au-delà, ou en deçà, vous risquez d'être pénalisé.

– **Respectez la règle générale du plan :** une introduction suivie de deux, trois ou quatre parties correspondant à deux, trois ou quatre idées essentielles.

– **Organisez votre plan en fonction de votre pensée** et articulez chacune de vos parties et de vos idées les unes avec les autres.

– **Facilitez la lecture de votre compte rendu à votre lecteur** (un correcteur, votre professeur) : présentez correctement votre synthèse de documents (chaque partie doit être détachée des autres par une ligne ; l'introduction doit aussi être isolée).

– **Chacune de vos idées doit être traitée dans une partie bien spécifique :** lorsque vous passez à une partie suivante, vous devez y exposer une idée différente, et ainsi de suite.

2. EXEMPLE DE SUJET DE SYNTHÈSE DE DOCUMENTS TRAITÉ INTÉGRALEMENT

Nous traiterons ici une synthèse de documents en fonction de la méthode qui vous a été proposée dans les pages précédentes. Les étapes suivantes ont été respectées :
– lecture des documents ;
– repérage du thème général, des mots clés, des idées essentielles et des idées secondaires ;
– élaboration d'un plan ;
– rédaction ;
– relecture de la synthèse.

ettres
ciences
maines

SUJET 1 : synthèse de 250 mots

Vous ferez une *synthèse* des documents proposés, en 250 mots environ. Pour cela, vous dégagerez les idées et les informations essentielles qu'ils contiennent, vous les regrouperez et les classerez en fonction du thème commun à tous ces documents, et vous les présenterez avec vos propres mots, sous forme d'un nouveau texte suivi et cohérent. Vous donnerez un *titre* à votre synthèse.

Attention ! Vous devez *rédiger un texte unique en suivant un ordre qui vous est propre*, et non mettre trois résumés bout à bout ; vous ne devez pas introduire d'autres idées ou informations que celles qui se trouvent dans le document, ni faire de commentaires personnels ; vous pouvez bien entendu réutiliser les « mots clés » des documents, mais non des phrases ou des passages entiers.

Règle de décompte des mots : est considéré comme mot tout ensemble de signes placé entre deux espaces. « c'est-à-dire » = 1 mot ; « un bon sujet » = 3 mots ; « Je ne l'ai pas vu depuis avant-hier » = 7 mots

• **Les mots soulignés correspondent aux mots clés repérés durant la lecture.**
• **Les accolades correspondent aux idées essentielles (IE) et aux idées secondaires (IS).**

Document 1

L'origine des délinquants

IS1 C'est une vérité cadenassée par la loi républicaine, limitée par le risque d'exploitation politique, verrouillée par la peur d'une stigmatisation et étouffée par le politiquement correct. Les enfants d'immigrés sombrent apparemment plus souvent dans la délinquance que les autres Français. Comment évoquer sereinement ce phénomène ? Le passé colonial de notre pays, de même que l'utilisation de fichiers raciaux sous le régime de Vichy et, depuis une trentaine d'années, le discours xénophobe du Front national ne facilitent guère une analyse rationnelle de la situation. Quelques voix – sociologues, criminologues, policiers ou politiques – commencent à aborder la question. *L'Express* a tenté de le faire, sans tabou ni idéologie.

IE1

IS1 Les voyants sont au rouge, mais les statistiques sont muettes sur le sujet. Le seul distinguo autorisé par l'administration porte en effet sur la nationalité, et non sur l'origine. Chaque année, les étrangers représentent environ 20 % des délinquants. Mais les chiffres masquent une réalité autrement plus dérangeante, plus difficile à cerner aussi. Longtemps, on a cherché à cacher, maladroitement, la surreprésentation des enfants de l'immigration, pourtant visible, au motif qu'ils sont d'abord des enfants de la France. Sous le gouvernement Jospin, des consignes non écrites ont même été passées aux services de communication de la police. « On nous demandait de ne citer aucun prénom, se souvient un communicant de l'époque. C'était considéré comme trop stigmatisant. » […]

IE1 | IS2

À quoi ressemblent les délinquants de tous les jours ? Pour le savoir, il suffit de se plonger dans un fichier méconnu, baptisé « Canonge », qui comporte l'état civil, la photo et la description physique très détaillée des personnes « signalisées » lors de leur placement en garde à vue. Grâce à cette base de données présentée à la victime, celle-ci peut espérer identifier son agresseur. Or, ce logiciel, réactualisé en 2003, retient aujourd'hui 12 « types » ethniques : blanc-caucasien, méditerranéen, gitan, moyen-oriental, nord-africain-maghrébin, asiatique-eurasien, amérindien, indien, métis-mulâtre, noir, polynésien, mélanésien.

IE2 | IS3

Cet outil est à manier avec prudence. D'abord, parce que, même si le Canonge est légal, la Commission nationale de l'informatique et des libertés (Cnil) interdit d'exploiter ses renseignements à d'autres fins que celle de la recherche d'un auteur présumé. Ensuite, parce qu'il ne dit rien de la nationalité et de l'origine de l'individu – qui peut être français depuis plusieurs générations malgré un physique méditerranéen, par exemple. Enfin, parce que les mentions sont portées par l'officier de police, avec la part de subjectivité que cela suppose.

Laurent Chabrun, Éric Pelletier, Romain Rosso, *L'Express*, 9 février 2006.

Document 2

Criminalité : comment font les autres ?

Approche « communautariste » ou refus de toute distinction : des États-Unis à nos voisins européens, chaque pays a sa méthode pour chiffrer la criminalité.

IE2 | IS1

[…] Aux États-Unis, le Bureau des statistiques, un organisme qui dépend du département de la Justice, restitue de manière très détaillée le visage de la criminalité. Autant de données qui, dans l'esprit de l'administration, doivent assurer l'égalité des groupes face à la loi et faciliter la lutte contre la discrimination. C'est d'ailleurs le *US Census Bureau* qui fixe les critères de classification de la population : Blancs, Afro-Américains, Asiatiques, Indiens d'Amérique et originaires d'Alaska, Hawaiiens et autres personnes originaires des îles du Pacifique, Hispaniques et Latinos, Blancs non hispaniques, ou métis. Les nomenclatures ont constamment évolué depuis deux siècles, au fur et à mesure des transformations démographiques, sociales et politiques de la société. […]

La même approche « communautariste » prévaut en Grande-Bretagne. Le recensement de la population de 2001 intègre l'origine ethnique des personnes interrogées (Blancs, Indiens, Pakistanais, originaires du Bangladesh, Noirs originaires d'Afrique, des Caraïbes ou d'autres pays…). Depuis avril 1996, les policiers ont d'ailleurs l'obligation de mentionner l'appartenance des personnes contrôlées et mises en garde à vue à une communauté. […] Les chiffres ne sont pas contestés sur le fond, mais leur interprétation suscite des controverses. Récemment, une association de policiers noirs s'est appuyée sur ces statistiques pour dénoncer le racisme dont feraient preuve leurs collègues.

IS1

La pratique de nombreux pays d'Europe continentale s'oppose aux modèles anglo-saxons. En Allemagne comme en France, les statistiques n'établissent de distinction qu'entre nationaux et étrangers. En 2004, 19,3 % des auteurs présumés de délits (hors infractions spécifiques à l'immigration, comme l'infraction au droit d'asile) n'étaient pas allemands. […] Certaines enquêtes spécifiques se sont penchées sur l'origine, et non plus la nationalité, de jeunes auteurs de violences. Une étude de l'Institut de criminologie de Basse-Saxe, réalisée en mars 2005 dans les écoles, révèle que près de 75 % des actes recensés impliquent des élèves d'origine immigrée (dont les deux parents ne sont pas allemands), en tant qu'auteur ou victime.

IS2

En Italie, le problème spécifique de l'origine des délinquants ne semble pas se poser : on ne connaît de toute façon pas ici de phénomène massif de deuxième génération. En 1970, le pays

IE2 { IS2 {

ne comptait que 140 000 étrangers. Ils sont aujourd'hui 3 millions, soit 4,8 % de la population. […] En Espagne aussi, l'immigration représente un phénomène très récent. En 1998, le pays ne comptait que 600 000 étrangers. Ils sont aujourd'hui plus de 4 millions (soit 9 % de la population). Là non plus, l'administration ne fait pas de distinction entre ses nationaux.

Baptiste Aboulian (à Londres), Philippe Coste (à Washington), Vanja Luksic (à Rome), Blandine Milcent (à Berlin) et Cécile Thibaud (à Madrid), *L'Express*, 9 février 2006.

Document 3

Hausse de la violence contre les personnes

[…] Jamais la photographie de la délinquance et de la criminalité en France n'avait enregistré une hausse aussi forte des violences perpétrées contre des personnes. […]

IE1 { IS2 {

« L'outil statistique » utilisé pour mesurer la délinquance et la criminalité a été mis en place par l'OND (Observatoire national de la délinquance), organisme dit « indépendant », composé de criminologues et de scientifiques, et a clarifié une méthode de comptage qui datait de 1972. Certaines voix estiment que cet outil ne reflète pas la vraie délinquance du pays. « *Les chiffres sont mauvais pour le gouvernement, mais la réalité l'est encore davantage* », estime la secrétaire nationale du PS à la sécurité, Delphine Batho. […]

IS3 {

De son côté, le ministre de l'Intérieur veut affiner sa méthode statistique en faisant apparaître « *l'origine ethnique* » des personnes mises en cause. Cette idée l'oppose au criminologue Alain Bauer, président de l'OND, qui « *doute de l'intérêt* » d'un tel fichier ethnique. Pour Nicolas Sarkozy, « *il faut faire de la transparence. Il n'y a aucune raison de dissimuler un certain nombre d'éléments qui peuvent être utiles à la compréhension de certains phénomènes* ». Mais Alain Bauer met en garde : « *la création d'un fichier "ethnique" pourrait certes ouvrir des perspectives en termes d'analyse – on constate aux États-Unis qu'aux deux tiers les Blancs tuent les Blancs, les Noirs tuent des Noirs et les Asiatiques des Asiatiques, ce qui témoigne d'une communautarisation des phénomènes criminels – mais elle aurait un grand nombre d'effets pervers.* »

IE2 {

IS3 {

« *S'il s'agit de rechercher des criminels, le fichier Canonge existe déjà : quand vous êtes agressé par quelqu'un, vous donnez aux policiers un maximum d'éléments pour l'identifier, du genre "il est blond" ou "il était de type asiatique"* », explique Alain Bauer. « *Il y a une réalité démographique : les jeunes mâles sont davantage représentés dans les populations issues de l'immigration et, par définition, sont plus remuants que les vieilles dames.* » Mais « *en matière de criminalité, poursuit-il, c'est le criminel qui explique le crime, pas ses origines ethniques, cultuelles* ». Et de conclure : un tel appareil statistique semblerait « *poser plus de problèmes qu'il n'en résout* ». […]

Gaëtane de Lansalut, article publié sur le site de RFI, 14 février 2006.

Proposition de plan

Thème général	→	Comment définir le profil des délinquants ?
Idée essentielle 1	→	**Le modèle français**
Idée secondaire 1	→	Quelle est la situation actuelle ?
Idée secondaire 2	→	Quels sont les moyens ?
Idée essentielle 2	→	**D'autres modèles**
Idée secondaire 1	→	Le modèle anglo-saxon
Idée secondaire 2	→	Des modèles d'Europe continentale
Idée secondaire 3	→	Les limites de ces modèles

Proposition de traitement

Les mots clés les plus importants sont repris dans ce travail et sont soulignés afin que vous puissiez les identifier facilement.

Une enquête menée par *L'Express* en 2006 et un article publié sur le site Internet de RFI aborde le délicat problème du profil ethnique des délinquants dans certains pays occidentaux. La France connaît, depuis plusieurs années, une hausse de la délinquance, surtout chez les Français d'origine étrangère. Ce phénomène est lié à diverses causes qui sont souvent difficiles à comprendre même si les spécialistes l'expliquent par des événements historiques et par l'analyse d'un climat politique quelquefois xénophobe. Il est cependant difficile de connaître avec précision le profil ethnique des délinquants étant donné que les statistiques sur l'origine ethnique sont interdites par la loi. Cette situation est décriée par l'actuel ministre de l'Intérieur qui souhaiterait abroger cette loi restrictive afin de mieux comprendre les phénomènes qui sont à l'origine de la délinquance. La police peut toutefois avoir accès à des informations sur l'origine ethnique des criminels, mais uniquement à des fins d'enquête.

En revanche, dans certains pays anglo-saxons, notamment au Royaume-Uni et aux États-Unis, la classification des délinquants est officiellement « communautariste », c'est-à-dire que les criminels sont fichés et recensés en fonction de leur couleur de peau et de leur origine ethnique. D'autres pays européens, comme l'Allemagne, l'Espagne ou l'Italie, ne disposent pas de chiffres concernant l'origine ethnique des délinquants, soit parce que l'immigration est un phénomène trop récent, soit parce que la loi restreint l'identification, notamment la distinction entre les nationaux et les étrangers. Que ce soit dans les pays communautaristes ou non, de nombreuses voix, même celles de policiers, s'élèvent contre cette classification ethnique, à des fins statistiques ou non, car elle ne permet pas de s'attaquer aux vraies raisons du crime et engendre des comportements racistes.

Nombre de mots : 275 (240 mots demandés dans la consigne, 275 mots maximum autorisés : règle des 10 % en plus ou en moins).

Vers l'épreuve

1. RÉDIGER UNE SYNTHÈSE À PARTIR DU PLAN PROPOSÉ

Nous vous proposons maintenant un traitement partiel de deux synthèses de documents. Les étapes suivantes ont été traitées :
– le repérage des mots clés, des idées essentielles et des idées secondaires ;
– l'élaboration d'un plan.
Il vous appartient, à partir du plan proposé, de procéder à la dernière étape : la rédaction.

Consignes pour tous les sujets

Vous ferez une *synthèse* des documents proposés, en x* mots environ. Pour cela, vous dégagerez les idées et les informations essentielles qu'ils contiennent, vous les regrouperez et les classerez en fonction du thème commun à tous ces documents, et vous les présenterez avec vos propres mots, sous forme d'un nouveau texte suivi et cohérent. Vous donnerez un *titre* à votre synthèse.

Attention ! Vous devez *rédiger un texte unique en suivant un ordre qui vous est propre*, et non mettre trois résumés bout à bout ; vous ne devez pas introduire d'autres idées ou informations que celles qui se trouvent dans le document, ni faire de commentaires personnels ; vous pouvez bien entendu réutiliser les « mots clés » des documents, mais non des phrases ou des passages entiers.

Règle de décompte des mots : est considéré comme mot tout ensemble de signes placé entre deux espaces. « c'est-à-dire » = 1 mot ; « un bon sujet » = 3 mots ; « Je ne l'ai pas vu depuis avant-hier » = 7 mots.

Lettres
Sciences
humaines

SUJET 2 : synthèse de 250 mots

La répartition des idées essentielles et des idées secondaires est indiquée dans le plan proposé ci-après.

Document 1

Le mariage religieux reste une force

[…] C'était il y a huit ou dix ans, dans une <u>église</u> romane, gothique ou… plus banale. Et là, devant une assemblée, plus ou moins croyante, mais dans tous les cas, joyeuse et chaleureuse, entourés de témoins choisis le plus souvent avec soin parmi leurs amis, <u>ils se sont unis</u> « pour toujours ». Selon la formule consacrée, ils se sont donné <u>le sacrement de mariage</u>.

Selon le père Dominique Salin, jésuite, « il demeure encore une petite minorité de jeunes qui se marient à l'église d'abord et avant tout parce que chez eux c'est comme cela que cela se fait, par respect de la tradition. Ce seront les mêmes qui, en cas d'éventuelles difficultés, ne se poseront même pas la question de <u>la séparation</u>, quitte à souffrir ensemble, parce que là encore, le respect de la parole donnée fait partie de la culture familiale ». Reste que la grande majorité des jeunes couples qui ont demandé <u>le mariage religieux</u> l'ont fait parce que <u>l'idéal de vie conjugale et familiale</u> proposé par l'Église avait un sens pour eux.

* Le nombre de mots vous est précisé au début de chaque groupe de documents.

Et puis, la vie a repris son cours. Plutôt en accéléré qu'au ralenti. Comme pour tous les autres couples, la famille s'est agrandie. Ce fut alors beaucoup de bonheur mais aussi de la fatigue, des tracas quotidiens et parfois quelques sérieux problèmes à résoudre. Pour d'autres, à l'inverse, l'enfant espéré, et le plus souvent programmé, n'est pas venu. Une épreuve toujours douloureuse pour le couple à peine constitué mais qui a grandi dans une société dont les pouvoirs sur la vie et la mort sont devenus exorbitants. C'est aussi aussi la vie professionnelle qui, en deux temps trois mouvements, a décliné ses aléas… peut-être en trop-plein, peut-être en trop peu, faisant parfois quelques dégâts au passage.

Il y a eu les premiers choix, les premières décisions et orientations, voire renoncements. Autant d'événements forts qui auront orienté les premières années de la vie du couple. Bref, comme le souligne Nadine Grandjean, du cabinet de conseil conjugal Raphaël (diocèse de Paris), « en dix ans, la désidéalisation fait son œuvre, place à la réalité ! Tous les couples y passent, même si quelques-uns jouent la politique de l'autruche ».

Comment, face à ce retour à la réalité, les couples qui se sont engagés avec ferveur et conviction dans la voie du mariage chrétien réagissent-ils ? Autant de couples, autant de réponses, bien sûr. Mais à regarder de plus près et surtout à écouter ces jeunes couples, on s'aperçoit que leur manière de réagir aux premiers soubresauts de leur vie conjugale et familiale dépend, pour une part, de la préparation au mariage qu'ils ont reçue […].

En témoignent Paula et Antonio : « Nous savons très bien que le sacrement de mariage n'est pas une garantie contre ce qui peut rendre la vie de couple et de famille parfois difficile ou pesante. Les risques du divorce ne sont pas réservés aux couples non chrétiens. Nous étions lucides sur ce point quand nous nous sommes mariés et nous le restons. » Un réalisme que l'on peut attribuer à une meilleure compréhension du sacrement de mariage mais aussi au fait que, parmi ces jeunes mariés, certains sont issus de parents chrétiens qui ont divorcé. La première génération dans l'Église. Ni garantie, ni assurance tous risques, le sacrement de mariage représente cependant chez beaucoup une valeur forte. […]

Agnès Auschitzka, *La Croix*, 17 juin 2003.

Document 2

L'intégration par l'amour

[…] En 1999, 30 000 mariages mixtes – entre époux français et étranger – ont été célébrés, soit plus d'une union sur dix. […] Pourtant, le couple mixte semble une aberration sociologique. Un pied de nez à la règle dominante de l'« homogamie » : toutes les enquêtes démographiques montrent que les Français(es) se marient plutôt dans le même milieu – les trois-quarts des couples sont de même origine et de même groupe social – selon l'adage « Qui se ressemble s'assemble ». Au contraire, les unions mixtes apparient deux individus que tout – ou presque – devrait séparer : culture, religion, couleur de peau, voire traditions culinaires. […] Le lien, d'autant plus fort que tout oppose les promis, supposerait même une démarche volontariste : « Ce type d'union est toujours très intense, explique le psychanalyste Malek Chebel. En général, il y a un surinvestissement de l'autre. Quand cela se passe bien, c'est une idylle néoromantique : il y a une fascination, un engagement émotionnel parfois quasi pathologique auprès du partenaire, dont on projette une vision sublimée. […] l'investissement est d'autant plus fort que, la plupart du temps, chacun des partenaires doit faire face à la désapprobation – voire à l'hostilité – des parents et vit sa relation comme une aventure à contre-courant. Le foyer mixte peut être le lieu privilégié où s'expérimente la tolérance à la différence, mais aussi un amplificateur des conflits interculturels et des malentendus. Quand les choses se gâtent, le traumatisme est plus fort et l'échec vécu d'autant plus durement. » […]

La rupture se joue presque toujours autour de l'éducation des enfants ou de la religion. « Ce genre de mariage suppose un déminage quotidien, observe Malek Chebel. En général, le mariage mixte pousse les deux partenaires vers la laïcité, ou alors c'est la femme qui met de côté ses convictions religieuses pour "épouser" celles de son mari. » Selon deux études de l'Institut national d'études démographiques menées en 1975 et 1982, leur taux de divorce est pratiquement le même que pour les couples franco-français […].

Gilbert Charles et Marion Festraëts, *L'Express*, 9 mai 2002.

Document 3

Mariage business

DITES oui, c'est à nouveau tendance ! La preuve : plus de 282 000 couples sont passés devant M. le Maire en 1998, contre 254 700 en 1995. Au Carrousel du Louvre, siège du Salon du mariage (18 300 visiteurs cette année, 10 000 de plus qu'en 1998), on en est convaincu : l'union légitime a encore de l'avenir. Les robes de mariée s'exhibent en vitrine, et les créateurs les plus branchés de l'Hexagone s'y intéressent : à La Thébaïde, boutique avant-gardiste du 6e arrondissement parisien, Madeline Heuwagen, Herbert & Raymaud et d'autres proposent leurs modèles pour le grand jour… De son côté, la styliste Lolita Lempicka a carrément lancé sa ligne de robes de mariée. « De 4 à 12 robes sont créées chaque saison, explique Laetitia, chargée de la communication. Le retour du mariage est très visible sur le marché. » Ce n'est pas Pronuptia qui démentira. Avec 35 000 robes et 20 000 costumes vendus en 1998, la marque *mainstream* affiche une progression de 10 % de son chiffre d'affaires depuis l'an dernier.

Certains éditeurs ont vu le vent venir. Jeunes Éditions lancent un *Guide de l'organisation du mariage*. Incongru ? « La cible de nos guides métiers, ce sont les jeunes, analyse Cécilia Duaygues. À force de les fréquenter, on finit par cerner leurs préoccupations du moment. » Et le mariage, curieusement, en est une pour un nombre croissant d'entre eux ! La première édition du guide ayant atteint ses objectifs (10 000 exemplaires vendus en 1998), Jeunes Éditions rééditent cette année le précieux volume, avec une version par grande région (Ile-de-France, Sud, Nord).

Natacha Pérez, *Le Point*, 13 mars 1999.

Thème général	→	Le mariage
Idée essentielle 1	→	**Le mariage a le vent en poupe.**
• Idée secondaire 1	→	Le mariage est à la mode (*document 3*). Le nombre d'unions est en augmentation ; les accessoires de mariage sont de plus en plus diversifiés (monde de l'édition) ; les créateurs font preuve d'imagination. Mariage = mode = business.
• Idée secondaire 2	→	Le mariage religieux convainc toujours (*document 1*). Le sacré et les valeurs religieuses restent importants ; les traditions ne sont pas perdues.
• Idée secondaire 3	→	Le mariage sans frontière (*document 2*). Le nombre d'unions mixtes est en augmentation ; conflit entre l'ordre moral et le respect des convictions personnelles. Mariage mixte = tolérance + ouverture d'esprit.
Idée essentielle 2	→	**Le mariage n'est pas une garantie contre les difficultés de la vie.**
• Idée secondaire 1	→	La religion n'est pas un rempart contre la réalité humaine (*document 1*). Désidéalisation ; arrivée d'un enfant ; réalité du quotidien.
• Idée secondaire 2	→	Les compromis interculturels ne sont pas toujours possibles (*document 2*). Regard des autres pas toujours favorables (famille) ; malentendus culturels ; différends religieux.

SUJET 3 : synthèse de 220 mots

La répartition des idées essentielles et des idées secondaires est indiquée dans le plan proposé ci-après.

Document 1

Le retour des expatriés

On les encourage au départ avec à la clé la promesse d'une belle carrière quand ils reviendront en France. Mais au retour, c'est souvent le vide. L'expatriation n'est pas toujours une sinécure[1]…

« J'ai erré comme une âme en peine dans les couloirs du siège[2] pendant six mois ! Personne ne semblait s'inquiéter de ce que je pouvais faire. » Bernard, 45 ans, arrivait du Moyen-Orient, où il avait dirigé des chantiers pendant cinq ans. Sa mission terminée, il était rentré convaincu qu'après ses bons et loyaux services à l'étranger l'entreprise l'accueillerait à bras ouverts. La déconvenue fut douloureuse : dans ce groupe international d'ingénierie et de travaux publics, personne ne l'attendait. Il s'est finalement résolu à démissionner.

Un cas isolé, Bernard ? Pas tant que cela. D'après une étude réalisée par Jean-Marc Selle, responsable du cabinet de conseil IMS-Relocaliser, et Don Osborn, professeur de l'ESC Rouen, 30 % des rapatriements d'expatriés se passent mal. Dans près de la moitié des cas parce que le retour a été mal préparé. À qui faut-il imputer cet échec ? Aux salariés eux-mêmes, ou à leurs employeurs ? […]

Le retour est devenu un enjeu stratégique. Le temps n'est plus aux « expat » professionnels qui n'avaient pas vocation à rentrer un jour au port ! Les entreprises ne veulent plus de ces « drogués de l'exotisme » qui coûtent trop cher (en moyenne, deux ou trois fois plus qu'un salarié resté au siège) et sont impossibles à réintégrer au bout de dix ans d'absence. Elles préfèrent recruter sur place des cadres moyens, moins chers et mieux intégrés, et envoyer pour les diriger, mais pendant trois ou quatre ans seulement, des cadres français à haut potentiel dont l'expatriation n'est pas une fin en soi, mais une étape obligée dans leur carrière. […]

En outre, revenir, c'est souvent gêner. Et la réintégration est d'autant plus difficile que, depuis quelques années, les entreprises raccourcissent leurs lignes hiérarchiques et limitent l'encadrement. Beaucoup se retrouvent dans la peau d'un quasi-débutant après avoir dirigé des équipes à l'étranger. « L'expatrié de retour peut avoir la désagréable impression de se retrouver dans la peau d'un bleu[3] qui intègre son premier emploi », observe Don Osborn. […]

Afin d'éviter d'avoir à gérer trop de désillusions, les sociétés qui ont de gros bataillons à l'international ont toutefois commencé à réagir. Toujours d'après l'étude d'IMS, sept groupes sur dix ont mis en place des procédures plus ou moins formelles pour faciliter la réinsertion. Ainsi, France Télécom. « Nous essayons de proposer systématiquement aux rapatriés des postes qui tiennent compte de leur expérience étrangère », explique Pierre Curtenelle, qui dirige l'équipe chargée de la mobilité internationale. La maison leur propose des postes qui bénéficient d'une large autonomie, par exemple chefs de projet. […]

Mais, même une fois trouvé son poste, le cadre n'est pas au bout de ses difficultés. Considéré souvent comme un privilégié par ses collègues, il a intérêt à montrer patte blanche[4]. « Pendant un certain temps, il est préférable qu'il fasse fi[5] des nouvelles méthodes de travail qu'il a pu acquérir à l'étranger », soupire un gestionnaire de carrière d'un grand groupe français. Laurent, 35 ans, ne dira pas le contraire. « Quand je suis rentré, j'ai voulu réorganiser le service que l'on venait de me confier. J'ai dû y renoncer, explique-t-il, encore blessé. Mes alter ego racontaient à qui voulait l'entendre que mes chevilles avaient enflé[6] plus vite que mes compétences ! »

Mieux vaut donc faire preuve de patience et de courage. D'autant qu'il faut aussi gérer les problèmes de la famille. Et que, sur ce terrain-là, l'entreprise est particulièrement absente. « Nous ne sommes pas des nourrices, rétorque un directeur des ressources humaines. Les expatriés sont des hommes expérimentés, qui sont censés avoir anticipé leur retour. » Certes. Mais, tandis que le cadre se bat pour retrouver sa place au sein du groupe, le conjoint (en général, la femme) doit gérer seul son propre retour et celui des enfants.

La perte de statut se révèle souvent cruelle pour toute la famille. Après avoir eu le sentiment de faire partie d'une élite, Monsieur et Madame doivent réapprendre à vivre comme tout le monde. Parfois, l'épouse de l'expatrié a abandonné sa carrière pour suivre son compagnon. […] « C'est le domaine pour lequel j'ai le plus de pédagogie à faire dans les entreprises, reconnaît un conseiller en mobilité internationale. Pour l'expatrié et sa famille, le retour peut être une vraie souffrance. » Ce dont toutes les entreprises n'ont pas encore pris conscience.

Valérie Peiffer, Le Point n° 1386, 10 avril 1999.

1. sinécure : situation sans problème, reposante.
2. siège : (ici) la direction de l'entreprise en France.
3. bleu : débutant.
4. montrer patte blanche : être au-dessus de tout soupçon.
5. faire fi : ne pas tenir compte.
6. avoir les chevilles enflées (familier) : être prétentieux, se prendre au sérieux.

Document 2

Les règles du groupe Lafarge

« Un bon retour se prépare six mois avant le départ », assure Christopher Palmer, responsable de la gestion des carrières internationales du groupe Lafarge, société qui a vu le nombre des expatriés grimper de 250 en 1995 à 530 aujourd'hui. Avant de partir, l'expatrié se voit non seulement doté d'un mentor* chargé de maintenir le lien avec le siège, mais il bénéficie d'un véritable plan de carrière, un contrat de retour individualisé qui établit le profil du poste qu'il aura à son retour et les compétences qu'il doit acquérir pendant son séjour. « Ainsi, les règles du jeu sont transparentes. Le salarié qui s'expatrie sait non seulement pourquoi il part, mais également de quoi sera fait son retour, explique Christopher Palmer. Serein, il sera d'autant plus efficace pendant son expatriation ! »

V. P., Le Point n° 1386, 10 avril 1999.

* mentor : conseiller, protecteur.

Document 3

Histoires d'enfants

« Il est primordial d'expliquer aux expatriés que leurs enfants risquent de souffrir en rentrant en France. Car c'est à eux, et à eux seuls, de dédramatiser le retour. Il faut, au moins six mois à l'avance, les prévenir des changements qui les attendent », adjure un conseiller en mobilité internationale. Comment lui donner tort ? De retour d'Afrique, il y a six mois, Pierre, 8 ans, a méthodiquement placé les étagères en bois de sa chambre et des feuilles de journaux sous la grande table de la salle à manger. Puis, installé devant son œuvre, il a craqué une allumette. Quand son père, Alain, 43 ans, lui a demandé, choqué, ce qui avait bien pu lui passer par la tête, Pierre a répondu sans sourciller : « Je voulais que cette maison brûle, comme ça, on aurait bien été obligés de repartir au Sénégal, dans notre vraie maison ! » Dure, la réadaptation à la grisaille hexagonale* ! Le choc culturel, au moment du retour, est particulièrement violent quand les enfants, partis pour l'étranger très jeunes, ignorent tout de la vie quotidienne en France. Ainsi, cette petite fille de 5 ans qui, devant sa nouvelle maison, pourtant spacieuse et bien située au cœur du Pays Basque, s'est écriée : « Mais ce n'est pas une maison. Elle n'a même pas de piscine ! » Ou encore ce garçon de 4 ans qui, après six mois en France, continuait de parler anglais en classe parce qu'il avait une fois pour toute décidé que l'école se faisait en anglais…

V. P., Le Point n° 1386, 10 avril 1999.

* hexagonal : de la France.

Proposition de plan

Thème général	Les conditions de retour des expatriés	Texte(s) à prendre en compte pour aborder les différentes idées (essentielles et secondaires)
Idée essentielle 1	**Les retours sont souvent difficiles**	
• Idée secondaire 1	**Les conditions générales de retour du travailleur expatrié :** • Le retour est mal préparé. • Les compétences acquises ne sont pas reconnues. • Les entreprises rechignent à employer des expatriés (raisons salariales).	*Document 1*
• Idée secondaire 2	**Des entreprises préparent aussi les retours des employés :** • Prise en considération de l'expérience étrangère (France Télécom). • Plan de carrière proposé (Lafarge).	*Documents 1 et 2*
Idée essentielle 2	**La famille, elle, n'est pas préparée**	
• Idée secondaire 1	**Le/La conjoint(e) :** • Mise à l'écart par l'entreprise de l'époux (épouse). • Perte et/ou diminution d'un statut social. • Difficulté de retrouver un emploi après l'arrêt de la carrière.	*Document 1*
• Idée secondaire 2	**Les enfants :** • Choc culturel (langue, lieu). • Choc social (confort).	*Document 3*

3. EXEMPLE DE SUJET DE SYNTHÈSE À TRAITER INTÉGRALEMENT

Vous êtes maintenant invité à traiter intégralement le sujet de synthèse qui vous est proposé ci-dessous. Il est très important de respecter les règles de la synthèse telles qu'elles sont décrites plus haut (voir page 64) et d'en suivre les grandes étapes.

SUJET 4 : synthèse de 220 mots

Document 1

Une checklist pour la démarche à suivre pour l'exploitation vous est proposée après ces documents, afin de vous aider à traiter votre synthèse.

LES ANTIBIOTIQUES BIENTÔT INEFFICACES ?

Les antibiotiques actuels pourraient se révéler inefficaces d'ici 10 à 20 ans. Nous sommes en train de perdre la guerre contre les maladies infectieuses. Tel est le cri d'alarme que vient de lancer l'Organisation mondiale de la santé (OMS).

Selon le rapport « Vaincre la résistance microbienne » rendu public le 12 juin 2000 par l'OMS, certaines maladies guérissables – de l'angine à l'otite en passant par la tuberculose – risquent de devenir incurables. Ce document décrit comment les germes de la quasi-totalité des grandes maladies infectieuses commencent lentement, mais inexorablement, à résister aux médicaments disponibles. Ce phénomène, appelé pharmacorésistance, ne cesse de s'accroître.

« Il a fallu 20 ans pour mettre au point la pénicilline et permettre son utilisation, et 20 ans ont également suffi pour que ce médicament devienne pratiquement inopérant dans le traitement des blennorragies (maladie sexuellement transmissible provoquant l'inflammation de l'urètre ou de la prostate chez l'homme et de la vessie ou du col de l'utérus chez la femme) dans la plus grande partie du monde », souligne le docteur David Heymann, directeur exécutif chargé des maladies transmissibles à l'OMS. Ces cas de pharmacorésistances restent des exceptions et la plupart des maladies infectieuses disposent aujourd'hui de médicaments efficaces. Mais pour combien de temps ?

Le phénomène naturel de la résistance aux antimicrobiens est de nos jours amplifié car l'homme utilise mal les antimicrobiens dont il dispose.

Dans les pays pauvres : la sous-utilisation des médicaments facilite l'apparition d'une résistance. Ne bénéficiant pas des moyens d'acheter les médicaments en quantité suffisante pour un traitement complet, les malades ont tendance à se rabattre sur des médicaments contrefaits, obtenus au marché noir. De telles pratiques entraînent une destruction des germes les plus faibles alors que les plus résistants survivent et se reproduisent.

Dans les pays riches : l'utilisation abusive des médicaments est à l'origine de la pharmacorésistance. Sous la pression des malades, on constate de nombreuses surprescriptions de la part des services de santé. Autre pratique épinglée par l'OMS, l'usage abusif des antimicrobiens en agroalimentaire contribue au développement du phénomène de résistance. La moitié de la production d'antibiotiques sert au traitement des animaux malades, à favoriser la croissance du bétail et de la volaille ou aux traitements des cultures contre des organismes nuisibles.

« Nous nous trouvons littéralement dans une course contre la montre puisqu'il s'agit de réduire le niveau mondial des maladies infectieuses avant que les maladies ne réduisent l'utilité des médicaments », résume le Dr Heymann, qui ajoute qu'actuellement, il n'y a pas de nouveaux médicaments ou vaccins sur le point d'apparaître. […]

David Bême, http://www.doctissimo.fr.

Document 2

Résistance aux antibiotiques : il faut changer les comportements

Entretien avec Daniel FLORET*

DOCTISSIMO : *Pour l'Organisation mondiale de la santé, les antibiotiques risquent de ne plus être efficaces d'ici 20 ans, à cause de l'apparition croissante de résistances chez leur cible, c'est-à-dire les bactéries. Que pensez-vous de cette annonce ?*

PR FLORET : Cette prédiction est quelque peu alarmiste. L'apparition de résistances à un antibiotique chez les bactéries est un phénomène normal. Quelques années après la découverte du premier antibiotique, la pénicilline, des germes résistants sont apparus. Depuis, il y a une course contre la montre entre l'apparition de résistances chez les bactéries et la découverte de nouveaux antibiotiques par l'industrie. Mais rien ne permet de penser que nous allons perdre cette course. Jusqu'à présent, l'industrie à toujours eu une longueur d'avance, même si certaines bactéries peuvent causer quelques soucis. Ce qui a accentué le problème, c'est l'usage irraisonné des antibiotiques depuis plusieurs années. On peut espérer que ce phénomène va diminuer grâce à une meilleure éducation à la fois des médecins et des familles.

DOCTISSIMO : *Vous dites que l'apparition de résistances entraîne la nécessité de découvrir en permanence de nouveaux antibiotiques. La recherche pharmaceutique gardera-t-elle indéfiniment une longueur d'avance ?*

PR FLORET : Le nombre d'antibiotiques n'est certainement pas illimité, mais les possibilités sont néanmoins grandes. On arrive certainement au bout des familles d'antibiotiques actuelles mais il existe toute une série de familles possibles qui n'ont pas encore été explorées. Nous ne sommes pas encore le dos au mur, ce qui ne veut pas dire qu'il ne faut pas être vigilant et qu'il ne faut pas lutter contre l'usage immodéré des antibiotiques.

DOCTISSIMO : *Cette augmentation du nombre de résistances risque-t-elle d'entraîner la résurgence de maladies disparues ?*

PR FLORET : Les maladies d'origine bactérienne, telles que la tuberculose, la diphtérie, le tétanos ou la coqueluche n'ont pas disparu (ou vu leur incidence baisser) grâce aux antibiotiques. Ce sont principalement les campagnes de vaccination qui ont permis de les faire disparaître. L'augmentation du taux de résistances aux antibiotiques n'entraînera donc pas la résurgence de ces maladies.

DOCTISSIMO : *Comment lutter contre l'apparition de résistances aux antibiotiques ?*

PR FLORET : Le principal problème est la prescription inadaptée : on continue de traiter de façon massive des maladies dont on sait pertinemment qu'elles sont dues à des virus. C'est inadmissible. Pourtant, une prescription adaptée, comme en Islande par exemple, permet de faire baisser fortement le taux de résistance. […]

Propos recueillis par Alain Sousa, http://www. doctissimo.fr, 19 juillet 2000.

* Professeur en pédiatrie et chef du service des urgences et réanimations pédiatriques à l'hôpital Édouard Herriot de Lyon.

Document 3

En France, les bactéries font de la résistance

La France est l'un des pays où l'on consomme le plus d'antibiotiques. C'est aussi l'une des régions du monde où l'on observe le plus de bactéries résistantes aux antibiotiques. La relation de cause à effet entre ces deux phénomènes semble claire, même si elle n'est pas rigoureusement démontrée. Réunis à l'Institut Pasteur pour le neuvième colloque sur le contrôle épidémiologique des maladies infectieuses (CEMI), les spécialistes tirent la sonnette d'alarme.

La consommation d'antibiotiques a augmenté de 48 % entre 1981 et 1992. Depuis, la hausse s'est poursuivie, à raison de 2,1 % par an entre 1991 et 1996. Principal responsable de cette augmentation, les prescriptions réalisées en médecine de ville, qui représentent 85 % de l'ensemble des prescriptions d'antibiotiques.

Si le traitement antibiotique est souvent indispensable, les enquêtes prouvent que dans 40 % des cas, à l'hôpital, et dans 60 % des cas, en ville, il est contraire aux recommandations des experts.

Ainsi, on sait depuis longtemps que les antibiotiques n'ont aucun effet sur les rhino-pharyngites (les rhumes). Pourtant, dans 60 % des consultations, ces médicaments sont prescrits. En cas d'angine, le traitement antibiotique n'est recommandé que pour les sujets de moins de 25 ans ayant une angine bactérienne. Or dans 85 à 90 % des cas, des antibiotiques sont prescrits de manière inadaptée. Enfin, les antibiotiques ne modifient pas l'évolution des bronchites aiguës. Ils sont néanmoins administrés dans 80 % des cas.

Si les prescriptions sont le fait des médecins, elles répondent bien souvent à la demande expresse des patients, convaincus de guérir plus vite grâce aux antibiotiques.

Conséquence logique, pour parvenir à diminuer les prescriptions, ce sont les habitudes de tout un pays, y compris celles des médecins, qu'il convient de changer, ont souligné les spécialistes réunis à l'Institut Pasteur pour le neuvième colloque sur le contrôle épidémiologique des maladies infectieuses (CEMI). L'enjeu est important car les résistances aux antibiotiques sont de plus en plus nombreuses et aucune famille réellement nouvelle de médicaments antibactériens ne point à l'horizon. Parmi les pneumocoques (responsables d'infections ORL et respiratoires), les résistances à la pénicilline étaient quasiment inexistantes en France il y a quinze ans. Elles touchent aujourd'hui plus de la moitié des souches. Les hémophilus, responsables de nombreuses infections ORL et respiratoires chez le petit enfant, ont vu leur proportion de résistance à la pénicilline doubler en deux ans, passant de 35 % à 70 % dans la région parisienne. Enfin, la proportion de staphylocoques dorés résistants à la méthicilline est élevée en France, comme généralement dans les pays du Sud. […]

La croissance des résistances pose de difficiles problèmes thérapeutiques à l'hôpital, notamment dans les services de réanimation, où circulent souvent des bactéries devenues multirésistantes, c'est-à-dire résistantes à plusieurs familles d'antibiotiques. En médecine de ville, il n'y a pas encore de conséquences graves, car la plupart des résistances ne sont pas assez fortes pour rendre l'antibiotique inopérant et, dans le cas contraire, il est encore possible de changer le traitement pour trouver une molécule efficace. « Mais il n'est pas interdit de penser qu'un jour, on se trouvera devant une impasse thérapeutique », estime le Pr. Benoît Schlemmer de l'hôpital Saint-Louis.

D'où l'intérêt de réduire les prescriptions d'antibiotiques. L'exemple des pays scandinaves montre qu'une consommation plus raisonnée peut suffire à renverser la tendance. Des campagnes d'information du public et des médecins ont permis, dans ces pays, une baisse de la prescription des antibiotiques les plus utilisés et un retour des résistances à l'état antérieur. Mais la fréquence des prescriptions n'est pas seule en cause. Plusieurs études s'accordent pour montrer que des traitements courts, mais à dose élevée, tels que les traitements en une prise unique recommandés pour les infections urinaires basses (cystites), entraînent moins de résistances que des traitements pris longtemps à des doses inférieures aux doses efficaces. Finir une boîte d'antibiotiques trouvée dans l'armoire à pharmacie, pour traiter un mal de gorge, en divisant les doses par deux, est certainement la pire des attitudes.

Chantal Guéniot, http://www. doctissimo.fr.

Check-list pour la démarche à suivre

Les pistes de réflexion sur votre travail que nous vous proposons ci-dessous peuvent être appliquées à toutes les synthèses de documents que vous aurez à traiter.

- [ ] Ai-je lu attentivement les documents au moins deux fois ?
- [ ] Ai-je souligné, entouré ou surligné :
  - [ ] les mots clés.
  - [ ] les idées essentielles.
  - [ ] les idées secondaires.
- [ ] Ai-je déterminé un thème général qui rassemble les idées essentielles ?
- [ ] Ai-je rédigé clairement mon plan avant de passer à la phase de rédaction ?

POUR VOUS ENTRAÎNER

Pour vous entraîner

1. L'ARGUMENTATION

❶ Bien réussir son argumentation

Dans le cadre des examens du DALF (C1 et C2), l'argumentation occupe une place importante. Cette activité est demandée, en fonction du niveau (C1 ou C2), sous des formes diverses : essai argumentatif, lettre formelle, article, éditorial…

Pour les deux niveaux, le candidat doit choisir le domaine dans lequel il sera évalué : lettres et sciences humaines ou sciences.

Au niveau C1, l'argumentation accompagne une synthèse de documents. Les deux exercices doivent être réalisés par le candidat en 2 heures 30. Le thème principal de la synthèse de documents et de l'argumentation est le même. Le plus souvent, une lettre est demandée au candidat dans le cadre de l'argumentation.

❷ Les différents types de sujet du DALF C1

Voici différentes formes de sujet d'argumentation que vous pouvez rencontrer au niveau C1. Le nombre de mots d'une argumentation en C1 est de 220 à 250 :

- **Essai argumentatif**

> La sauvegarde de l'environnement devrait-elle être considérée par les gouvernements du monde entier comme la première cause à défendre ? Votre travail devra comporter entre 220 et 250 mots.

- **Lettre formelle**

> Vous vivez en France. Vous écrivez au ministre de l'Environnement pour lui faire part de votre point de vue sur les actions du gouvernement français en matière d'écologie. Votre courrier devra comporter environ 220 mots.

- **Article**

> Vous écrivez un article dans le journal de votre quartier. Vous prenez position sur les actions de la France en matière d'écologie. Votre courrier devra comporter environ 250 mots.

Attention !

En fonction de la consigne, il vous appartiendra de respecter le type d'écrit que l'on vous proposera (essai, courrier, article). Par exemple, si vous êtes invité à rédiger un courrier, vous devrez obligatoirement respecter les règles de présentation de ce type d'écrit : mise en page, date, objet du courrier, formule d'appel, respect du ton, formules de politesse, prise de congé, signature…). Ces critères seront pris en compte dans l'évaluation de votre travail.

Si cela ne vous est pas demandé dans la consigne, il n'est pas nécessaire, pour traiter le sujet, de reprendre les éléments des documents qui vous sont présentés. Vous pouvez bâtir votre argumentation uniquement à partir d'opinions et/ou d'exemples qui appartiennent à votre expérience personnelle ou à votre imagination.

Quelle que soit la forme du sujet qui vous est proposé, vous devrez le traiter en respectant un nombre de mots communiqué dans la consigne. Il est indispensable de respecter ce nombre de mots. Vous disposez cependant d'une marge de 10 %, en plus ou en moins. Par exemple, si le sujet stipule 200 mots, votre production écrite doit obligatoirement comporter entre 180 et 220 mots.

❸ L'évaluation de votre travail

Pour l'argumentation, vous ne serez jamais évalué sur les idées que vous défendez mais uniquement sur leur adéquation au sujet et sur la façon dont vous les organisez. Il n'appartient pas au correcteur de porter un jugement sur vos opinions ou sur vos prises de position. Toutes remarques à caractère raciste, sexiste ou discriminatoire à l'encontre d'un groupe social ou religieux sont cependant strictement interdites.

En revanche, une attention particulière sera donnée au respect de la consigne, à la cohérence de votre travail et, bien sûr, à sa qualité lexicale, syntaxique, orthographique et grammaticale.

En résumé, vous serez évalué à partir de deux grands groupes de critères :

1. le respect des règles ;
2. les qualités linguistiques de votre travail.

Ces deux groupes possèdent chacun des critères spécifiques. Voici deux tableaux qui vous permettront :

– d'identifier les critères d'évaluation utilisés par les correcteurs ;
– de comprendre à quoi ils correspondent ;
– d'identifier les améliorations que vous pouvez apporter à votre travail.

Tableau 1. Les qualités d'organisation de votre travail

Quels sont les critères utilisés par le correcteur pour évaluer votre production	Que devez-vous faire pour répondre correctement à ces critères ?
Respect du sujet	• Repérez dans la consigne le nombre de mots à rédiger. • Respectez le titre d'écrit que l'on vous demande (lettre formelle, essai, article…). • N'oubliez aucun élément. Il est possible que vous ayez à argumenter à partir de plusieurs éléments. • Vos idées doivent toutes être liées au thème général (idée centrale, problématique) du sujet.
Respect de la consigne	• Lisez et relisez la consigne : attention au nombre de mots exigés. • Prenez le temps, au début de votre travail, de faire un plan et, pendant la rédaction de votre travail, de le respecter scrupuleusement. • Soyez certain de bien connaître les règles générales de rédaction de l'introduction, du développement et de la conclusion[1]. • Gardez-vous un laps de temps suffisant, en fin de rédaction, pour compter les mots de votre production.
Organisation du plan	• Faites preuve de logique : traitez une idée par paragraphe. Vous éviterez ainsi les répétitions. • Faites preuve de concision : choisissez, pour chacune de vos parties, des idées suffisamment éloignées les unes des autres. Vous éviterez ainsi les redondances et les incohérences.
Cohérence et articulation des idées, des opinions et des illustrations	• Soignez votre présentation : détachez bien physiquement votre introduction, les différents paragraphes de votre développement et votre conclusion. • Utilisez autant que possible des connecteurs, des marqueurs de relations pour articuler vos idées. • Attention ! Choisissez exclusivement des connecteurs dont vous connaissez la signification. Sinon, vous risqueriez de produire un travail incohérent. • Utilisez suffisamment de conjonctions de coordination pour articuler vos phrases les unes avec les autres.

Tableau 2. Les qualités linguistiques de votre travail (voir p. 63).

---

1 Un paragraphe complet est consacré aux règles fondamentales de l'argumentation (voir p. 82).

POUR VOUS ENTRAÎNER

 La méthode de travail

Il n'existe pas de règles strictes pour l'essai argumentatif comme on l'entend, par exemple, pour le résumé, le compte rendu ou la synthèse de documents. Cependant, vous devez respecter des règles générales propres à cet exercice, même s'il existe des tolérances.

Quelle que soit la forme que doit prendre votre argumentation, il est important de rédiger votre travail en trois grandes étapes, même si un article ou une lettre formelle vous est demandé :
1. une introduction ;
2. un développement ;
3. une conclusion.

1. Est-il nécessaire de faire un plan ?

Votre travail doit obligatoirement suivre un plan. Même si vous ne devez pas le remettre au correcteur, vous devez nécessairement en élaborer un. Ce plan correspond aux idées essentielles et secondaires que vous allez argumenter dans votre développement. Votre plan doit être concis et simple. Il ne s'agit pas de faire de longues phrases mais plutôt de nominaliser vos idées.

Votre plan doit donc comporter :
– vos deux ou trois idées essentielles ;
– pour chacune de vos idées essentielles, vos idées secondaires, c'est-à-dire les idées qui vont vous permettre de soutenir votre argumentation ;
– pour chacune de vos idées secondaires, des illustrations propres à votre vécu personnel, à vos opinions et/ou à votre culture générale.

2. Comment faire une introduction ?

Votre introduction sert à guider le correcteur avant la lecture des arguments développés ultérieurement, et doit être clairement détachée du reste de votre travail. En résumé, l'introduction :
– **est un tout indissociable :** elle est constituée d'un bloc unique et ne doit pas comporter plusieurs paragraphes ;
– **ne doit pas être trop longue, ni trop courte :** quelques lignes suffisent à exposer les grandes lignes de votre travail ;
– **ne doit pas comporter d'arguments personnels :** vous devez y exposer le sujet et la façon dont vous allez le traiter. Vous informez le lecteur de votre bonne compréhension du sujet et de votre plan. Vos arguments apparaîtront plus tard, c'est-à-dire dans votre développement.

• **Si une lettre formelle, un article ou un éditorial** vous est demandé, il est important que votre introduction comporte, au moins :
– une phrase d'introduction générale qui reprend le sujet ou le thème qu'il vous est demandé de traiter ;
– les différentes parties de votre travail : vous annoncez, en quelque sorte, votre plan.

• **Si votre sujet correspond à un essai argumentatif,** l'introduction est, préférablement, composée de trois parties :

1. le sujet amené : reprenez le sujet avec vos propres mots. Reformulez-le, en quelque sorte (deux lignes suffisent). Vous pouvez lui apporter une touche personnelle en le situant dans le temps et/ou dans l'espace. Dites, par exemple, si le problème posé dans le sujet est en adéquation avec votre époque et avec votre contexte culturel et/ou géographique (votre pays, votre région, votre ville…) ;

2. le sujet posé : essayez de dégager de ce sujet une problématique, c'est-à-dire la question essentielle (le thème central, l'idée générale) qui est sous entendue dans le sujet amené. Vous pouvez aussi, si vous le jugez nécessaire, spécifier le contexte (temps, espace) dans lequel vous allez traiter cette problématique (deux lignes suffisent) ;

3. le sujet divisé : exposez brièvement votre plan. Cette partie va vous permettre de guider le lecteur dans votre développement : vous lui annoncez de quoi vous allez parler et dans quel ordre. Vous devez donc énumérer, en une phrase, les deux ou trois idées essentielles que vous allez traiter. Évitez les formulations comme : *Dans un premier temps, je parlerai de…, dans un deuxième temps, je traiterai de…, enfin j'aborderai…* Utilisez plutôt : *Nous débuterons cette argumentation par… pour démontrer que… Enfin, nous nous pencherons sur…* En clair, essayez de donner une articulation à vos différentes parties (cause / conséquence, opinion pour / opinion contre, opinion pour / nuances… (trois lignes suffisent).

3. Comment faire un développement ?

Afin de ne pas dépasser le strict sujet qui vous est posé et de risquer un hors sujet, nous vous conseillons de limiter la rédaction de votre développement à deux parties (trois au maximum). Ces deux parties correspondent aux deux idées essentielles qui vous auront permis de bâtir votre plan de départ (voir plus haut).

Règles générales du développement :
– chaque partie du développement correspond à une idée essentielle, donc à un paragraphe ;
– chaque partie du développement doit être clairement détachée du reste du travail. Il est donc nécessaire de sauter une ligne entre chaque partie. Enfin, n'hésitez pas à sauter deux lignes pour encore mieux détacher l'ensemble du développement de l'introduction et de la conclusion ;
– les différentes parties doivent être équilibrées : elles doivent avoir, à deux ou trois lignes près, la même longueur ;
– les règles de rédaction de chacune des parties sont les mêmes ;
– les idées essentielles doivent être suffisamment éloignées des autres (pour / contre, cause / conséquence…) afin que le lecteur ne retrouve pas d'éléments identiques ou similaires dans les différentes parties.

La rédaction d'une partie (ou d'une idée essentielle) répond généralement aux règles suivantes. Ces règles sont à respecter de manière identique pour chacune des parties :
– **énonciation de l'idée essentielle :** vous devez exposer, dès la première phrase, votre première idée essentielle sous forme d'une affirmation qui vous est propre ;
– **argumentation (première idée secondaire) :** votre idée essentielle peut être divisée (voir plan) en plusieurs idées secondaires. Ces idées secondaires, traitées l'une après l'autre, vont vous permettre d'argumenter et d'aborder en détail les différents éléments de votre idée essentielle ;
– **illustration / exemple :** il est important d'illustrer la première idée secondaire avec un exemple tiré de votre expérience personnelle et/ou de votre culture générale. Vous pouvez, par exemple, comparer la situation donnée par le sujet avec ce que vous connaissez ou avez connu dans votre pays, ou lors de votre enfance ;
– **argumentation (deuxième idée secondaire) :** comme pour la première idée secondaire ;
– **illustration / exemple :** comme pour la première idée secondaire.

4. Comment faire une conclusion ?

La conclusion constitue la dernière partie de votre travail. Il est important d'y apporter grand soin afin de laisser le lecteur (votre professeur ou un correcteur) sur une bonne impression. Nous vous recommandons donc de suivre ce plan afin de structurer correctement la fin de votre essai. La conclusion est généralement composée de deux parties :

a. une synthèse de l'ensemble de votre développement :

Vous reprenez ici, sans les répéter, les éléments qui vous paraissent les plus marquants de votre travail. Il s'agit, par exemple, de peser le pour et le contre des idées essentielles que vous avez développées, et qui peuvent représenter deux points de vue différents. C'est à vous, alors, d'y apporter une nuance, d'en tirer une leçon, une morale et d'en faire part au lecteur. Vous pouvez aussi donner votre préférence pour l'une des idées essentielles et expliquer, de façon précise et concise, les raisons de votre choix.

Cette partie ne doit pas dépasser deux ou trois lignes, pour le DALF C1 (quatre ou cinq lignes, pour le DALF C2).

b. une ouverture au sujet que l'on vous a proposé au départ :

Voici le dernier effort que vous devez fournir : proposer au lecteur (votre professeur, un correcteur) une nouvelle piste de réflexion à partir du sujet initial. Reformulez cette nouvelle piste, cette ouverture, comme s'il s'agissait d'un nouveau sujet d'essai argumentatif. Attention à ce que cette nouvelle piste soit directement reliée au sujet, sans entraîner cependant une réflexion identique. En résumé : ne restez pas « collé » au sujet initial, mais n'abordez pas non plus un thème complètement étranger (deux ou trois lignes maximum).

2. EXEMPLE DE TRAITEMENT INTÉGRAL DE SUJET DE NIVEAU C1

Sciences

SUJET 1 (technologies) : article

> Vous participez à la rédaction du journal de votre université. Étant donné que les nouvelles technologies prennent de plus en plus de place dans votre vie d'étudiant, vous décidez de rédiger un article sur ce sujet que vous intitulez : « Peut-on affirmer qu'Internet favorise la communication avec les autres ? » Donnez votre avis en 500 mots.

Pour le sujet ci-dessous et les sujets proposés plus loin dans ce chapitre, nous vous demandons des réponses de 250 à 500 mots. Ceci vous permettra de travailler d'une part la concision (longueur inférieure à 350 mots), d'autre part l'illustration par des exemples (longueur supérieure à 350 mots).

Proposition de plan

Introduction	
Idée essentielle 1 ⟶	**Internet = outil démocratique**
• Idée secondaire 1	• Internet est partout
• Idée secondaire 2	• Internet est pratique
• Idée secondaire 3	• Internet est bon marché
Idée essentielle 2 ⟶	**Trop d'Internet tue la communication**
• Idée secondaire 1	• Écrire à la place de parler
• Idée secondaire 2	• Internet peut être une drogue
Conclusion	

Introduction

Internet a certainement provoqué, ces dix dernières années, une des révolutions majeures du quotidien dans la plupart des pays du monde. La principale raison de son succès est la multiplication des échanges entre les êtres humains grâce à la mise à disposition de tous d'une infinité d'informations. Nous appuierons l'idée qu'Internet est l'outil de communication le plus démocratique, même si, par ailleurs, un excès d'informations peut avoir un effet inverse.

IS1

Même dans les endroits les plus reculés du monde, il est possible d'avoir accès à Internet à un coût modéré. Bien plus, d'ailleurs qu'au téléphone, encore trop souvent inabordable. S'il est impossible, pour des raisons financières, de téléphoner tous les jours à son ami de Tokyo, quand on habite soi-même à Paris, il est tout à fait envisageable de lui envoyer quotidiennement des messages électroniques… de chez soi ou d'un café Internet.

En plus de ses avantages financiers et de son implantation, la rapidité du traitement de l'information par Internet est incomparable devant les autres moyens de communication comme le courrier ou le télégramme. Rien ne peut, à part peut-être le téléphone, entrer en compétition avec les avantages technologiques de ce nouveau moyen de communication.

Certes, les gens et les pays de la planète ne sont pas égaux devant l'accès à Internet. Toutefois, nous pouvons affirmer qu'Internet est, devant le téléphone, le courrier postal ou la télécopie l'outil de communication le plus répandu du monde car il est le plus abordable et le plus techniquement performant.

IS2

Nous ne pouvons, cependant, perdre de vue que, dans un grand nombre de pays (et pas nécessairement les plus riches), la démocratisation d'Internet, et de l'informatique en général, a eu un impact réel sur la manière de communiquer. Les gens se contactent de plus en plus, certes, mais se parlent aussi de moins en moins. Au lieu de décrocher son téléphone pour inviter ses amis, on leur envoie un courrier électronique. Au lieu de monter voir son collègue dans le bureau d'à côté pour lui raconter sa soirée, on lui « fait un mail ».

Au-delà même de la facilité d'accès que les gens ont à l'écriture, puisqu'ils passent de plus en plus de temps face à leur écran, Internet retient, capte les attentions des uns et des autres. Il y 10 ans, les parents ne se plaignaient pas que leurs enfants passaient des heures devant leur ordinateur, enfermés dans leur chambre, coupés du reste de la vie familiale. Maintenant, dans certaines sociétés, on cherche, non pas à distraire les enfants grâce à Internet, mais à les distraire de leur ordinateur pour leur faire redécouvrir la « vraie » communication avec les autres.

Conclusion

Internet est devenu le symbole de la communication, avant même d'autres outils comme le téléphone ou le fax. Il est indéniable, pour toutes les raisons que nous avons évoquées, qu'Internet rapproche les peuples de la planète. On ne peut que s'en réjouir et souhaiter la continuité de son développement. Mais gardons à l'esprit que trop de communication tue la communication, et que l'ordinateur ne doit, en aucun cas, être un frein aux relations humaines.

Nombre de mots : 512.

Vers l'épreuve

Vous trouverez ci-dessous deux exemples de sujets de différentes natures traités partiellement. Ensuite, sont proposés des sujets variés que nous vous invitons à traiter. Il vous appartient de choisir celui qui vous inspire le plus et de le traiter en suivant scrupuleusement la méthode de travail que nous vous avons proposée.

Vous constaterez que vous pourrez, après quelques entraînements, traiter presque tous les sujets que l'on vous propose.

Soignez la qualité de votre langue française, mais n'oubliez surtout pas de mettre autant d'énergie à soigner votre plan. Il s'agit d'une habitude à prendre. Un travail cohérent et structuré est un travail qui mérite 50 % des points de la note. Gardez ce conseil en mémoire !

1. EXEMPLES DE TRAITEMENT PARTIEL DE SUJET DE NIVEAU C1

SUJET 2 (vie sociale) : courrier

Les parties suivantes du sujet 2 ont été traitées :
– une partie du plan ;
– la partie 1 (idée essentielle 1, idées secondaires 1 et 2) ;
– la conclusion.

Pour vous entraîner, nous vous conseillons d'élaborer la suite du plan et de rédiger la partie 2 (idée essentielle 2, idées secondaires 1 et 2).

> Vous êtes président de l'association des parents d'élèves de l'école de vos enfants. Depuis quelques temps, des actes d'incivilité entachent la réputation de l'établissement (détérioration du matériel, graffitis, insultes…). Vous décidez d'écrire un courrier à tous les parents d'élèves, membres de votre association, pour leur faire part des responsabilités que les parents ont dans l'éducation des enfants et que l'école ne peut, en aucun cas, prendre en charge. Votre courrier comprendra 500 mots.

Proposition de plan

Introduction	
Idée essentielle 1	**Les responsabilités des parents dans l'éducation des enfants**
• Idée secondaire 1	• L'apprentissage des règles de vie communes
	Illustrations / exemples à trouver dans les thèmes suivants : la politesse, le respect de l'autre (tolérance des autres cultures, compassion…).
• Idée secondaire 2	• L'apprentissage de la culture familiale
	Illustrations / exemples à trouver dans les thèmes suivants : la transmission de certaines valeurs religieuses, de la langue maternelle…
Idée essentielle 2	À vous d'élaborer la suite de ce plan avant de rédiger votre travail.
• Idée secondaire 1	
• Idée secondaire 2	
Conclusion	

(Corrigé p. 218.)

SUJET 3 (environnement) : lettre formelle

> Vous êtes particulièrement surpris par le manque d'actions, de la part de la mairie de votre ville, en matière de respect de l'environnement (absence de pistes cyclables, de zones piétonnières, de tri sélectif des déchets, manque d'espaces verts…).
> Vous écrivez au maire de votre ville pour lui faire part de votre indignation et l'interpeller au sujet de la politique qu'il mène.
> Votre courrier doit comporter 500 mots.

Afin de vous guider dans la rédaction, nous vous proposons ci-dessous un plan intégral. Nous vous invitons également à utiliser le modèle de mise en forme d'un courrier officiel.

Proposition de plan

Introduction
• Se présenter
• Objet du courrier
• Annonce des points abordés dans le courrier (voir points essentiels du plan)

Idée essentielle 1 ⟶ • Idée secondaire 1 • Idée secondaire 2	**Constatation de problèmes environnementaux :** • Le réchauffement climatique et ses effets : dérèglement des températures, des saisons… • La pollution atmosphérique et la pollution sonore : augmentation du stress, de la violence, diminution de la qualité de la vie…
Idée essentielle 2 ⟶ • Idée secondaire 1 • Idée secondaire 2 • Idée secondaire 3	**Interpellation du maire et de son équipe concernant les dossiers environnementaux :** • Rappel du rôle du maire : le maire doit veiller à la qualité de vie de ses concitoyens. • Le maire doit prendre des décisions qui peuvent être mal perçues (par les concitoyens ou par certains lobbies) : taxes, parcmètres, lois… • Le maire doit tenir compte des expériences écologiques étrangères : priorité à l'écologie dans de nombreuses villes et/ou pays (exemples et illustrations).
Idée essentielle 3 ⟶ • Idée secondaire 1 • Idée secondaire 2 • Idée secondaire 3	**Solutions citoyennes que la mairie peut apporter à ces problèmes :** • Diminution de la circulation automobile : réduction des voies de circulation, création de zones piétonnières. • Augmentation du nombre d'espaces verts : parcs, stades, aires de jeux… • Obligation du tri sélectif : à la maison, dans les lieux publics.

Conclusion
• Demande de réponse
• Prise de congés

Exemple de mise en forme

Monsieur Mehdi TRAHI
1, avenue de la République
67000 Strasbourg
Tél. : 03.88.60.06.45
mtrahi@mail.com

Objet : Respect de l'environnement

Strasbourg, le 15 juillet 2008

Monsieur le Maire,

Dans l'espoir que mon courrier aura su attirer votre attention et dans l'attente d'une réponse de votre part, je vous prie de croire, Monsieur le Maire, en l'expression de ma très haute considération.

Mehdi TRAHI

2. EXEMPLES DE SUJETS DE NIVEAU C1 À TRAITER INTÉGRALEMENT

Pour les sujets qui suivent, nous vous proposons, non pas des plans intégralement constitués mais des pistes de réflexion sur votre travail qui vous aideront à élaborer des plans et ensuite, à rédiger. Prenez-en connaissance et appliquez-les à chacun des sujets que vous aurez à traiter.

- Que dois-je rédiger ?
  - ☐ un article.
  - ☐ une lettre formelle.
  - ☐ un éditorial.
  - ☐ un essai.

Veillez à respecter le format du type d'écrit demandé.
- Combien de mots dois-je écrire ?
Ayez dès le début une idée assez précise de la longueur de votre travail.
- Quel est le thème général du sujet ?
Veillez, tout au long de votre travail, à ne pas vous éloigner de ce thème. Toutes vos idées, essentielles et secondaires, doivent être en relation avec ce thème.
- Quels exemples proches du thème original puis-je tirer de mon expérience personnelle ou de mon imagination pour illustrer mon argumentation et les idées que je vais avancer ?

SUJET 4 (vie sociale) : article

Vous êtes délégué syndical dans votre entreprise. Vous êtes invité(e) par votre délégation à rédiger un article de 500 mots pour le journal de votre syndicat concernant les nouveaux moyens de communication que vous utilisez pour votre travail. Vous décidez de donner le titre suivant à votre article :

Les nouvelles technologies de l'information ont-elles amélioré la communication entre les personnes au sein de l'entreprise ?

Vous utilisez votre expérience personnelle (privée et professionnelle) pour illustrer votre propos.

SUJET 5 (société) : lettre formelle

Vous habitez en France, et vous y travaillez. Le nouveau Premier ministre souhaite supprimer la loi instituant la durée hebdomadaire de travail à 35 heures, et la rétablir à 40 heures. Vous êtes contre cette décision. Vous décidez donc d'écrire un courrier au Premier ministre pour lui faire part de votre opinion. Pour vous, la réduction du temps de travail pour les salariés est une véritable avancée sociale. Votre courrier doit comporter 300 à 350 mots.

SUJET 6 (environnement) : lettre / article

Vous êtes particulièrement attentif aux questions de l'environnement et au respect de la nature. Vous accusez l'homme d'être le principal responsable des dérèglements du climat. Vous écrivez un courrier au quotidien français *Le Monde* pour qu'il soit publié dans la rubrique « Opinions ». Votre courrier doit comporter 250 mots environ.

SUJET 7 (recherche) : lettre formelle

Un pays francophone vient d'adopter une loi doit autorisant la recherche scientifique sur l'être humain. Cette loi a particulièrement retenu votre intérêt. Vous écrivez une lettre au ministre de la Santé de ce pays pour lui faire part de votre opinion sur ce sujet. Votre courrier doit comporter environ 300 mots.

SUJET 8 (environnement) : lettre formelle

Vous vivez dans une grande ville francophone. Malgré la pression populaire, la mairie refuse de créer de nouvelles pistes cyclables. Vous écrivez au maire de cette ville pour lui faire part de votre mécontentement et lui exprimer les avantages du vélo en milieu urbain. Votre courrier doit comporter 250 mots.

SUJET 9 (économie) : article

En tant que consommateur, vous êtes témoin des effets de la mondialisation. Dans les journaux que vous lisez, certains journalistes affirment que la mondialisation ne fait qu'augmenter l'écart économique entre les pays riches et les pays pauvres. D'autres affirment le contraire. Vous donnez votre opinion en rédigeant pour un journal un article de 500 mots.

SUJET 10 (éducation) : courrier des lecteurs

Vous vivez dans un pays francophone. Le ministre de l'éducation envisage de supprimer, dans les écoles secondaires (15 à 18 ans), l'enseignement de la deuxième langue étrangère. Touché par cette décision, vous écrivez à votre journal habituel pour que votre courrier soit publié dans la rubrique « Courrier des lecteurs ». (350 mots)

Exemple d'épreuve

Exercice 1 – Synthèse de documents

Vous ferez une synthèse des documents proposés, en 220 mots environ.

Pour cela, vous dégagerez les idées et les informations essentielles qu'ils contiennent, vous les regrouperez et les classerez en fonction du thème commun à tous ces documents, et vous les présenterez avec vos propres mots, sous forme d'un nouveau texte suivi et cohérent.

Vous pourrez donner un titre à votre synthèse.

Attention :

– vous devez rédiger un texte unique en suivant un ordre qui vous est propre, et en évitant de mettre deux résumés bout à bout ;

– vous ne devez pas introduire d'autres idées et informations que celles qui se trouvent dans le document, ni faire de commentaires personnels ;

– vous pouvez bien entendu réutiliser les « mots clefs » des documents, mais non des phrases ou des passages entiers.

> *Règle de décompte des mots :* est considéré comme mot tout ensemble de signes placé entre deux espaces. « C'est-à-dire » = 1 mot : « un bon sujet » = 3 mots ; « Je ne l'ai pas vu depuis avant-hier » = 7 mots.

Document 1

Les béquilles de l'école

C'est un sévère constat d'échec pour l'éducation nationale. À côté des enseignements public et privé dispensés au sein d'établissements scolaires, une troisième filière prend de l'ampleur : le soutien scolaire, autrement dit les cours particuliers. Le rapport réalisé par le sociologue Dominique Glasman pour le Haut Conseil de l'évaluation souligne que, depuis dix ans, les entreprises qui offrent ce soutien ont connu une « expansion spectaculaire. Cet essor est lié à la mise en place de mesures fiscales favorables aux parents. Celles-ci ont fait passer les cours particuliers, qui, par tradition, relevaient beaucoup de la petite annonce et de l'arrangement individuel, dans le camp des activités économiques déclarées.

Il n'existe pas de statistiques récentes sur le nombre d'enfants concernés. Des données des années 1990 indiquaient que près d'un quart des élèves suivaient des cours particuliers pendant l'année. Le succès des entreprises qui occupent le marché montre, en tout cas, que des dizaines de milliers d'enfants, et plus encore peut-être leurs parents, vivent avec une telle hantise de l'échec à l'école qu'ils n'imaginent plus de se passer de cette béquille coûteuse, mais jugée salvatrice. Les « boîtes » florissantes de soutien scolaire n'hésitent d'ailleurs plus à se présenter comme des contre-modèles : on y « apprend à apprendre », avec des cours individualisés et des enseignants par définition disponibles, loin des classes surchargées ou des collèges-ghettos des zones d'éducation prioritaires (ZEP).

Ce soutien est souvent souhaité par les parents de bons élèves, qui les voudraient encore meilleurs. Plutôt limité auparavant, pour des raisons de coût, aux couches les plus favorisées, le soutien scolaire gagne aujourd'hui les classes moyennes.

Au-delà de ce qu'elle révèle sur l'ampleur des attentes déçues à l'égard du système scolaire, cette situation est aussi un facteur particulièrement choquant d'inégalités supplémentaires, alors que les Français sont de plus en plus sensibles à l'aggravation de ces inégalités et, d'une façon générale, à ce qu'ils considèrent comme des injustices. Or qu'y a-t-il de pire pour des parents de condition modestes que de se dire qu'ils ne pourront pas, faute de moyens, donner à leurs enfants les mêmes chances de réussite que des familles plus aisées ?

Le fait que ce phénomène ne soit pas spécifiquement français est une maigre consolation. La généralisation de ces systèmes d'appui scolaire montre tout simplement que la vie est perçue comme un parcours de plus en plus difficile, et l'école elle-même comme un combat, une compétition au quotidien.

Dans ce contexte, l'excellence paraît maintenant indispensable pour que les enfants « s'en sortent ». Sombre constat, décidément, qui devrait interpeller les pouvoirs publics, en grande partie responsables de cet état de fait, quelle que soit la couleur politique des gouvernements successifs.

Le Monde, éditorial du 2 mai 2005.

Document 2

Les cours particuliers s'érigent en « contre-modèle » de l'école

Aggravant les inégalités scolaires au détriment des élèves les plus démunis, le marché du soutien scolaire prospère. Il se nourrit de l'angoisse des parents, d'une compétition scolaire accrue et des défaillances de l'école. Dans un rapport réalisé pour le Haut Conseil de l'évaluation de l'école et évoqué par le quotidien Libération, dans son édition du 28 avril, le sociologue Dominique Glasman (Université de Savoie) montre comment les cours particuliers se sont érigés en « contre-modèle » du système scolaire, profitant de ses faiblesses.

Depuis dix ans, on assiste à « une expansion spectaculaire » des entreprises de soutien scolaire, constate l'auteur du rapport. Academia, Keep-school et Complétude, entre autres, voient leur clientèle et leurs résultats progresser. Cette croissance s'explique par l'instauration, durant les années 1990, de mesures discales qui permettent aux parents de bénéficier d'une réduction d'impôts de 50 % au titre des emplois familiaux. Ce cadeau fiscal a fait sortir de l'ombre une partie des cours de soutien non déclarée et a favorisé l'émergence d'un véritable secteur économique. Jusqu'alors cantonné aux classes aisées, il s'est étendu aux classes moyennes. En revanche, les ménages les plus modestes – qui ne sont pas imposables – ne profitent pas de cet avantage, ce qui ne veut pas dire qu'ils ne recourent pas, eux aussi, aux cours particuliers.

Il n'existe pas d'étude quantifiant l'ampleur du soutien scolaire. Une enquête, menée entre 1989 et 1992 en Rhône-Alpes, faisait déjà état de 20 % à 25 % d'élèves suivant des cours particuliers durant l'année scolaire et de 36 % durant l'ensemble de leur scolarité. […]

En France, les entreprises de ce secteur s'érigent en « contre-modèle », en « image inversée » de l'institution scolaire. « C'est ce qui fait leur succès », commente Dominique Glasman. Elles abordent des thèmes que l'école ne traiterait pas – ou pas assez – et mettent en avant leurs avantages comparatifs : « réactivité », là où l'école tarde à réagir ; « individualisation » avec une aide spécifique par opposition à un enseignement de masse ; « choix de l'enseignant » ; « garantie de résultats » et pas seulement obligation de moyens… Alors que l'institution scolaire se focalise sur l'enseignement des disciplines, les cours particuliers travailleraient davantage sur le « comment apprendre ». « L'exercice, l'entraînement, la répétition, l'acquisition d'automatismes qui libèrent l'esprit pour la réalisation de tâches complexes » sont une des constantes du soutien scolaire, révèle l'étude.

La réussite repose sur l'acquisition de savoir-faire et de techniques qui sont trop peu abordées à l'école. « L'expérience montre que dans les moments décisifs, lors des concours et des examens, les aspects que l'on pourrait dire techniques peuvent permettre de faire la différence », assure Dominique Glasman. Exemple : faire un devoir de mathématiques jusqu'au bout, dans un temps restreint, suppose l'acquisition d'automatismes.

« Où et quand l'école enseigne-t-elle ces savoirs et ces techniques qu'elle exige sans le dire et qui, de fait, sont indispensables pour venir à bout des épreuves qu'elle organise ? », s'interroge le sociologue. Sans rien changer à l'ambition des programmes ; Dominique Glasman propose de ménager, dans l'enceinte scolaire, des temps et des lieux pour acquérir ces techniques. Il préconise « que l'étude surveillée soit réactivée, que la salle de permanence soit organisée et pensée comme une salle d'étude avec un personnel disponible pour les élèves… »

C'est en se donnant ces moyens-là, poursuit-il, que l'école pourra apporter une réponse à l'essor des cours particuliers et armer les élèves pour qu'ils soient en mesure de faire face à ce qu'elle exige d'eux.

Martine Laronche, *Le Monde,* 2 mai 2005.

Exercice 2 – Essai argumenté

Vous écrivez une lettre au « Courrier des lecteurs » du journal de la fédération des parents d'élèves pour donner votre avis sur le développement des cours particuliers.
Vous écrirez un texte clair et bien structuré d'environ 250 mots.

AUTO-ÉVALUATION

	oui	pas toujours	pas encore
Je peux m'exprimer de manière claire tout à fait lisible sur une grande variété de sujets, professionnels ou généraux.	☐	☐	☐
Je peux présenter un sujet complexe (par exemple dans un rapport de travail ou dans une rédaction) de manière claire et bien structurée et mettre en relief les points essentiels.	☐	☐	☐
Je peux commenter un sujet ou un événement en exposant différents points de vue, en soulignant les idées principales et en illustrant mon raisonnement par des exemples détaillés.	☐	☐	☐
Je peux rassembler des informations provenant de sources différentes et les résumer de manière cohérente par écrit.	☐	☐	☐
Je peux décrire de manière détaillée des sentiments, des expériences et des événements dans des lettres personnelles.	☐	☐	☐
Je peux écrire des lettres formellement correctes par exemple pour faire une réclamation ou pour prendre position pour ou contre un point de vue.	☐	☐	☐
Je peux rédiger des textes très correctement et adapter mon vocabulaire et mon style au destinataire, au genre de texte et au sujet.	☐	☐	☐
Je peux choisir, pour mes textes écrits, le style qui convient le mieux au lecteur.	☐	☐	☐

PRODUCTION ORALE

► Exposé à partir de plusieurs documents écrits, suivi d'une discussion avec le jury.

Deux domaines au choix du candidat : lettres et sciences humaines ou sciences.

PRODUCTION ORALE

L e niveau C1 (selon le *Cadre européen commun de référence pour les langues*)

Je peux m'exprimer spontanément et couramment sans trop apparemment devoir chercher mes mots.

Je peux utiliser la langue de façon efficace et souple dans ma vie sociale, professionnelle ou académique.

Je peux m'exprimer sur des sujets complexes de façon claire et bien structurée et manifester mon contrôle des outils d'organisation, d'articulation et de cohésion du discours.

► L'épreuve

Cette épreuve d'une trentaine de minutes se déroule en deux temps :
– un exposé de 10 à 15 minutes sur le thème indiqué à partir de plusieurs documents écrits ;
– un entretien avec le jury.
Deux domaines sont proposés au candidat : lettres et sciences humaines ou sciences.
– Note sur 25 points (sur un total de 100 points).

• Exposé sur 8 points

À partir des documents proposés, il s'agit de préparer un exposé sur le thème indiqué pour le présenter au jury. Cet exposé consistera en une réflexion ordonnée sur le sujet. Il comportera une introduction et une conclusion et mettra en évidence quelques points importants (trois ou quatre maximum).
Les documents sont une source documentaire pour l'exposé. Leur contenu est destiné à fournir des pistes de réflexion, des informations et des exemples. Il convient d'y ajouter des commentaires, des idées et des exemples qui vous soient propres afin de construire une véritable réflexion personnelle.
En aucun cas vous ne devez vous limiter à un simple compte rendu de documents.

• Entretien sur 5 points

L'entretien est destiné à permettre au jury de revenir sur certains points que vous aurez abordés et peut générer une discussion. Il vous faudra défendre votre position en répondant à ses questions et en réagissant aux commentaires ou aux contre-arguments éventuels.

La partie linguistique pour l'ensemble de l'épreuve (lexique, correction grammaticale, degré d'élaboration des phrases, système phonologique, etc.) est notée sur 12 points.

► Pour réussir l'épreuve de production orale

Il vous faudra, durant la phase de préparation qui dure une heure :
– prendre rapidement connaissance des documents et y puiser les éléments qui s'ajouteront à votre réflexion personnelle pour traiter le sujet de l'exposé qui vous sera proposé ;
– organiser vos idées selon un plan cohérent, montrant un degré de réflexion sur le sujet relativement élaboré et une capacité à mettre en évidence les points les plus importants de votre discours.

Lors de la présentation orale, vous pourrez vous reporter discrètement et brièvement à vos notes pour préserver la rigueur de votre exposé. L'entretien qui le suit sera pour vous l'occasion de développer des points particuliers et, éventuellement, de recentrer ou d'élargir le débat, montrant ainsi votre capacité à traiter un sujet et à le développer.

Pour vous entraîner

Les activités qui suivent sont destinées à mettre en place une méthodologie qui vous permettra de vous entraîner efficacement avant l'examen et de développer des réflexes pour la présentation de l'exposé lui-même et pour l'entretien qui suit.

1. MÉTHODOLOGIE POUR LA PRÉPARATION DE L'EXPOSÉ

❶ Comment construire un exposé ?

Que le thème soit rédigé de manière neutre (La biodiversité), qu'il suscite une interprétation (Le prix de la biodiversité), ou qu'il interpelle (Peut-on sauver la biodiversité ?), la démarche pour la présentation orale reste la même :

1	2 ou 3	2 ou 3	4	5	6	7	8
Prendre connaissance du thème de l'exposé	Lire et annoter le corpus de documents	Noter ses idées personnelles	Sélectionner les idées personnelles pertinentes et les éléments du corpus	Bâtir un plan	Élaborer le développement et préparer des transitions	Rédiger les grandes lignes de l'introduction	Rédiger les grandes lignes de la conclusion

À la fin de l'étape 4 :
– le thème de l'exposé doit être clair ;
– vous avez consigné vos idées personnelles et avez commencé à les organiser ;
– vous devez savoir ce que vous allez utiliser du corpus de documents ;
– vous avez dégagé les grands axes de votre présentation.

À l'étape 5, vous devez bâtir un plan
Validez votre plan et préparez un déclencheur pour introduire le sujet de l'exposé à partir d'un thème assez large.

TYPES DE PLANS

Diverses possibilités s'offrent à vous en termes de plans et il faut rappeler qu'un même thème peut souvent être traité selon différents plans.
Voici les principaux types de plans :
• Le **plan dialectique**, ou le fameux plan « thèse / antithèse / synthèse ». Il vous faudra confronter les thèses avant d'exprimer nettement un avis personnel.
• Le **plan par catégories**, ou **plan thématique**, est assez courant. Il s'agit de présenter un problème ou une notion sous différents aspects, et de fournir un ensemble d'informations favorisant une bonne compréhension des enjeux et vous permettant d'arriver à l'expression de votre position. Par exemple : un même problème examiné du point de vue économique, environnemental, philosophique, éthique, politique, etc., ou encore selon le point de vue de différents acteurs.

• Le **plan analytique** repose sur un raisonnement logique. Par exemple : causes / conséquences / solutions.

• Le **plan comparatif** : pour / contre, puis synthèse personnelle qui proposera éventuellement un élargissement.

• Le **plan chronologique** : souvent utilisé en histoire, ce plan est généralement peu adapté à ce type d'exposé car il est descriptif et ne favorise pas l'attention de l'auditoire.

À l'étape 6, vous allez élaborer le développement et ses transitions

Votre développement ne devrait pas excéder trois parties. Les transitions (enchaînements entre les parties) seront claires et faciliteront l'écoute. Les arguments et les exemples donneront du poids (et de la légèreté !) à votre propos.

• **Arguments :** à l'inverse des faits objectifs, un raisonnement, une prise de position devront être défendus. Pour convaincre, vous devrez montrer clairement sur quoi s'appuient vos idées et proposer des arguments qui forcent le respect. L'usage des connecteurs contribuera à donner de la cohérence à votre discours.

• **Transitions :** le moment venu, choisir entre :
– résumer le dernier point abordé ;
– annoncer le point suivant.

Si cela vous aide, vous pouvez rédiger vos transitions en sachant toutefois que vous ne devez pas les lire le moment venu, tout juste y porter un regard furtif.

Boîte à outils	
Pour marquer qu'on...	
commence :	*avant tout, d'une part, d'abord, tout d'abord, en premier lieu...*
poursuit :	*d'autre part, de plus, en outre, par ailleurs, passons maintenant à...*
donne un exemple :	*entre autres, notamment, par exemple, prenons le cas de...*
explique :	*ainsi, c'est-à-dire, en effet, cela se comprend du fait que...*
oppose :	*cependant, malgré cela, toutefois, par contre, en revanche, au contraire...*
termine :	*enfin, en fin de compte, en définitive, somme toute...*

Vous vous posez peut-être ces questions :

• **Dois-je citer les textes dont sont extraites les idées que j'avance ?**
Ne faites pas référence au document 1, 2 ou 3 mais attribuez en revanche le concept ou l'information à son auteur grâce à des formules du type « selon X » ou « dans son livre..., X affirme que... ».

• **Puis-je citer des exemples de mon pays ?**
Tout à fait. Ce sont probablement les exemples qui vous viendront en premier à l'esprit et il est intéressant de proposer des éléments de réflexion complémentaires à ceux qui se trouvent dans le dossier.

• **Puis-je faire des énumérations ?**
L'énumération est à pratiquer avec modération : elle peut toutefois être utile pour une exposition claire de faits ou montrer certains savoirs mais elle ne permet pas d'apprécier la qualité linguistique de votre discours.

• **Puis-je faire des digressions par rapport au thème de l'exposé ou au plan annoncé ?**
Ceci est fortement déconseillé.

• **Combien de parties puis-je envisager ?**
En dehors de l'introduction et de la conclusion, deux à trois parties. Elles peuvent être de taille inégale, sans toutefois être disproportionnées.

Pour la préparation de l'introduction (étape 7), vous devez :

– exposer clairement la problématique (si possible sous forme d'une question) et énoncer vos objectifs ; dégager le problème, c'est-à-dire expliquer de quoi il est question (en s'appuyant sur le thème de l'exposé et sur le contenu des textes) et déterminer l'objet du débat.
– annoncer votre plan de façon très claire. Cela permettra à votre auditeur d'anticiper et de mieux suivre la logique de votre exposé. Ne négligez pas les transitions qui permettront au jury de percevoir sans effort la structure de votre exposé et le cheminement de votre pensée.

Pour la préparation de la conclusion (étape 8), vous devez :

– résumer les idées essentielles ;
– résumer clairement votre position ;
– élargir ensuite sur une problématique plus vaste, ouvrir une ou deux perspectives.

❷ Comment organiser ses notes pour la présentation orale ?

Elles peuvent tenir en une page et ne rappeler que la structure de votre exposé ou au contraire être plus détaillées, inclure des mots clés, des groupes de mots ou des phrases. Les lignes doivent être très espacées les unes des autres, l'écriture lisible, et certains mots peuvent être soulignés ou mis en couleur pour être plus facilement repérés.
Nous vous recommandons de préparer avec soin et de noter précisément les éléments portant sur :
– votre introduction. C'est le début de votre exposé, il vous faut donner une bonne première impression et le stress peut facilement vous déstabiliser. Rédigez éventuellement la première phrase. Veillez à lister clairement les éléments qui suivront. Voyez comment cette phrase « fonctionne » en vous entraînant à voix basse. Mesurez-en l'impact possible sur le jury ;
– les titres des différentes parties de votre plan ;
– les mots clés dans le développement pour les arguments et exemples ;
– les phrases de transition entre les différentes parties. Il n'est pas évident de faire une transition habile. Le jury doit en effet bien comprendre que vous passez à une nouvelle partie de votre exposé.
– votre conclusion. Vous serez sans doute fatigué(e) après une dizaine de minutes d'exposé, or il vous faudra cependant conclure en laissant une bonne impression. Consignez avec soin les points destinés à rappeler l'essentiel de ce qui a été dit et l'idée finale sur laquelle terminer. Rédigez éventuellement quelques phrases.

Exemple de feuille de prise de notes

> • Introduction en une succession de points ou semi-rédigée.
> • Titre 1re partie.
>   – points principaux, objectifs généraux (sous forme de mots clés), arguments, exemples.
>   – mots clés : arguments, exemples.
>   – éventuellement une ou deux idées rédigées.
>   – phrases de transition en partie rédigées.
> • Autres parties : démarche identique.
> • Conclusion en une succession de points ou semi-rédigée.

Il est bien clair que vous ne devez absolument pas tout rédiger. L'objectif est que ces notes vous servent de guide, que vous puissiez vous y reporter ponctuellement et brièvement.

POUR VOUS ENTRAÎNER

Comment aborder l'entretien ?

L'entretien est la deuxième partie de l'épreuve. Le jury vous posera quelques questions (de trois à six) et s'entretiendra avec vous à propos du contenu de votre exposé.

Comment se préparer à l'entretien ?

– Si le plan de votre exposé est clairement défini et si vos notes sont organisées de manière aérée, vous pourrez facilement rattacher la question qui vous est posée à une partie précise de votre exposé et y répondre.
– Soyez capable de montrer l'intérêt qu'il y avait à évoquer telle idée, telle notion, voire à aller plus loin, car on vous posera certainement des questions en ce sens. Toutes les références sont les bienvenues : situer le texte, préciser la source d'une information, etc.
– Préparez-vous à communiquer votre opinion ou votre point de vue sur un des points abordés.
Il est peu probable qu'on vous pose des questions de type lexical. On pourra en revanche vous demander un éclaircissement sur une expression que vous aurez utilisée afin de s'assurer que vous en maîtrisez le sens.

Comment réagir aux questions ?

– Prenez le temps de répondre : ne vous précipitez pas.
– Assurez-vous d'avoir bien compris la question qui vous est posée avant d'y répondre et, si nécessaire, commencez par la reformuler. L'observation du visage de l'examinateur vous permettra de vérifier instantanément que vous êtes sur la bonne voie.
– Une réponse claire accompagnée d'un argument, d'un exemple, d'une donnée précise, sera toujours appréciée.
– Sachez défendre votre point de vue avec tact et, si l'examinateur semble vous rejoindre sur une idée, ne manifestez pas de signe de satisfaction : conservez une attitude mesurée et restez concentré(e).

Comment conclure un entretien ?

L'examinateur vous indiquera qu'il n'a plus de questions à vous poser et vous pourrez alors prendre congé poliment sans oublier de le remercier.

2. PUISER DES INFORMATIONS DANS UN TEXTE

Les activités qui suivent sont destinées à stimuler votre capacité d'analyse et d'observation d'un document, à vous orienter vers l'essentiel en vue d'y puiser des éléments utiles à votre exposé ou à l'entretien qui termine l'épreuve.

Lettres et sciences humaines

Thème de l'exposé 1 : « Les jeunes et la société de consommation »

Lisez *rapidement* l'article ci-dessous :

Étude sur les jeunes de 11 à 25 ans

Il se pose « en victime d'un système », adopte la « camouflage attitude » en s'enfermant dans sa chambre, est doté d'un « sens de l'effort limité » et traque la réussite financière à tout prix… Un vrai boulet ? Pire que ça : un jeune de 11 à 25 ans. C'est le résultat d'une étude de NRJ destinée à aiguiller les campagnes de ses annonceurs. Pour décortiquer cette cible, 650 spécimens et une vingtaine d'« experts » – sexologues, pédopsychiatres, sociologues, spécialistes de jeux vidéo… – ont été interrogés. « À la fin de ces entretiens, j'étais particulièrement démoralisée », dit Florence Hermelin, directrice générale du NRJ Lab*.

> Ce portrait-robot d'une génération « attentiste » fait en effet frémir, mais sonne terriblement faux. Peut-on réduire les jeunes qui manifestent contre le Front national ou le CPE** à des feignants égoïstes, obsédés par les fringues et le fric ? Cette simplification permet à NRJ de donner quelques conseils aux marques : il faudrait « développer un discours de réenchantement du monde », devenir un « ego coach » pour aider les consommateurs en herbe « à s'accomplir » ou encore créer « un sentiment de profusion qui va déculpabiliser leur frénésie de consommation »… Réenchanter le monde par la conso, belle idée, non ?
>
> L. L. S., *Télérama*, 2 juin 2006.
>
> * NRJ Lab : le « Lab » de la station musicale a dévoilé son nouveau cahier de tendances sur les ados. Surprise : selon le média spécialiste des jeunes, la marque fait office de coach sur cette cible.
> ** CPE : contrat première embauche.

Activité 1

Vérifiez votre capacité à saisir l'essentiel de ce document en répondant aux questions suivantes :

1. **Pourquoi la directrice générale du NRJ Lab est-elle « démoralisée » ?** (ne donnez pas d'exemples, synthétisez l'idée)

   Parce que à son avis les adolescents d'aujourd'hui sont désagréables et se construisent en indiv [illisible]

2. **Quels sont les enjeux ?**

   [réponse manuscrite illisible]

3. **Qu'est-ce qui caractérise une attitude attentiste ?**

   [réponse manuscrite illisible] se fier en indiv

4. **D'après cette enquête, quel pourrait être le portrait-robot du jeune ?** (répondez très brièvement, de préférence avec vos propres mots)

   [réponse manuscrite illisible]

5. **Y a-t-il des raisons de nuancer les résultats de l'enquête ?**

   Oui. Il y a des jeunes qui militent contre le Front national ou le CPE

	Vrai	Faux	?
a. L'échantillon sur lequel a porté l'enquête est inconnu. *Justifiez :* [manuscrit] On a ligne 650 séries et on a interrogé		X	X
b. Les jeunes défilent au nom du Front National. *Justifiez :* [manuscrit] Ils ne sont pas [...] militent contre le FN du		X	
c. Ils défendent le CPE. *Justifiez :* [manuscrit] Ils attaquent le CPE		X	
d. Ils font passer l'apparence avant la richesse. *Justifiez :* [manuscrit]		X	
e. Les 11-25 ans de demain seront peut-être différents de ceux d'aujourd'hui. *Justifiez :* [manuscrit]			X

6. **Enfin, le journaliste clôt son article sur une note :**

   ☐ d'optimisme.   ☐ d'inquiétude.   ☒ d'ironie.

Activité 2

Le téléphone sonne : un de vos amis est en ligne. Le sujet l'intéressant aussi, vous lui résumez le contenu de l'article. Vous pouvez commencer ainsi : « J'ai pensé à toi. Je viens de lire un article très intéressant sur… dans… ».

Activité 3

1. Voici un second article traitant du même sujet. Lisez-le rapidement.

Le « Lab » de la station musicale a dévoilé son nouveau cahier de tendances sur les ados. Surprise : selon le média spécialiste des jeunes, la marque fait office de coach sur cette cible.

L'ado, cette créature étrange, peu loquace et généralement renfrognée, n'a désormais plus de secrets pour NRJ et ses clients. Le « Lab » de la radio musicale s'est penché pour la deuxième année consécutive sur les us et coutumes de ces « djeunes » qui constituent l'essentiel de ses auditeurs. Plusieurs centaines de personnes se sont pressées ce jeudi 11 mai au Palais de Tokyo, à Paris, pour écouter les découvertes de Florence Hermelin, directrice de NRJ Lab. « La V2 du cahier de tendances Youthology met en exergue trois comportements : la camouflage attitude, Me, Myself and I et la conso-providence », commence-t-elle.

Frénésie consumériste

Pourquoi se camoufler ? Parce que les jeunes ont peur. Dans ce contexte, « il leur faut une marque-réconciliation », affirme Florence Hermelin. Autrement dit, une marque qui dédramatise le monde, qui les aide à se souvenir des belles choses, à l'instar de Nike mettant en avant le fair-play, et qui recrée du lien. Rien que ça !

L'autre caractéristique de l'adolescent version 2006 : son ego, visiblement surdimensionné, qui est en quête de visibilité. Pour ce faire, quoi de plus simple que de passer à la télévision ? Ce qui constitue d'ailleurs aux yeux des jeunes, selon l'enquête, le deuxième meilleur moyen pour exister. La marque doit donc apparaître comme un tremplin, en faisant office de coach ou encore en donnant l'impression aux jeunes qu'ils sont les maîtres de leur vie… et de leur consommation.

Selon NRJ Lab, les ados attendent de la marque qu'elle les aide à déculpabiliser leur frénésie consumériste en s'engageant pour de grandes causes, comme Puma et le sida en Afrique. Surtout, ils souhaiteraient qu'elles leur demandent un peu plus leur avis. Car, dans leur esprit, la marque propose, ils disposent. Pas très « consommacteur », tout ça !

Muriel Signouret, *Statégies* n° 1414, 18 mai 2006.

2. Parmi ces titres, lequel a pu inspirer l'illustrateur auquel Muriel Signouret, journaliste à Stratégie.fr, a commandé une illustration pour son article ?

- ☐ « L'habit ne fait pas le moine »
- ☒ « NRJ met les adolescents à nu »
- ☐ « Le look d'abord, les autres ensuite »
- ☐ « Mort aux marques ! »

Activité 4

Fixez-vous un défi : sans préparation, réagissez à une ou plusieurs des affirmations qui suivent. Ne vous contentez pas de vous positionner (d'accord, pas d'accord, pas si simple). Donnez vos raisons (soit brièvement, soit de manière élaborée). Elles peuvent être personnelles. Elles peuvent s'inspirer d'éléments mentionnés dans les textes que vous avez lus. Travaillez en binôme ou en groupe.

Activité 5

	D'accord	Pas d'accord	Pas si simple
1. L'ado est une créature étrange.			
2. Les us et coutumes des « djeunes » sont en rupture avec ceux de leurs aînés.			
3. Vous avez traversé une période « camouflage attitude » : c'est une phase inévitable.			
4. La consommation est la psychanalyse du pauvre.			
5. Doit-on lutter contre la frénésie consumériste ?			

L'heure est grave. Vous travaillez pour une marque et le service « Communication » est en effervescence. La marque souhaite faire évoluer son image et montrer qu'elle joue un rôle positif auprès des jeunes qui la consomment.

Vous devez trouver pour la réunion de crise du lendemain des idées pour que la marque :
- **« développe un discours de réenchantement du monde » ;**
- **devienne un « ego coach » pour aider les consommateurs en herbe « à s'accomplir » ;**
- **crée « un sentiment de profusion qui va déculpabiliser leur frénésie de consommation »…**

Préparez vos idées seul(e) pendant quelques minutes puis, en groupe, simulez la réunion et échangez vos idées au cours d'une séance de remue-méninges.

Activité 6

Vous disposez de 30 mn pour préparer un exposé de 5 à 10 min sur le thème : « Les jeunes et la société de consommation ». Vous êtes encouragé(e) à suivre les conseils énoncés plus haut en ce qui concerne l'organisation de vos notes.

3. EXPLOITER LES INFORMATIONS D'UN DOSSIER

Thème de l'exposé 2 : « La biodiversité »

Activité 7

Prenez rapidement connaissance du sujet et du corpus de documents.
Focalisez-vous sur :
- **la composition du dossier, la lecture des titres, surtitres, sous-titres, intertitres ;**
- **les illustrations, schémas ou éléments mis en valeur.**

Document 1

WORLD ENVIRONMENT DAY • 5 June 2006
DESERTS AND DESERTIFICATION

DON'T DESERT DRYLANDS!

CENTRE D'ÉTUDES
ET DE RECHERCHES
INTERNATIONALES

CÉRIUM

Université
de Montréal

Séminaire interdisciplinaire du CEDRIE 2006-2007
La Convention sur la biodiversité : où en est-on ?

7 novembre 2006

Pourquoi les pays en développement peinent-ils à mettre en application la Convention sur la diversité biologique ?
Claude Hamel, professeur de sciences biologiques à l'UQAM.

Le premier séminaire interdisciplinaire du CEDRIE se tiendra le 7 novembre 2006 à midi au Salon des professeurs de la Faculté de Droit, pavillon Maximilien-Caron. Nous recevrons le professeur **Claude Hamel** (UQAM), biologiste, qui présentera une intervention sur le thème suivant :

Presque quinze ans après la mise en œuvre de la Convention sur la diversité biologique, les pays en développement peinent à la mettre vraiment en application. Pourquoi ?

ET

Invité de dernière minute !

Son Excellence Monsieur Henri Djombo, Ministre de l'Économie forestière et de l'Environnement de la République du Congo, Président de l'Organisation africaine du bois. Monsieur Djombo, de passage à Montréal pour une réunion internationale sur la coopération Sud-Sud au Secrétariat de la Convention sur la diversité biologique, nous fera l'honneur de nous entretenir de son expérience dans la protection de la biodiversité forestière, en particulier à travers la Commission en charge des forêts d'Afrique centrale (COMIFAC) et du Partenariat pour les forêts du bassin du Congo (PFBC).

La Convention sur la diversité biologique, adoptée lors du Sommet de Rio, en 1992, est un accord international complexe qui comprend trois objectifs : la conservation de la biodiversité, l'utilisation durable de ses éléments et le partage juste et équitable des avantages qui découlent de son exploitation.

Dix ans après son adoption, les États qui en sont Parties ont constaté la dégradation toujours croissante de la biodiversité mondiale et ont décidé de s'engager à renforcer la mise en œuvre de la Convention afin d'arriver à réduire de façon significative le taux de perte de biodiversité à l'échelle mondiale. Toutefois, on constate que la mise en application de la Convention sur la diversité biologique est asymétrique et que certains pays ont pris un retard considérable. **Claude Hamel s'interrogera sur les raisons qui expliquent le déficit de mise en œuvre de la Convention dans les pays en développement.**

Par ailleurs, la Convention sur la diversité biologique appelle notamment à l'éducation et à la sensibilisation du public, ainsi qu'à la coopération scientifique et technique et au renforcement de la recherche et de la formation dans le domaine de la biodiversité comme outils de mise en œuvre. Aussi, **Claude Hamel se penchera sur la pertinence et les meilleurs moyens d'utiliser ces outils pour améliorer la mise en œuvre dans les pays en développement, notamment en Afrique**.

Claude Hamel est professeur et chercheur au Département des sciences biologiques de l'Université du Québec à Montréal depuis 1970. Depuis dix ans, il s'intéresse à la sensibilisation des populations locales à la conservation et à l'utilisation durable de la biodiversité en Afrique francophone et en Asie du Sud-Est.

Ses recherches portent sur l'élaboration de programmes de sensibilisation pour la conservation de la biodiversité. Il s'est avéré que les premiers utilisateurs de la biodiversité dans les pays en développement étaient les populations locales. Ces populations puisent abondamment dans le milieu naturel pour se nourrir et se soigner, souvent de façon non durable. Ils n'ont pas conscience des problèmes que cela engendre et des solutions qu'ils peuvent apporter. Afin de les aider à mieux utiliser la biodiversité qui les entoure, Claude Hamel a conçu des programmes ciblés de sensibilisation afin que les ressources ne s'épuisent pas et qu'ils puissent augmenter leurs revenus et sortir de leur pauvreté.

http://www.cerium.ca/cedrie/article3460.html

Document 2

La Croix 28-02-2006 **Le soja déstabilise l'Amérique du Sud**

Plusieurs organisations dénoncent l'impact écologique de l'extension de la culture du soja sur le continent sud-américain.

Déforestation de la forêt amazonienne, expulsions des paysans de leurs terres, recours massif aux produits chimiques et aux organismes génétiquement modifiés (OGM), voire assassinats d'opposants... Le développement « fulgurant » de la culture du soja, majoritairement utilisé pour alimenter les élevages européens, aurait des conséquences « dramatiques pour les communautés locales et l'environnement » dans des pays comme le Brésil, l'Argentine, le Paraguay ou la Bolivie.

C'est ce que dénoncent, dans une campagne intitulée « Le soja contre la vie », le Comité catholique contre la faim et pour le développement (CCFD), la Confédération paysanne, le Réseau d'agriculture durable (RAD), le Groupe de recherche et d'échanges technologiques (Gret) et le Réseau Cohérence.

Une fois l'huile extraite, les graines de soja sont mélangées à des céréales pour fabriquer les tourteaux. Ces rations alimentaires pour animaux ont remplacé les farines animales depuis la crise de la « vache folle ». À elle seule, l'Europe « importe 78 % des protéines végétales dont elle a besoin », souligne Catherine Gaudard, du CCFD. Et 45 % des exportations brésiliennes de soja sont destinées à la France. En 2005, la production mondiale de soja s'est élevée à 216 millions de tonnes, soit près de cinq fois plus qu'en 1970.

Les surfaces cultivées ont progressé en 5 ans de 75 %

La croissance de la demande mondiale est telle que les surfaces cultivées ont progressé, ces cinq dernières années, de l'ordre de 75 % en Argentine, et presque autant dans les pays voisins, pointent les auteurs de la campagne. « Le soja a fait de l'Argentine un agro-exportateur de l'alimentation animale », a déploré lors d'une conférence de presse Veronica McDonado, du Mouvement des paysans de Santiago del Estero, région du nord de l'Argentine.

Troisième producteur mondial derrière le Brésil, l'Argentine exporte 90 % de sa production, qui est à 90 % transgénique. « Les gros producteurs terriens et les multinationales, qui ont besoin de toujours plus d'hectares, expulsent les familles paysannes et indigènes des terres qui leur appartiennent. Des bulldozers déforestent des hectares. Et des groupes spéciaux de police répriment les paysans qui s'opposent à ce modèle de concentration », détaille la paysanne.

Au Brésil, Isodoro Revres, de la Commission pastorale de la terre, établit un parallèle entre cette atmosphère de répression et l'assassinat, en février 2005, de Sœur Dorothy Stang. L'État du Para, où la missionnaire vivait depuis 1972 aux côtés des communautés rurales amazoniennes, compte le plus fort taux de meurtres liés à des conflits fonciers. Les besoins de la production de soja sont responsables de la disparition de la moitié des 270 000 km^2 de forêt détruits depuis 1998. « En 2004, le défrichement de la forêt amazonienne pour la culture du soja a fait un bond de 23 % », pointe Catherine Gaudard. Le Cerrado, deuxième grand écosystème du pays, est aussi menacé. L'État brésilien estime en effet entre 70 et 100 millions d'hectares la surface disponible pour accroître la production de soja, dont 30 à 40 millions d'hectares dans le Cerrado et 7 millions en Amazonie.

« Interpeller le public du danger de cette course »

Destructeur de forêt et de biodiversité, le soja ne serait pas pour autant pourvoyeur d'emplois. Le nombre de personnes employées dans la production de soja est passé de 710 000 en 1994 à 350 000 en 2004 dans l'État du Mato Grosso (Brésil).

Pour « interpeller le public du danger de cette course vers un modèle agricole non viable », les organisateurs de la campagne vont multiplier campagnes d'information et débats publics jusqu'en septembre. Les citoyens sont aussi invités à écrire à Thierry Breton, au ministère de l'Économie et des Finances, et à Robert-Louis Dreyfus, dont le groupe concentre « 15 % du commerce mondial de grains ».

La première carte postale demande au patron de Bercy de « veiller à ce que la France n'approuve plus de financement pour des opérations liées à l'expansion du soja », via ses droits de vote au sein de la Société financière internationale, filiale de la Banque mondiale. La seconde convie le négociant français à « remédier aux effets négatifs » de l'expansion du soja.

Le consommateur, lui, risque de se retrouver impuissant. La loi n'oblige pas à indiquer sur les produits le mode d'alimentation des vaches et des volailles dont ils achètent la viande, le lait ou les œufs. Y compris s'ils ont consommé ou non des OGM. La plupart des exploitants se bornent à respecter le contrat qu'ils ont signé avec leurs coopératives, plus promptes à négocier au moindre prix qu'à tisser des liens avec, par exemple, une filière non-OGM au Brésil. Comme le Réseau d'agriculture durable l'avait proposé pour quelques centimes de plus à une coopérative de l'Ouest.

Aude CARASCO

Document 3

Les poissons pourraient disparaître en un demi-siècle

Le Figaro

YVES MISEREY.
Publié le 03 novembre 2006
Actualisé le 03 novembre 2006 : 08h17

Les scientifiques estiment que 29 % des espèces marines sont d'ores et déjà menacées de disparition. (Frederik Naumann/Panos Editing)

. ◄ Retour | Rubrique Sciences & Médecine

La première étude sur la biodiversité marine montre que la surpêche pourrait aussi détruire l'équilibre biologique du milieu marin.

LES INQUIÉTUDES suscitées par l'effondrement de la biodiversité sont le plus souvent circonscrites au milieu terrestre. Il est rarement question de ce qui se passe dans les océans, tout simplement parce que l'homme ne voit pas ce qui s'y passe. Les océans et les mers couvrent pourtant presque les trois quarts de notre planète. Pour la première fois, une étude publiée dans la revue *Science* s'efforce de dresser un bilan global de l'évolution à venir de la faune et de la flore du milieu marin. Il est catastrophique.

Une équipe d'océanographes et d'économistes - nord-américains pour la plupart - annonce que si la pression humaine (surpêche, pollutions et destruction des milieux) continue au rythme actuel, les espèces les plus couramment pêchées aujourd'hui auront entièrement disparu en 2048. Un constat tempéré toutefois par le fait que, dans des zones biologiquement riches où des mesures de conservation et d'interdiction de pêche ont été mises en place, la biodiversité a pu se réinstaller.

« Les gros mangent les petits »

La démarche de Boris Worm, de l'université Dalhousie à Halifax (Canada), et de son équipe est rigoureuse. Elle consiste à coupler les données sur la pêche mondiale de la FAO (organisation des Nations unies pour l'alimentation et l'agriculture) et de l'université de Colombie-Britannique (Canada) aux résultats d'expériences menées au cours de ces dernières années sur l'impact de l'effondrement de certaines espèces sur le milieu marin. Ces manipulations de laboratoire marin grandeur nature consistaient à éliminer volontairement une espèce de poisson précise d'un écosystème marin réduit et à mesurer ensuite les conséquences de cette éradication sur l'ensemble du milieu.

Toutes ces expériences ont montré que l'ensemble de la chaîne trophique (la chaîne alimentaire) se trouve perturbé par l'élimination de l'espèce en question. Mais elles ont montré aussi que les milieux dotés d'une grande biodiversité (nombre d'espèces) faisaient preuve d'une plus grande stabilité et d'une plus grande productivité. Il ne restait plus ensuite aux chercheurs qu'à rapporter ces données aux courbes des captures de pêches réalisées chaque année dans tous les océans du monde. Des courbes qui descendent inexorablement depuis plusieurs dizaines d'années en raison de la surpêche. En effet, les scientifiques estiment que 29 % des espèces marines sont d'ores et déjà en train de s'effondrer. On parle d'effondrement quand les pêcheurs ne ramènent plus dans leurs filets que 10 % de ce qu'attrapaient les générations précédentes.

Les modèles mathématiques des chercheurs révèlent que, si aucune mesure de restriction de pêche et de conservation n'est prise, les pêcheurs auront vidé en 2048 les océans de toutes les espèces que nous consommons aujourd'hui. Et le rythme de disparition devrait s'accélérer avec la diminution progressive des espèces pêchées. En effet, en éliminant les poissons carnivores - les plus recherchés par l'homme - situés en haut de la chaîne trophique (chaîne alimentaire), la surpêche perturbe tout le système biologique et diminue sa productivité.

Activité 8

Mettez en relation les thèmes abordés dans les documents avec le sujet de votre exposé. Répondez aux questions suivantes :
a. Pourquoi a-t-on réuni ces documents et comment peuvent-ils nourrir votre réflexion par rapport au sujet de l'exposé ?
b. Quels thèmes ou quelle prise de position compléteraient utilement le corpus ?

Activité 9

Passez à l'étude systématique de chaque document. Adaptez votre style de lecture au type de document.

> **Trois stratégies de lecture s'offrent à vous. Dans tous les cas, aidez-vous des indices externes (éléments paratextuels tels que le titre, les sous-titres, les mises en valeur, les intertitres, etc.).**
>
> • **Stratégie 1 :** le document est assez court. Lisez-le en détail et relevez au fur et à mesure les idées essentielles : signalez-les, entourez-les, numérotez-les ou consignez-les sur une feuille de brouillon (lecture exhaustive).
>
> • **Stratégie 2 :** le document est assez long. Parcourez-le dans sa totalité, sans revenir en arrière, pour en dégager rapidement les idées principales. Selon le type de document, les points de repère (mots clé, titres de rubriques, caractères gras, etc.) peuvent être facilement identifiables et vous permettre de naviguer rapidement dans le document. Reportez ensuite les idées sur une feuille ou organisez vos repères dans le document lui-même.
>
> • **Stratégie 3 :** vous pouvez aussi adopter une approche méthodique en vous fixant l'objectif d'être capable de répondre aux questions de type « Qui ? Quoi ? Où ? Quand ? Combien ? Comment ? Pourquoi ? ».

1. Étudiez le document 1.

Il s'agit ici de l'annonce d'un événement : vous pouvez faire une lecture en diagonale et « naviguer » rapidement dans le document (stratégie 2). En effet, le document est d'accès facile car les informations sont mises en valeur (le but étant d'attirer un public nombreux à cette conférence). À l'issue de votre lecture, vous devez être capable de retrouver rapidement les informations essentielles.

2. Étudiez le document 2.

Choisissez plutôt la stratégie 2 : prenez connaissance rapidement du document et notez les éléments qui vous semblent les plus intéressants. Si vous ne suivez pas cette stratégie mais préférez porter des annotations au fur et à mesure (stratégie 1, lecture exhaustive), vous allez trouver que de nombreuses idées sont développées dans le document et vous réaliserez ensuite qu'elles ne vous seront pas toutes utiles car il ne s'agit pas d'un compte rendu ni d'une synthèse de documents. Vous aurez perdu du temps et aurez du mal à réorganiser ces idées.

3. Étudiez le document 3.

Observez sa longueur, sa structure, son thème : quelle approche choisiriez-vous ? Il s'agit d'un document informatif, contenant de nombreux éléments. En soi, il met surtout en évidence un angle inhabituel (la biodiversité maritime), l'imminence d'une menace mesurable et qui nous concerne tous (la possible disparition des poissons) et, une fois de plus, les conflits d'intérêts. Avec ce type de document, il s'agit d'adopter une approche méthodique. Essayez-vous à la stratégie 3.

Activité 10

Prêtez-vous au jeu du remue-méninges et développez des idées personnelles pour votre exposé. Quelle piste suivre ? Voici trois suggestions pour aborder le thème de la biodiversité :

• **Piste 1 :** décliner le thème. Exemple : « Agriculture, commerce équitable et coopération internationale ».

• **Piste 2 :** formuler une problématique. Tout d'abord, dégager une problématique et noter les idées et illustrations qui viennent spontanément à l'esprit. Ensuite, préparer une présentation synthétique destinée au jury. Exemple : la biodiversité est menacée, mais les enjeux se limitent-ils à l'impact écologique ? Comment concilier les intérêts de l'humanité à ceux des puissances économiques ? Qui fait autorité sur le sujet ? Qui peut arbitrer les débats ? Où se situe la responsabilité individuelle ?

• **Piste 3 :** formuler d'abord différentes questions nées de la lecture des documents. Exemples :
– Qu'est-ce que la biodiversité ?
– Comment peut-on décrire la biodiversité ? Peut-on la mesurer ?
– Pourquoi est-elle menacée ?

> **Savoirs utiles**
> Surligner les mots clés. Envisager leur emploi éventuel et l'utilité de les reformuler ou non. Exemple :
> *Biodiversité :* **1.** *diversité de toutes les formes du vivant.* **2.** *diversité biologique.* **3.** *diversité de la faune et de la flore.*

Activité 11

Adoptez une stratégie (piste 1, 2 ou 3 de l'activité 10). Sélectionnez des idées, personnelles ou issues des textes, et rédigez un plan.

POUR ALLER PLUS LOIN

1. Pour tester votre compréhension du document 3, répondez aux questions suivantes :
a. Quelles sont les conclusions générales de l'étude ?
b. Peut-on accuser l'équipe chargée de l'étude de partialité ?
c. S'agit-il d'une situation sans issue (§2) ?
d. En quoi la démarche décrite est-elle rigoureuse ?
e. Comment peut-on qualifier les résultats des expériences ?
f. Les chiffres présentés peuvent-ils mentir ? L'emploi du mot « effondrement » pourrait-il être un effet d'exagération ?
g. Qualifiez de manière imagée les effets de pratiques irresponsables.

2 Stimulez votre créativité pour apporter un peu d'originalité à votre exposé : imitez ou détournez un titre.

Exemple (à partir du titre du document 3) : « Les poissons pourraient disparaître en un demi-siècle ».

a. Analysez le parti pris pour la rédaction du titre.
b. Trouvez un autre titre n'utilisant pas le mot poisson.

POUR VOUS ENTRAINER

4. VOUS EXPRIMER AVEC ASSURANCE SUR UN SUJET COMPLEXE

iences maines ociales

Improviser une interview sur la situation socio-économique d'un pays

Vous travaillez au sein d'une association ou d'un parti et on vous annonce qu'un journaliste français veut impérativement obtenir une interview. Vous êtes désigné(e) pour le recevoir car vous êtes le/la seul(e) à parler français. Il vous faudra vous exprimer sur la situation et les problèmes socio-économiques de votre pays, et sur les solutions que votre association ou votre parti proposent.

Vous ne disposez que d'une dizaine de minutes et vous n'avez donc pas le temps de préparer votre intervention. Seule la ruse vous sauvera du désastre. À vous de montrer votre capacité à utiliser la langue de bois lorsque vous n'avez pas le temps de peaufiner un dossier !

Vous consulterez éventuellement deux sites que vous connaissez bien pour vous remettre en mémoire quelques artifices de langage avant de recevoir ce journaliste. N'en abusez pas toutefois, votre interlocuteur ne sera pas dupe.

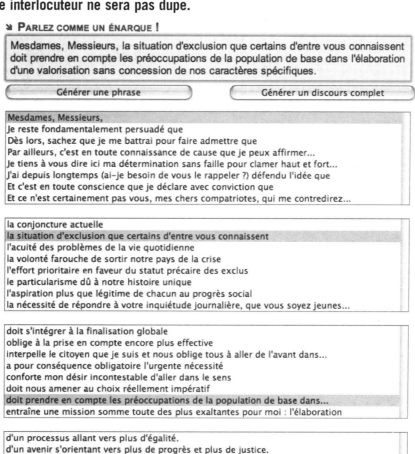

⤹ PARLEZ COMME UN ÉNARQUE !

Mesdames, Messieurs, la situation d'exclusion que certains d'entre vous connaissent doit prendre en compte les préoccupations de la population de base dans l'élaboration d'une valorisation sans concession de nos caractères spécifiques.

[Générer une phrase]   [Générer un discours complet]

Mesdames, Messieurs,
Je reste fondamentalement persuadé que
Dès lors, sachez que je me battrai pour faire admettre que
Par ailleurs, c'est en toute connaissance de cause que je peux affirmer...
Je tiens à vous dire ici ma détermination sans faille pour clamer haut et fort...
J'ai depuis longtemps (ai-je besoin de vous le rappeler ?) défendu l'idée que
Et c'est en toute conscience que je déclare avec conviction que
Et ce n'est certainement pas vous, mes chers compatriotes, qui me contredirez...

la conjoncture actuelle
la situation d'exclusion que certains d'entre vous connaissent
l'acuité des problèmes de la vie quotidienne
la volonté farouche de sortir notre pays de la crise
l'effort prioritaire en faveur du statut précaire des exclus
le particularisme dû à notre histoire unique
l'aspiration plus que légitime de chacun au progrès social
la nécessité de répondre à votre inquiétude journalière, que vous soyez jeunes...

doit s'intégrer à la finalisation globale
oblige à la prise en compte encore plus effective
interpelle le citoyen que je suis et nous oblige tous à aller de l'avant dans...
a pour conséquence obligatoire l'urgente nécessité
conforte mon désir incontestable d'aller dans le sens
doit nous amener au choix réellement impératif
doit prendre en compte les préoccupations de la population de base dans...
entraîne une mission somme toute des plus exaltantes pour moi : l'élaboration

d'un processus allant vers plus d'égalité.
d'un avenir s'orientant vers plus de progrès et plus de justice.
d'une restructuration dans laquelle chacun pourra enfin retrouver sa dignité.
d'une valorisation sans concession de nos caractères spécifiques.
d'un plan correspondant véritablement aux exigences légitimes de chacun.
de solutions rapides correspondant aux grands axes sociaux prioritaires.
d'un programme plus humain, plus fraternel et plus juste.
d'un projet porteur de véritables espoirs, notamment pour les plus démunis.
d'un avenir s'orientant vers plus de progrès et plus de justice.
d'une restructuration dans laquelle chacun pourra enfin retrouver sa dignité.
d'une valorisation sans concession de nos caractères spécifiques.
d'un plan correspondant véritablement aux exigences légitimes de chacun.
de solutions rapides correspondant aux grands axes sociaux prioritaires.
d'un programme plus humain, plus fraternel et plus juste.
d'un projet porteur de véritables espoirs, notamment pour les plus démunis.

http://www.presidentielle-2007.net/generateur-de-langue-de-bois.php

Le pipotron*

Trois heures du matin et plus que quatre heures pour terminer ce rapport pour avant-hier dernier délai, et accessoirement prendre du repos. Heureusement, le projet est bien avancé et il ne reste pratiquement plus que l'introduction et la conclusion à parachever, seules parties de l'ouvrage sûres d'être lues.

Mais voilà, l'inspiration a disparu avec les derniers rayons du soleil et ce n'est pas cette mixture verdâtre vendue pour du café qui va être d'un grand secours.

Heureusement, Cyber! Campus a le remède à ce problème cyclique: le *Pipotron*. Son fonctionnement est simple: soit on sélectionne manuellement des bouts de phrase, soit on laisse le *Pipotron* agir…

Avec	la situation	présente
Considérant	la conjoncture	actuelle
Où que nous mène	la crise	qui nous occupe
Eu égard à	l'inertie	qui est la nôtre
Vu	l'impasse	induite
En ce qui concerne	l'extrémité	conjoncturelle
Dans le cas particulier de	la dégradation des moeurs	contemporaine
Quelle que soit	la sinistrose	de cette fin de siècle
Du fait de	la dualité de la situation	de la société
Tant que durera	la baisse de confiance	de ces derniers temps

il convient de	étudier	toutes les
il faut	examiner	chacune des
on se doit de	ne pas négliger	la majorité des
il est préférable de	prendre en considération	toutes les
il serait intéressant de	anticiper	l'ensemble des
il ne faut pas négliger de	imaginer	la somme des
on ne peut se passer de	se préoccuper de	la totalité des
il est nécessaire de	s'intéresser à	la globalité des
il serait bon de	avoir à l'esprit	toutes les
il faut de toute urgence	se remémorer	certaines

solutions	envisageables
issues	possibles
problématiques	déjà en notre possession
voies	s'offrant à nous
alternatives	de bon sens
solutions	envisageables
issues	possibles
problématiques	déjà en notre possession
voies	s'offrant à nous
alternatives	de bon sens

http://www.w3perl.com/fun/management/pipotron.html

* Pipotron: vous ne trouverez pas ce mot dans le dictionnaire. Disons simplement que c'est l'art de tricher, de faire illusion en faisant de belles phrases dénuées d'idées véritables… et de faire du bla-bla!

Vers l'épreuve

Lettres
Sciences
humaines

Thème de l'exposé 3 : « Quelles politiques pour l'intégration et la représentation des minorités ? »

Activité 1

Prenez rapidement connaissance du sujet et du corpus de documents. Intéressez-vous aux titres, aux sources, aux éventuelles illustrations, aux sous-titres, etc.

Document 1

Les politiques de la ville en matière d'intégration des nouveaux arrivants
Jacques Donzelot, sociologue, professeur des universités, Université Paris X

Il y a un peu plus d'un an, un sondage a été réalisé pour le *Journal du Dimanche* auprès des jeunes « de banlieue », euphémisme par lequel on désigne des minorités visibles. Les jeunes interrogés devaient indiquer les professions qu'ils détestaient. Ils ont tout d'abord cité la police. Mais en seconde position venaient les enseignants. Pour expliquer la raison de leur désapprobation, les jeunes interrogés ont précisé que les enseignants voulaient les intégrer dans une société qui les rejetait. Cette réponse résume le problème. Les efforts fournis afin de les hisser au niveau de compétences et de connaissances des autres élèves leur faisaient plus durement ressentir le poids des discriminations ethniques et raciales qu'ils subissaient à la fin de leurs études.

La France et les États-Unis : deux conceptions opposées

Politique française de la ville

Ce sondage est une parfaite introduction pour la matinée de l'université d'automne consacrée à la responsabilité partagée en termes d'éducation des nouveaux arrivants. Cette dernière est également l'objectif de la politique de la ville selon laquelle toute action dans les quartiers doit être transversale et globale, doit engager les acteurs du service public et les habitants pour apporter un complément nécessaire contre le handicap particulier de cette population. Ce partenariat devait unir les écoles, les bailleurs sociaux, la police, la justice et les transporteurs publics afin de trouver ensemble une solution, sans rejeter sur l'autre les raisons de leurs propres échecs. La politique de la ville s'appuyait sur un État animateur, chargé de confronter les différents services publics et la population et d'instaurer une interpellation réciproque. De cette démarche devait découler un processus novateur prenant en compte la difficulté d'intégration des nouveaux arrivants. Cependant, un aspect essentiel a été oublié. La dénomination même de politique de la ville a été choisie par refus du terme d'intégration, envisagé dans les années quatre-vingt. Certains ministres et personnalités s'opposaient à cette appellation car ils récusaient l'existence d'un problème d'intégration en France, pays des Droits de l'Homme. Ils considéraient que les difficultés résultaient de l'urbanisme qui avait exagérément regroupé certaines populations dans des quartiers particuliers. La ville en revanche était le lieu de la rencontre et du dépassement des contingences d'origine. Elle guérirait les maux qu'elle engendre grâce à une politique adaptée.

L'appellation « politique de la ville » a pour mérite de valoriser la vocation de la ville à servir de creuset à l'intégration, en refusant les ghettos et le communautarisme typiquement américains où l'intégration se limiterait aux frontières de l'ethnie à laquelle on appartient. Les Français veulent affirmer leur différence et « casser les ghettos », comme le précise Jean-Louis Borloo. Ils souhaitent lutter contre le communautarisme. La politique américaine est érigée en repoussoir. Cependant cette attitude est peu convaincante en termes de politique d'intégration. […]

Sur le plan de l'immigration, la confrontation entre les deux nations ne tourne probablement pas à notre avantage.

Politique d'intégration américaine

La France comptait 30 millions d'habitants en 1800 et 60 millions en 2004. Les États-Unis enregistraient 15 millions d'habitants en 1800 et 300 millions en 2004. Alors que la population française a péniblement doublé, celle de l'Amérique a été multipliée par vingt via l'immigration. Or ces nouveaux arrivants ont été intégrés. Ils ne sont pas tous des pauvres ou des esclaves. Cependant, si cette absorption des migrants s'est correctement déroulée pour les Blancs issus de l'Europe pauvre, durant la phase d'industrialisation intensive des États-Unis (première moitié du 20e siècle), elle est plus difficile pour les populations venant du Sud, pour les Noirs des plantations poussés par la mécanisation vers les États industriels du Nord, puis pour les Latinos et les Asiatiques. Des ghettos sont apparus, donnant l'image d'une société qui n'intégrait et n'assimilait plus les immigrants pauvres mais se contentait de les faire travailler. Cette représentation des États-Unis fait référence à une expression mal contrôlée : le « multiculturalisme ».

Ce terme a plusieurs acceptions. La première, quasi agressive, définit le multiculturalisme comme la juxtaposition de cultures autosuffisantes, qui ne se mélangent pas et dont aucune ne prévaut sur l'autre. Elle choque les Français républicains mais est très minoritaire aux États-Unis. Dans ce pays, l'acception dominante relève davantage du *melting-pot*. Cette expression, difficilement imaginable en France, évoque le « frottement » des populations les unes contre les autres, favorisant l'acquisition d'une culture commune et d'une révérence égale envers la Constitution, chose sacrée aux États-Unis. Ce processus permet cependant à chaque partie de conserver sa culture propre, de parler deux langues par exemple. […]

Si les Américains sont confrontés à des difficultés, il ne faut pas en conclure à l'inexistence de leur politique. Au contraire, pour ces raisons, ils mènent des réflexions plus approfondies et accumulent des expériences enrichissantes.

http://eduscol.education.fr

Document 2

Le Monde.fr
Les commissaires expérimentent la diversité
LE MONDE | 23.01.06 | 14h57 • Mis à jour le 23.01.06 | 14h57
SAINT-CYR-AU-MONT-D'OR (RHÔNE) ENVOYÉ SPÉCIAL

Ensemble, élus et aspirants, ils arpentent les chemins de terre autour de Saint-Cyr-au-Mont-d'Or, sur les hauteurs de Lyon, lors de « marches de cohésion ». Ensemble, ils devisent des petites choses de la vie et de la fonction de commissaire, à laquelle ils se préparent. Tous mangent et dorment à l'École nationale supérieure de la police. Mais un fossé sépare les élèves de la 57e promotion des commissaires et les 13 garçons et filles qui les ont rejoints, le 2 janvier, pour intégrer la première classe préparatoire mise en place par le ministère de l'Intérieur. Ce fossé, c'est le difficile concours d'entrée. En 2005, 30 élus sur 1 700 candidats externes. Bac + 5 exigé à l'entrée.

La création d'une classe préparatoire a eu lieu en catastrophe, à l'automne 2005. Initiateur du débat sur la discrimination positive, Nicolas Sarkozy a voulu se servir de la police comme d'un laboratoire. Le manque de diversité dans les effectifs pose problème depuis longtemps. Les violences urbaines ont rappelé de façon crue, en novembre 2005, que les policiers étaient perçus et se sentaient, souvent, comme des étrangers dans les banlieues sensibles.

L'origine sociologique des commissaires – qui sont environ 1 800 en poste – montre qu'il s'agit d'un corps assez fermé. Au sein des dernières promotions, 45 % des élèves sont issus de familles de fonctionnaires, 45 % de cadres du privé. Seuls 10 % ont des origines modestes. « Le mouvement vers la diversité n'est pas rapide mais il se fait, souligne Jean-Marie Salanova, secrétaire général du Syndicat des commissaires et des hauts fonctionnaires de la police nationale. Il ne faut surtout pas que des jeunes se disent que le concours n'est pas pour eux, qu'il est réservé à une élite. » […]

Une commission a dégagé vingt candidatures, à partir de plusieurs critères : le cursus universitaire, la motivation, l'origine géographique, les professions des parents. Les vingt n'ont plus été que quinze après une série de tests psychologiques classiques. Deux se sont désistés au dernier moment. Ils ont donc été treize à s'installer dans les chambres de l'école, au début du mois de janvier, afin de suivre une formation raccourcie de cinq mois, au lieu de huit, prix à payer afin que la classe soit ouverte dès cette année. La promotion compte huit filles et cinq garçons, âgés de 24 à 31 ans. Parmi eux, sept sont originaires de pays du Maghreb et un est d'origine kurde d'Irak. […]

Les treize aspirants sont partagés entre deux sentiments. Ils ont conscience de recevoir un coup de pouce par rapport aux autres candidats du concours externe : ils sont logés pour une somme modique (10 euros par mois) dans le cadre confortable du campus, situé au milieu d'un parc de cinq hectares ; ils bénéficient d'un encadrement attentif et de ressources documentaires à portée de main. Mais ils redoutent aussi d'apparaître comme des cobayes, ou des privilégiés. « Le hasard ou la chance n'ont rien à voir avec notre présence ici, souligne Akim T., qui vient de Paris. Nous avons tous fait de longues études, passé des tests. Rien ne nous est garanti. On ne nous offre pas un boulot, on nous aide à préparer un concours. » Lila B., 31 ans, ne dit pas autre chose : « Le critère d'excellence est primordial. Nous sommes simplement dotés de moyens que nous ne possédions pas à la source. » Coïncidence : les élèves s'expriment quelques minutes après avoir passé un test blanc au titre opportun : « Égalité des chances et discrimination positive. » […]

« Personne ne peut prévoir leur sort. C'est un peu l'histoire de la pièce lancée en l'air, il faut attendre qu'elle retombe, explique le capitaine Thierry Hodin, l'un des responsables de la classe préparatoire. Certains présentent des carences dans des domaines spécifiques et essaient de combler leur retard. Ils ont bien conscience de se trouver encore en dehors de l'institution, même si elle les accueille. » […]

Les treize élèves de la classe sont couvés du regard par Jean-François Sailliard, commissaire divisionnaire à la retraite. Celui-ci a été rappelé, en tant que réserviste, afin de diriger leur encadrement pédagogique. Il croit en eux, loue leur ardeur, mais réclame de la sérénité et la préservation de leur anonymat. « Ils subissent tous une forte pression, celle qu'ils s'imposent à eux-mêmes et celle de leur entourage, explique-t-il. Ils portent sur leurs épaules bien plus que leurs ambitions personnelles. »

Piotr Smolar

Document 3

Représentation des minorités ethniques et visibles dans les médias
Introduction

Les médias continuent de proposer une image étonnamment homogène de notre société. Dans un pays multiculturel comme le Canada, dont la population est composée à 13 % de minorités visibles, la sous-représentation ainsi que la représentation stéréotypée et souvent négative des minorités ethniques par l'industrie de l'information et du divertissement sont préoccupantes.

Selon plusieurs analystes, une grande variété de situations témoigne de ce problème : les médias présentent encore trop souvent les membres des minorités visibles comme des étrangers, et le biais racial dans la couverture des actes criminels est fréquent.

Cette section traite des différentes manières dont les médias d'information et l'industrie du divertissement contribuent à créer ou à renforcer les préjugés sur les minorités ethniques. Elle se penche aussi sur la place qu'occupent ces minorités parmi les artisans de l'industrie, les journalistes et les producteurs. On y trouvera également des recherches et articles récents dans le domaine, ainsi qu'un survol des politiques fédérales instituées pour lutter contre les stéréotypes et encourager une représentation plus juste et réaliste des minorités ethniques et visibles.

http://www.media-awareness.ca

Activité 2

Lisez à présent les documents en vue de déterminer le type d'information contenue et/ou le parti pris des auteurs. Adaptez votre type de lecture à cet objectif. Résumez en quelques mots le contenu de chaque texte.

Activité 3

Notez à présent vos idées personnelles en rapport avec :
– le thème de l'exposé ;
– le corpus de documents.
Répertoriez :
– des thèmes pour les différentes parties de votre exposé ;
– des arguments ;
– des exemples.

Activité 4

Étudiez le document 1. Répondez aux questions suivantes :

a. Relevez rapidement les caractéristiques de chaque conception de l'intégration :

Politique de la ville française	Intégration à l'américaine
....	....
....	....

> La rapidité avec laquelle vous retrouvez une information témoigne de l'efficacité de votre lecture.

b. En faveur de quel pays la conclusion penche-t-elle ?

Activité 5

Élaborez un plan comparatif ou un plan par catégories (thématique). Si nécessaire, reportez-vous à la partie méthodologie (pp. 95-96).

Activité 6

Présentez votre exposé et répondez ensuite avec précision aux questions qui vous seront posées.

Thème de l'exposé 4 : « La publicité »

Activité 1

Dans un premier temps, lisez simplement les titres des documents et faites un travail de recherche d'idées sur le thème proposé (seul ou en binôme). Notez toutes les idées ou associations d'idées qui vous viennent à l'esprit.

Activité 2

Lisez à présent le corpus de documents. Notez pour chaque texte les idées et problèmes essentiels, les grandes thématiques abordées (exemples dans les corrigés).

Document 1

Affichage publicitaire : une agression quotidienne imposée

Il y a deux problèmes qu'il faut bien distinguer :

1) Les supports publicitaires qui prennent toutes les formes possibles et imaginables, qui envahissent véritablement chaque recoin de France et polluent notre espace public visuel.

2) Le contenu des campagnes qui trop souvent est choquant par la libre diffusion de messages complètement irresponsables (sexisme, abrutissement, mensonges, manipulations, violence, mise en avant des pulsions, incitations à la consommation, aux dépenses d'énergie, à ne pas réfléchir…).

http://antipub.net/

Document 2

La réglementation de la publicité divise les élus européens

LE MONDE | 10.11.06 | 14h54 • Mis à jour le 10.11.06 | 14h54

BRUXELLES BUREAU EUROPÉEN

La télévision européenne va-t-elle devenir une télévision à l'américaine, envahie de publicité ? C'est ce que craignent les eurodéputés de gauche ainsi que le Bureau européen des Unions de consommateurs (BEUC), à la veille de deux échéances importantes pour la révision de la directive « Télévision sans frontières ». L'association UFC-Que choisir, dans un communiqué jeudi 9 novembre, affirme que « la France est prête à sacrifier l'exception culturelle européenne ».

Lundi 13 novembre, le Conseil des ministres de la Culture dégagera une « orientation générale », tandis que la Commission culture du Parlement se prononcera sur le projet de révision. « Il est possible qu'une majorité de gauche l'emporte, lundi, au Parlement, compte tenu de la sensibilité de ceux qui voteront. Mais c'est le contraire qui devrait se produire en plénière, lors du vote prévu en décembre », assure la rapporteure, l'Allemande Ruth Hieronymi, membre du groupe du Parti populaire européen (PPE, droite).

La polémique soulevée par l'UFC porte sur la place faite à la publicité dans les programmes. Le placement de produits, « une pratique jusqu'à présent prohibée », rappelle l'association, consiste à introduire une marque ou un produit dans un film ou une émission, moyennant rétribution. La Commission propose de l'autoriser, à condition qu'il n'influe pas sur le contenu de l'œuvre. Le PPE et les libéraux sont d'accord : « Cela permet de soutenir la production de films », estime Jacques Toubon (UMP), l'un des « pères » de l'exception culturelle à la française. « Pourquoi se priver d'une BMW si, dans le scénario, il est écrit que le détective a besoin de conduire une belle voiture ? », dit-il.

Les socialistes, les Verts et les communistes rejettent ce type de publicité, auquel le spectateur ne peut se soustraire. « Nous ne voulons pas mettre le doigt dans un engrenage qui conduira à construire le scénario en fonction du produit à promouvoir, comme aux États-Unis », explique le socialiste Henri Weber. « Vous verrez que la BMW n'aura pas le droit de verser dans le fossé parce que cela nuira à son image de marque ! », ironise-t-il.

Au Conseil, les États sont divisés. La Finlande, qui le préside, préconise donc la subsidiarité. Les pays qui ne veulent pas du placement de produits, comme l'Allemagne, pourraient le prohiber. Ceux qui le réclament, comme le Royaume-Uni, devraient respecter les conditions proposées par la Commission, notamment son interdiction dans les programmes pour enfants.

NOUVEAUX SERVICES AUDIOVISUELS

L'autre pierre d'achoppement concerne la fréquence et la longueur des coupures publicitaires. Le BEUC a calculé que, dans un film de 105 mn, le projet autorisera trois coupures, au lieu de deux actuellement. Il fait sauter un verrou imposant au moins 20 minutes de programmes entre deux publicités, et propose une coupure par tranche de 35 minutes au lieu de 45. Cela étant, on est loin de la télévision « à l'américaine, qui autorise des interruptions commerciales toutes les deux ou trois minutes », fait valoir Viviane Reding, commissaire chargée de la société de l'information et des médias.

La nouvelle directive propose aussi de réglementer les nouveaux services audiovisuels, dits « non linéaires », comme la vidéo à la demande, sur Internet. Le Royaume-Uni, ainsi que les élus les plus libéraux du Parlement, s'y sont opposés, sous la pression des opérateurs de télécommunications, qui demandent à être régis par la directive sur le commerce électronique, aux critères purement économiques. Une majorité devrait pourtant se dessiner, au Parlement et au Conseil, pour imposer les mêmes règles sur le placement de produit, ainsi que des normes éthiques minimales, aux services qui « relèvent de la responsabilité éditoriale d'un fournisseur ».

Rafaële Rivais

Document 3

La pub s'incruste dans nos neurones

LE MONDE | 29.04.06 | 17h14 • Mis à jour le 29.04.06 | 17h14

À Paris, Marie passe devant une affiche de cinéma. Automatiquement, la bande-annonce se télécharge sur son téléphone portable vidéo. L'adresse du cinéma le plus proche apparaît ainsi que l'horaire de la prochaine séance en version originale puisqu'elle est professeur d'anglais. Tentée, elle achète sa place en ligne pour une séance dans une heure. Une publicité pour une chaîne de restauration rapide toute proche s'affiche alors sur son écran. Si elle s'y rend immédiatement, une promotion sur sa formule préférée lui sera offerte.

En chemin, son œil s'arrête sur un écran publicitaire électronique qui la « reconnaît ». Une animation s'affiche : veut-elle participer à un jeu concours pour une crème revitalisante adaptée aux femmes de 40 ans, l'âge de Marie ? Elle est séduite, mais ça, la marque le sait déjà grâce à son étude de « neuromarketing ». Résultat : elle reçoit dans la minute un bon d'achat sur son téléphone portable.

Dans dix ans, les marques de grande consommation connaîtront-elles intimement Marie et ses congénères au point de leur envoyer à tout moment, où qu'elles se trouvent, des publicités personnalisées et autres signaux commerciaux pour les inciter à acheter ?

La recherche est déjà active. Des experts spécialisés en neuromarketing tentent d'appréhender l'émotion du client, de décrypter le processus de décision d'achat. « C'est la version XXIe siècle du subliminal. Comment imprégner un cerveau d'une publicité sans qu'il s'en rende compte ? », explique Olivier Oullier, chercheur au CNRS à Marseille, mais aussi à la Florida Atlantic University aux États-Unis. « L'obtention de l'image du cerveau en 3D est un grand pas, mais la neuro-imagerie est encore limitée. Dans dix ans, les résolutions spatiales et temporelles auront progressé, pronostique M. Oullier. On ne lira pas dans la tête des gens, mais on pourra tenter de prédire leurs réactions. » Ces recherches touchent des territoires sensibles.

Actuellement, seule la société automobile DaimlerChrysler finance ouvertement des travaux dans ce domaine. « Beaucoup d'entreprises s'y intéressent sans le dire. Il y a une omerta, une peur de l'opinion publique », remarque M. Oullier. Justement, des voix se font déjà entendre pour pointer les risques d'intrusion. Vigie de tous les dérapages publicitaires aux États-Unis, l'association Commercial Alert a fait du neuromarketing une priorité.

Avant même le déploiement de cette nouvelle science, marques et publicitaires cherchent à créer une communication personnalisée, plus ciblée, pour amadouer les plus rétifs. Les révolutions technologiques à venir servent leur projet. Les consommateurs seront de plus en plus équipés – téléphone mobile de troisième ou quatrième génération, journaux électroniques. Les réseaux de communication urbains vont monter en puissance, grâce aux technologies infrarouge, Bluetooth, Wi-Fi, RFID, etc. Et la ville va se vêtir d'écrans d'affichage électronique, de « puces » disséminées dans les vitrines. Avec ce maillage électronique, la publicité ne lâchera plus le consommateur. [...]

L'invasion est-elle programmée ? Les marques savent qu'elles n'ont pas droit à l'erreur. Pour la première fois depuis vingt ans, le nombre de Français « publiphobes » (43 %) est supérieur aux fans de pub, selon l'institut d'études TNS. Cette réticence croissante au « matraquage publicitaire » est observée dans la majorité des pays développés.

En France, la Commission nationale de l'informatique et des libertés (CNIL) veut étendre « le cadre juridique » pour protéger les consommateurs, comme elle l'a déjà fait pour les spams. Elle vient de recaler une offre de l'assureur MAAF : un tarif réduit pour les jeunes conducteurs, contre un suivi de la « bonne conduite » du véhicule par satellite. Donner accès à de telles données personnelles pour obtenir un simple rabais : la CNIL a jugé le procédé « disproportionné ».

Laurence Girard

Activité 3

Réfléchissez à présent à la structure que vous allez donner à votre exposé. Plusieurs types de plans s'offrent à vous (voir méthodologie, pp. 95-96). Lesquels vous semblent réalisables ? Notez vos idées et voyez comment elles s'organisent.

Type de plan	Idées éventuelles	Faisabilité
Plan chronologique		
Plan dialectique (thèse / antithèse / synthèse)		
Plan analytique basé sur raisonnement logique		
Plan comparatif (pour / contre)		
Plan par catégories (thématique)		

Activité 4

À partir des éléments du dossier et de vos connaissances personnelles, construisez un plan dialectique. Déclinez le contenu des sous-parties (arguments, exemples...) avec des mots clés. Pensez également aux transitions entre les parties. Voici une possibilité d'exposé en trois parties :

1. La publicité est nuisible et il faudrait l'interdire dans une certaine mesure.
2. MAIS est-ce possible et souhaitable ? Elle revêt tout de même des aspects positifs.
3. Il ne s'agit donc peut-être pas tant d'interdire que de réglementer les pratiques.

Activité 5

Quand votre plan est prêt, rédigez les grandes lignes de votre introduction : notez par exemple la phrase amorce de votre exposé, la manière d'énoncer la problématique, la présentation de votre plan (voir méthodologie, p. 97).

Activité 6

Préparez le contenu de votre conclusion : faites ressortir de manière concise les points essentiels de votre exposé ; rappelez votre position personnelle et terminez par une réflexion ouvrant sur une problématique plus large (voir méthodologie, p. 97).

Activité 7

Présentez votre exposé et répondez ensuite avec précision aux questions qui vous sont posées.

Lettres
et sciences
humaines

Thème de l'exposé 5 : « Enfants et nouvelles technologies de l'information et de la communication »

Activité 1

Dans un premier temps, lisez simplement les titres des documents et faites un travail de recherche d'idées sur le thème proposé (seul ou en binôme). Notez toutes les idées ou associations d'idées qui vous viennent à l'esprit.

Activité 2

Lisez à présent le corpus de documents. Notez pour chaque texte les idées et problèmes essentiels, les grandes thématiques abordées (exemples dans les corrigés).

Document 1

Drogués aux jeux virtuels

LE MONDE | 02.05.06 | 15h43 • Mis à jour le 10.05.06 | 17h20

Le fait, en France, est sans précédent. Depuis 2005, deux jeunes hommes ont été hospitalisés en service psychiatrique pour avoir abusé des jeux vidéo. L'un âgé de 22 ans, l'autre de 21, tous deux dans un état psychologique et physique désastreux. Au fil des mois, ils se sont progressivement déconnectés de toute vie familiale et sociale et engloutis dans l'univers parallèle d'un « jeu de rôle en ligne massivement multijoueurs ».

S'achemine-t-on vers l'apparition d'une nouvelle catégorie de drogués aux jeux sur écran, comme d'autres le sont aux jeux d'argent ou de hasard ? On en est loin. Certes, une majorité de jeunes, sur ordinateur ou sur console, goûtent quotidiennement aux joies électroniques. Au grand dam des parents, soucieux de voir cette activité mordre hardiment sur le temps passé à travailler, à lire ou à discuter. […]

« Je reçois un nombre croissant de jeunes accros aux jeux vidéo », confirme Michaël Stora, psychologue clinicien et psychanalyste, à l'origine de l'hospitalisation récente des deux jeunes « cyber addicts ». Fondateur de l'Observatoire des mondes numériques en sciences humaines (OMNSH), il classe les joueurs en trois catégories : les occasionnels, les excessifs, et les dépendants véritables. Ces derniers – qui se désignent entre eux comme des « no-life » – passent de dix à quinze heures par jour devant leur écran durant des semaines, puis des mois.

Apparue ces dernières années avec le développement des jeux en réseau, cette toxicomanie émergente ne frappe pas au hasard. Touchant en premier lieu les couches sociales moyennes et aisées (celles qui peuvent s'équiper d'un ordinateur et s'abonner à Internet), elle concerne majoritairement les 16-25 ans. […]

JOUER SON RÔLE DE PARENT

[…] Que faire pour que cette attirance ne devienne pas dépendance ? Jouer son rôle de parent, martèlent les psys. « Autrefois, pour soulager leur mal-être, les adolescents cherchaient le conflit. Aujourd'hui, ils s'enferment devant l'écran avec un jeu virtuel », constate M. Stora. Pour éviter que des phases d'abus ne se transforment en addiction, les parents doivent être vigilants, voire autoritaires. Mais pas question, pour autant, d'interdire totalement l'accès à l'ordinateur. Confronté à un objet qui fait désormais partie intégrante de l'environnement culturel des jeunes, mieux vaut faire preuve de philosophie… et de présence.

« À la maison, l'ordinateur devient souvent le problème qui cristallise tous les conflits, alors même que l'adolescent en fait un usage modéré, ajoute Élisabeth Rossé, psychologue au centre Marmottan. Face à cet univers qu'ils ne maîtrisent pas (les parents) ont souvent l'impression d'être impuissants, et se dépossèdent de leurs moyens, alors que le bon sens suffirait à empêcher leurs enfants de verser dans l'extrême. » Le bon sens ? Interdire parfois, mais aussi accompagner, conseiller, s'informer auprès d'eux du contenu de leurs jeux favoris. Et se souvenir que, pour la majorité d'entre eux, l'interactivité et l'inventivité des univers virtuels sont avant tout une source de plaisir et d'enrichissement.

Catherine Vincent

Document 2

LA PROTECTION DE LA VIE PRIVÉE ET LES JEUNES

Le Web leur propose des milliers de sites fascinants. Il est tout fait compréhensible que les jeunes aiment naviguer sur Internet. Certains sites sont éducatifs, d'autres commerciaux, mais il est fort probable que si un jeune recherche les jeux les plus populaires et les plus performants, il les trouvera sur un site commercial.

D'ailleurs, les experts du marketing en ligne leur ont créé des environnements de divertissement où le contenu et la publicité s'imbriquent merveilleusement. Ces « cybermondes » spécialement destinés aux enfants permettent aux publicitaires d'offrir aux jeunes la possibilité de s'amuser avec des marques de produits et de les fidéliser graduellement.

De plus, pour alimenter leurs banques de données, les publicitaires collectent des informations en invitant les jeunes à remplir des formulaires pour pouvoir jouer sur le Net et participer à des concours.

Des sites comme jeuxvideo.com et musiqueplus.com misent sur le fait que les jeunes représentent un marché démographique important. Selon une étude réalisée par YTV en 2002, les jeunes Canadiens de 9 à 14 ans dépensent personnellement 1,7 milliard de dollars par année et peuvent influencer pour une somme jusqu'à dix fois plus élevée les dépenses familiales.

L'Internet est le moyen idéal de rejoindre ce marché lucratif. Deux études réalisées en 1999 et 2000 par le Réseau Éducation-Médias montrent que 80 % des jeunes sont seuls quand ils naviguent sur Internet et que la plupart des parents ignorent tout des activités de leurs enfants en ligne. Ainsi, 65 % des parents pensent que leurs enfants utilisent essentiellement la Toile pour leurs travaux scolaires, alors que 56 % des jeunes citent le courriel comme étant leur activité préférée ; 50 % naviguent pour le plaisir ; 40 % utilisent les messageries instantanées et 39 % fréquentent des bavardoirs*. Autant d'activités qui se prêtent à la divulgation, même involontaire, d'informations personnelles.

* ou « chat ».

http://www.media-awareness.ca

Document 3

TÉLÉVISION ET ENFANCE

Actuellement, beaucoup d'enfants grandissent devant un écran. Avant même de savoir lire, ils/elles ont passé des milliers d'heures devant la télévision. Ce qui a bien évidemment des répercussions importantes sur la vie de l'enfant, sur son développement personnel et sur sa socialisation.

Une place que personne ne conteste

La télévision est devenue le média principal des enfants : « 30 % d'entre elles/eux restent collés jusqu'à 3 h 28 par jour devant le petit écran ! À deux ans, la plupart des bambin-e-s savent allumer le poste et à trois ans ils/elles regardent la télévision tous les jours, selon une étude réalisée par le Centre international de l'enfant » (1). La luminosité de l'écran attire le bébé dès les premiers mois, il/elle s'approprie donc très tôt l'appareil télé qui devient souvent sa distraction préférée.

Trop souvent, allumer le poste devient un réflexe, une habitude dont il sera difficile de se défaire à l'avenir. L'écran retient l'enfant et l'accapare. Ce n'est donc pas tant la qualité des émissions qui sont en cause mais la place occupée par la télévision. D'ailleurs, nous rejoignons Bruno Bettelheim lorsqu'il écrit : « La télévision est un média fait surtout pour distraire ; elle ne se prête pas facilement à l'exercice d'un jugement équilibré, à l'examen de tous les « pour » et « contre » relatifs à une question. On ne saurait attendre d'un média ce qui est contraire à sa nature. Les informations provenant des émissions de télévision tendront toujours à être unilatérales, biaisées et simplifiées. C'est pourquoi un-e jeune enfant ne peut pas apprendre grand-chose en regardant même les meilleures émissions, même celles faites pour son âge. Son expérience de la vie est trop limitée. »

Par son hégémonie dans les loisirs de l'enfant, le tube cathodique l'empêche de se consacrer à d'autres activités plus enrichissantes et indispensables à sa formation et à son développement personnel. Les adultes qui forment l'entourage de l'enfant sont souvent responsables – consciemment ou pas – de cette situation. Aujourd'hui, posséder un téléviseur et le regarder est devenu la norme. Liliane Lurçat, chercheuse au CNRS, explique que changer ces comportements risque d'être difficile car « la génération des parents actuels a été élevée avec la télévision. Ils n'ont rien connu d'autre, contrairement à d'autres parents qui pouvaient imaginer une vie sans la télé » (2). Et pourtant… […]

Publicité et conditionnement

La télévision est devenue un agent d'intégration efficace à la société de consommation dans laquelle la publicité a une place centrale. Elle influence les choix de l'enfant, ses préférences, mais aussi et surtout elle lui fait intégrer ses valeurs et influence sa perception du monde. Non seulement elle lui fait chanter ses slogans, réciter les dialogues des spots publicitaires, mais surtout elle le/la fait rentrer dans la société de consommation. […]

En tout cas, il est des adultes qui entourent l'enfant d'éviter qu'il/elle regarde quotidiennement le tube cathodique et de progressivement développer chez lui/elle ses capacités d'analyse et de compréhension des médias, de le/la rendre critique – dans la mesure du possible – par rapport à l'image télévisuelle. Pour notre part, nous pensons que la télé n'est absolument pas indispensable dans la vie. Nous laisserons la conclusion à Liliane Lurçat : « La télévision façonne des êtres coulés dans le même moule : mêmes désirs, mêmes souvenirs… C'est une forme moderne de totalitarisme. Bien sûr, les enfants à qui on refuse la télévision seront frustré-e-s par rapport à leurs ami-e-s. Et alors ? Un-e enfant se construit dans le conflit et la frustration. C'est le seul moyen pour elle/lui de se forger une personnalité. Et la télévision n'offre pas cette possibilité, elle l'enferme dans un monde fictif. » (3)

(1) *Sciences et Avenir*, Février 1998.
(2) « L'Univers de la télé », les Collections du *Nouvel Observateur*.
(3) *Marie-Claire*, Novembre 1997.

Cédric et Jean-Claude, http://infokiosques.net

Activité 3

Réfléchissez à présent à la structure que vous allez donner à votre exposé. Plusieurs types de plans s'offrent à vous (voir méthodologie, pp. 95-96). Voyez lesquels vous semblent réalisables.

Activité 4

Nous vous proposons de faire un plan comparatif. Voici les grandes parties possibles de l'exposé :
– dans un premier temps, dresser une liste des problèmes amenés par les médias et les NTIC dans la vie de l'enfant ;
– puis présenter les côtés positifs que peuvent avoir ces technologies dans le développement de l'enfant ;
– enfin, conclure sur le rôle que les parents ont à jouer.

Détaillez le contenu des sous-parties (arguments, exemples…). Formulez également les transitions entre les différentes parties de votre développement. Un conseil : n'ayez pas peur d'être redondant. À l'oral, l'examinateur a besoin de repères clairs.

Activité 5

Construisez à présent un plan par catégories ou plan thématique à partir des éléments du dossier et de vos connaissances personnelles. Détaillez le contenu des sous-parties (arguments, exemples…) avec des mots-clés.
Dans ce cas, on peut par exemple traiter des aspects négatifs des NTIC, puis du rôle des parents et plus largement de la société.

Activité 6

Choisissez le plan qui vous semble le mieux convenir et rédigez les grandes lignes de votre introduction (voir méthodologie, p. 97).

Activité 7

Rédigez à présent les grandes lignes de votre conclusion : résumez en quelques phrases l'idée, la position à laquelle vous arrivez. Élargissez ensuite sur le thème de l'exposé : généralisation, vue plus large du problème, futur, etc.

Activité 8

Présentez votre exposé et répondez ensuite avec précision aux questions qui vous seront posées.

Thème de l'exposé 6 : « Le climat, un enjeu planétaire »

Activité 1

Lisez le thème de l'exposé, les titres et les sources des trois documents proposés. Notez toutes les idées ou associations d'idées qui vous viennent à l'esprit. Certaines seront révélatrices de vos connaissances personnelles sur le sujet et vous serviront à nourrir votre exposé en éléments extérieurs au dossier (exemples dans les corrigés).

Activité 2

Lisez la fiche de lecture et parcourez l'ensemble des trois textes. Dégagez-en rapidement les principaux thèmes ainsi que le type d'informations données. Complétez la fiche de lecture.

Document 1

a) Quels éléments accrochent le regard et permettent d'accéder à l'essentiel ? ....

b) Quel type d'informations fournit ce document ? ....

Document 2

a) Quel est le rôle joué par le dessin ? ....

b) Donnez un titre à chaque paragraphe. ....

Document 3

a) Comment pouvez-vous rapidement repérer les différentes idées abordées dans ce document ?

....

b) Quel type d'informations fournit ce document ? ....

c) Quelle est la position du climatologue par rapport à la géo-ingénierie ? ....

d) Comparez-la avec celle de M. Hansen dans le document 1. ....

Document 1

Compte rendu

Le climatologue James Hansen prédit un sombre avenir à la Terre

LE MONDE | 28.09.06

C'est une publication à la fois mineure et fondamentale que cosigne, mardi 26 septembre dans les *Proceedings of the National Academy of Sciences*, le grand climatologue américain James Hansen. Mineure parce qu'elle n'apporte aucune donnée nouvelle. Fondamentale parce qu'elle rassemble et met en perspective, sous la signature du directeur du Goddard Institute for Space Studies (GISS), les données disponibles sur l'état climatique de la planète.

Le bilan est sombre. L'année 2005 est la plus chaude jamais enregistrée. La température moyenne de la Terre a augmenté de 0,8 °C en un siècle. À elles seules, les trois dernières décennies ont vu une augmentation moyenne de 0,6 °C, ce qui traduit une inquiétante accélération du processus. L'analyse des sédiments marins du Pacifique équatorial et de l'océan Indien suggère, selon M. Hansen et ses collègues, que les températures actuelles sont dans la fourchette haute de celles qui prévalent depuis le début de l'Holocène, il y a 12 000 ans.

[…] Cette comparaison, explique James Hansen dans un communiqué, « *signifie qu'un réchauffement supplémentaire d'un degré Celsius définit un niveau critique* ». « *Si l'augmentation moyenne des* températures est maintenue sous ce seuil, les effets du changement climatique pourraient être relativement gérables, poursuit le climatologue, qui avait dénoncé, en 2005, la censure de ses travaux par l'administration centrale de la NASA. Mais si le réchauffement à venir atteint 2 ou 3 degrés Celsius, nous verrons sans doute des changements qui feront de la Terre une planète différente de celle que nous connaissons. » […]

La conclusion de M. Hansen est qu'il faut désormais stimuler les discussions autour de procédés de géo-ingénierie pour contrecarrer artificiellement le réchauffement. Le danger étant, ajoute-t-il, que ces projets occultent les efforts déjà engagés pour réduire les émissions de gaz à effet de serre.

Stéphane Foucart

Document 2

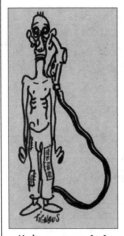

J'ai un gros 4x4.

Une climatisation qui fait froid dans le dos…

Le dérèglement climatique de notre planète est désormais un fait incontestable. Les premiers effets dramatiques s'en font déjà sentir et les responsables politiques doivent maintenant prendre la mesure des actions à entreprendre pour diminuer drastiquement nos émissions de gaz à effet de serre. Le tout-automobile est l'un des principaux responsables de la crise climatique. C'est la raison pour laquelle le Code de l'Environnement, dans son article L.224-1, prescrit « les conditions de limitation de la publicité ou des campagnes d'informations commerciales relatives à l'énergie ou à des biens consommateurs d'énergie lorsqu'elles sont de nature à favoriser la consommation d'énergie ». Or, pour entrer en application, cet article devait être suivi de l'adoption d'un décret… qui depuis 1996 reste à rédiger par les services de l'État !

Cet « oubli » de circonstance est symptomatique de la puissance de l'alliance objective qui lie publicitaires et constructeurs automobiles. Grâce à cette carence, il est encore possible de voir des campagnes promotionnelles pour les climatisations automobiles à 1 € symbolique, des offres promouvant un an d'essence gratuite pour tout achat d'un véhicule neuf, ou encore des publicités pour le transport aérien sur des lignes intérieures à des prix défiant toute concurrence. Depuis peu, les publicitaires, profitant de l'impact d'un été caniculaire, mènent des campagnes nationales pour promouvoir le développement de la climatisation dans le secteur résidentiel. Déjà depuis plusieurs décennies, le secteur tertiaire installé dans les immeubles de verre a banalisé l'usage de la climatisation, alors que le recours à une architecture bioclimatique à haute qualité environnementale aurait pu l'éviter.

Les épisodes climatiques extrêmes sont notamment le résultat d'un usage irrationnel de l'énergie et de celui de la climatisation. La climatisation, solution de confort en réponse aux périodes de canicules, est caractéristique de cette fuite en avant qui saisit notre société. Alors que trois automobiles sur quatre sont d'ores et déjà dotées de la climatisation, son usage peut entraîner une augmentation de 35 % de la consommation de carburant en milieu urbain. Collectivement, elle accroît notre dépendance à l'égard d'une énergie non renouvelable, le pétrole, engendrant tensions internationales, émissions massives de CO_2, dérèglement climatique et pollution de l'air. Paradoxalement, la climatisation individuelle provoque un réchauffement collectif qu'individuellement tout le monde dénonce… Cette schizophrénie apparente est le résultat tangible des campagnes publicitaires et offres commerciales en faveur de la climatisation.

http://www.anti4x4.net

Document 3

Entretien avec le climatologue Édouard Bard
La tentation de refroidir la planète
LE MONDE | 01.10.06

Pour contrer le réchauffement, des climatologues parlent de « refroidir » artificiellement la Terre. Est-ce sérieux ?

Oui, malheureusement. Plusieurs hypothèses sont envisagées. Certaines sont très prospectives, comme l'envoi d'un immense miroir entre la Terre et le Soleil – bien au-delà de l'orbite lunaire. Cela équivaudrait à ajouter une tache solaire et à diminuer l'éclairement de la Terre. D'autres sont moins futuristes, comme les expériences de fertilisation des océans avec des particules de fer : ce nutriment favorise la photosynthèse – donc l'absorption de carbone – par le phytoplancton. Diminuant ainsi la concentration de gaz carbonique responsable de l'effet de serre. On peut aussi imaginer injecter de très petites particules ou aérosols dans la haute atmosphère pour qu'elles réfléchissent une partie du rayonnement solaire. Et faire ainsi, théoriquement, baisser les températures moyennes… Même si en réalité les choses sont nettement plus compliquées.

La tentation de modifier intentionnellement le climat est-elle nouvelle ?

Non. Cela s'appelle la « géo-ingénierie ». Mais ce thème de recherche est demeuré longtemps tabou dans la communauté scientifique pour une raison simple : diffuser l'idée auprès des politiques, des industriels et du public qu'il suffit de mettre en œuvre de tels dispositifs pour remédier au réchauffement est dangereux. Cela introduit l'idée, fausse, qu'on peut continuer à injecter sans retenue du carbone dans l'atmosphère terrestre. Or, ces dispositifs de géo-ingénierie ne doivent être qu'un tout dernier recours, en cas d'aggravation brutale et imprévue de la situation climatique.

Néanmoins, certains climatologues pensent qu'il faut désormais sortir du tabou pour commencer à travailler sur une telle éventualité. Cela afin d'évaluer les nombreux risques et incertitudes, et surtout de ne pas faire croire qu'il s'agit d'une solution miracle.

Quelle est la solution de refroidissement la plus envisageable ?

Le dispositif dont on parle le plus est connu depuis plusieurs décennies, mais il a été récemment repris par Paul Crutzen, Prix Nobel de chimie pour ses travaux sur l'ozone. À l'aide de ballons, par exemple, il s'agirait d'injecter dans la stratosphère du dioxyde de soufre qui se transformerait ensuite en minuscules particules de sulfate. Ces aérosols réfléchiraient alors partiellement les rayons solaires pendant quelques années. […]

Avec de tels dispositifs de géo-ingénierie globaux, ce n'est pas seulement l'atmosphère qui est en jeu, mais le système climatique dans son ensemble, c'est-à-dire un gigantesque jeu de dominos d'une grande complexité. Prévoir et évaluer les effets collatéraux à l'échelle mondiale requiert, avant tout, un travail scientifique considérable impliquant climatologues, océanographes, géologues, astronomes, biologistes, agronomes, etc.

Que penser d'une autre solution : l'ensemencement des océans en particules de fer pour permettre au phytoplancton de « pomper » le CO_2 excédentaire ?

Des expériences ponctuelles ont été menées ces dernières années dans l'Océan austral, le Pacifique équatorial et le Pacifique nord. Les images obtenues par les satellites montrent que l'injection de fer augmente bien la production chlorophyllienne. Mais là encore, rien n'est simple. Pour que cela soit efficace, il ne suffit pas que le phytoplancton absorbe beaucoup de carbone, il faut aussi que celui-ci tombe au fond des océans pour y être durablement stocké… On ne sait pas si c'est réellement le cas ou si, au contraire, par d'autres mécanismes, il retourne rapidement dans l'atmosphère.

En outre, même si cette solution peut paraître moins risquée, il est difficile d'évaluer les conséquences en chaîne d'une telle manipulation à grande échelle. […]

Même réticents, de nombreux climatologues sont défaitistes et pensent que de tels procédés seront mis en œuvre. Quelle est votre opinion ?

Regardez le fonctionnement de la diplomatie climatique. De nombreux collègues sont devenus pessimistes sur l'efficacité des mesures de réduction des émissions. Même en Europe, la volonté de développer, rapidement et à grande échelle, des alternatives au pétrole et au charbon est faible. Les industriels et les politiques ont les cartes en main. Si le Nord ne change pas d'attitude au sujet du climat, je crains effectivement qu'il y ait de grandes chances, d'ici à quelques décennies, qu'on en vienne à de telles extrémités.

Propos recueillis par Stéphane Foucart

Activité 3

Faites à présent une seconde lecture plus approfondie. Vous allez rencontrer les mots ou expressions ci-dessous au cours de votre lecture. Reformulez-les après la lecture de chaque document dans sa totalité. Vous pourrez ainsi varier votre expression pendant l'exposé.

Document 1
• **Une publication à la fois mineure et fondamentale :** ....

• **Occulter les efforts déjà engagés :** ....

Document 2
• **Prendre la mesure des actions à entreprendre :** ....

• **Diminuer drastiquement :** ....

• **Symptomatique :** ....

• **Canicule :** ....

• **Schizophrénie :** ....

• **Le résultat tangible :** ....

Document 3
• **Prospective :** ....

• **Géo-ingénierie :** ....

• **Un tout dernier recours :** ....

• **Effets collatéraux :** ....

• **Je crains […] qu'on en vienne à de telles extrémités :** ....

Activité 4

Organisez maintenant vos idées pour l'exposé. Mettez en relation vos idées personnelles et celles que vous avez sélectionnées dans les textes.
a) Rédigez un plan analytique, adapté à une thématique de ce genre.

Rappel : un plan analytique repose sur un raisonnement logique. Par exemple :
1. Causes.
2. Conséquences.
3. Solutions.

b) Rédigez un autre type de plan si vous en avez le courage (voir types de plan, pp.95-96).

Activité 5

Rédigez les grandes lignes de l'introduction :
1. introduisez le thème de l'exposé à partir d'un point de vue assez large ;
2. centrez ensuite votre discours sur la problématique que vous allez traiter ;
3. annoncez enfin votre plan.

Activité 6

Rédigez les grandes lignes de votre conclusion :
1. reprenez le contenu de votre exposé : faites le bilan de votre démonstration et répondez à la problématique posée en introduction ;
2. résumez votre position ;
3. élargissez ensuite sur un avenir plus ou moins immédiat ou sur un thème plus large.

EXEMPLE D'ÉPREUVE

Lettres et sciences humaines

Exemples d'épreuve

Thème de l'exposé 1 : « Y a-t-il une vraie place pour le commerce équitable ? »

Document 1

Alter Éco, l'éthique soluble dans le marché

Rentable, cette société commercialise 56 produits provenant de 19 pays du Sud dans 2 000 supermarchés. Le commerce équitable peut se révéler une affaire rentable. Les dirigeants de la société Alter Éco peuvent en témoigner, qui commercialisent dans les super- et hypermarchés français les produits de coopératives situées dans 19 pays d'Amérique du Sud, d'Afrique et d'Asie : riz, sucre, thé, chocolat, café, cœurs de palmier, huile d'olive et jus de fruits. Sans complexe, les dirigeants de cette PME assument un double objectif : gagner de l'argent, mais aussi « faire en sorte que le commerce équitable ne représente plus seulement 0,01 % du commerce mondial, comme en 2004 », explique le directeur général, Alexis Kryceve : « On entend : "Vous êtes des commerçants, vous voulez faire du business, vous travaillez avec la grande distribution qui exploite les producteurs…" C'est difficile de répondre à ces procès d'intention. Est-ce qu'on doit changer la grande distribution en France avant d'aider les producteurs des pays en voie de développement ? »

L'affaire démarre en 1998 à la Bastille (Paris), dans une boutique associative de 30 m². Suivie d'une deuxième, ouverte un an plus tard aux Halles. Encore un an, et Tristan Lecompte, le fondateur, « au bord de la faillite », ferme ses magasins. « Le modèle n'était satisfaisant ni pour nous, ni pour les producteurs. » Une tentative d'écouler les produits sur l'Internet se soldera par un nouvel échec. Car c'est dans la grande distribution que réside le salut. En 2002, Alter Éco lance 13 produits chez Monoprix. Chez Cora, Coop (Alsace) et Match (Nord) en 2003. Et Leclerc et Super U* en 2004. « Au départ, les gens séduits par le commerce équitable se plaignaient de ne pas trouver les produits, raconte Alexis Kryceve. Aujourd'hui, 90 % des achats alimentaires se font dans la grande distribution, devenue le modèle inévitable. Quand on a lancé nos produits chez Monoprix, ils se sont retrouvés dans les 230 magasins du groupe. »

« 10 % plus cher »

Aujourd'hui, 56 produits Alter Éco se vendent dans 2 000 supermarchés et hypermarchés français. Le chiffre d'affaires suit : environ 850 000 euros en 2002, 2,3 millions en 2003, 5,4 millions en 2004. Certes, « le consommateur militant ne représente pas la majorité des consommateurs », rappelle Alexis Kryceve : « Nous sommes 10 % plus chers que la moyenne du rayon. Mais ça tient au fait que nos volumes sont relativement faibles, et qu'il y a des taxes à l'importation, par exemple pour faire venir du café vert ou du sucre du Paraguay. Nous, nous disons que nos produits sont bons et qu'en les achetant le consommateur contribue à mettre en place une logique de développement. Mais la logique de l'achat ponctuel, pour se donner bonne conscience, ce n'est pas la logique du commerce équitable. Il faut un achat régulier et réfléchi, des consommateurs fidélisés. »

« 300 emplois créés »

Mexique, Paraguay, Costa Rica, Cuba, Brésil, Ghana, Afrique du Sud, Éthiopie, Thaïlande, Inde, Sri Lanka : Alter Éco traite avec 25 coopératives dans 19 pays. Selon les dirigeants de l'entreprise, 24 % du prix final reviendraient directement au producteur, contre 4,4 % dans le circuit classique. « On considère que ça a permis de créer l'équivalent de 300 emplois en temps plein », explique Tristan Lecompte, qui tempère néanmoins : « en Inde, au Sri Lanka, en Thaïlande, le producteur gagne entre 40 et 150 euros par an. Avec le commerce équitable, il va gagner 100, puis 120 ou 130 l'année suivante. Mais une grosse sécheresse peut tout réduire à néant. Une coopérative se construit sur quinze ou vingt ans, alors que généralement les produits dans la grande distribution ne durent pas. Si le commerce équitable se limite à une mode passagère, ça n'aura servi à rien. »

David Renault d'Allonnes, *Libération*, 4 mai 2005.

* Monoprix, Leclerc, Super U, etc. : il s'agit de noms de supermarchés.

Document 2

Serments tricolores sur l'équitable

Le gouvernement veut cataloguer les produits homologués sous un label unique.

Certifier les certificateurs afin que le commerce équitable – qui fait payer plus cher le consommateur pour mieux rémunérer les producteurs du Sud – soit vraiment nickel*. C'est l'idée de Christian Jacob, le ministre du Commerce et des PME, qui a présenté hier ses projets, flanqué du père Van des Hoff, fondateur du label Max Havelaar, et de Jean-Pierre Blanc, patron des cafés Malongo, un des premiers bénéficiaires du même label.

Épaulé par le rapport que vient de lui remettre son copain Antoine Herth, député UMP du Bas-Rhin et ancien des Jeunes Agriculteurs comme lui, Christian Jacob veut mettre au point, pour 2006, un cahier des charges très détaillé qui devra être suivi à la lettre par des organisations comme Max Havelaar pour bénéficier à leur tour du futur label français « commerce équitable ».

Bons sentiments. « Pour le moment, il n'est pas question d'ajouter un nouveau label sur les produits visés, mais pourquoi ne pas envisager plus tard un petit drapeau français certifiant que le produit vendu au consommateur a bien été certifié comme tel par un organisme contrôlé par les pouvoirs publics, explique un proche de Jacob. On n'invente pas un nouveau label officiel mais on mène un travail de validation du commerce équitable. »

Car le but de l'opération « commerce équitable » est de calmer le jeu face à la multiplication des produits portant ce label sous différentes appellations. « Il faut éviter les abus et le faux commerce équitable », résume Antoine Herth. En dehors des plus connus, comme les boutiques Artisans du monde, le ministre du Commerce veut s'opposer à ce que tous les fabricants ou distributeurs aient chacun un label « commerce équitable », à l'image des centres Leclerc, très actifs sur ces terrains où le marketing et les bons sentiments ne sont pas toujours faciles à démêler.

Une goutte d'eau. L'empressement des pouvoirs publics à réglementer paraît en tout cas inversement proportionnel à l'importance réelle du commerce équitable : en France, très en retard sur ses voisins européens, ce commerce politiquement correct ne pèse que 81 millions d'euros (dont 72 millions labellisés Max Havelaar), un montant qui a tout de même doublé par rapport à l'année précédente. « Sur les 6 millions de tonnes de café produites chaque année dans le monde, seules 30 000 tonnes sont vendues sous le label du commerce équitable », regrette Jean-Pierre Blanc, des cafés Malongo. Une goutte d'eau, sauf pour le million de familles qui vivent un peu mieux grâce à ce nouveau genre de commerce, martèlent ses promoteurs occidentaux.

Frédéric Pons, *Libération*, 4 mai 2005.

* nickel (familier) : propre, honnête.

Thème de l'exposé 2 : « La recherche universitaire se suffit-elle à elle-même ? »

Document 1

La recherche universitaire veut s'émanciper

Faut-il confier la recherche aux universités ? La question est iconoclaste, dans un pays dont le système scientifique s'est construit autour de grands organismes publics, qu'ils soient généralistes, comme le plus important d'entre eux, le Centre national de la recherche scientifique (CNRS), ou dédiés à des domaines particuliers, comme l'Inserm (santé), l'INRA (agronomie), le CEA (nucléaire), le CNES (espace), l'Inria (informatique) ou l'Ifremer (milieu marin).

Les responsables universitaires français n'hésitent plus à revendiquer le premier rôle. « Le plus grand organisme de recherche en France, ce sont, de fait, les universités, plaide Yannick Vallée, vice-président de la Conférence des présidents d'université (CPU). Le nombre de leurs enseignants-chercheurs est très supérieur à celui des chercheurs des organismes ; 80 % de la recherche se fait sur les campus universitaires, et plus de la moitié des publications scientifiques sont signées ou cosignées par des universitaires. » Compte tenu de ce rapport de force, estime Yannick Vallée, « la recherche française ne pourra faire de véritable bond en avant, quantitatif et qualitatif, qu'avec les universités ». Ce qui exige, à ses yeux, que ces dernières aient la maîtrise de leur politique scientifique, grâce à un budget de recherche globalisé. Faute de quoi, prévient-il, « on passera à côté d'une vraie révolution ».

Les 82 universités émaillant le territoire national souffrent, en effet, de se sentir tenues pour des acteurs mineurs de la recherche, placés « sous tutelle » par le ministère. Leur marge de manœuvre tient tout entière dans le « bonus qualité recherche » (BQR) : un pourcentage de 15 % qu'elles sont autorisées à prélever sur le budget de recherche que leur alloue l'État, dans le cadre de contrats quadriennaux, et à redistribuer selon leurs propres priorités. Tout le reste, c'est-à-dire l'essentiel, est réparti directement par le ministère, laboratoire par laboratoire, en fonction de leur évaluation.

Ce dispositif français, qui tranche avec le modèle en vigueur dans les pays anglo-saxons, où les grandes universités constituent le creuset de la recherche, a des raisons historiques. Si le CNRS, pour les disciplines fondamentales, puis des organismes finalisés ont été créés, c'est précisément parce que les universités françaises n'étaient pas en mesure de mener une politique scientifique au meilleur niveau.

En sont-elles capables aujourd'hui ? Sans doute pour un petit nombre d'entre elles : Paris, Lyon, Aix-Marseille, Grenoble, Toulouse, Montpellier, Lille, Bordeaux, Strasbourg ou quelques autres encore, pour ne citer que les plus reconnues. Mais beaucoup de responsables scientifiques – y compris universitaires – considèrent que la plupart des facultés qui ont accompagné, dans les régions, le développement d'un enseignement supérieur de masse, sont actuellement inaptes à prendre le relais des grands organismes. Faute, notamment, d'outils d'évaluation satisfaisants.

Ce constat n'a pas empêché certains présidents d'université de partir en guerre contre ces organismes, à commencer par le CNRS. Dans un document adopté en mai 2004, visant à « repositionner l'institution universitaire comme le fer de lance de la recherche », la CPU se fixait pour objectif, à l'horizon 2010, que tous les laboratoires soient placés « sous la responsabilité des universités ». Les organismes étaient transformés en simples agences de moyens, distributrices de crédits mais dépourvues de personnels et d'activité scientifique propre. Et un statut unique était créé pour tous les enseignants-chercheurs et les chercheurs, tous recrutés par les universités.

Depuis, la CPU a été contrainte de battre en retraite, devant l'hostilité d'une grande partie de la communauté scientifique. Les États généraux de la recherche, réunis en octobre 2004 à Grenoble, ont certes affirmé que « les universités devront, à terme, jouer un rôle plus important dans le dispositif de recherche français ». Mais, ils ont aussitôt ajouté que « cela ne pourra se faire qu'après une réforme profonde de leur fonctionnement ».

Cette réforme pourrait passer par une harmonisation des procédures d'évaluation, aujourd'hui distinctes pour les laboratoires associés à un organisme (le CNRS possède à cet effet un Comité national de la recherche scientifique) et pour les unités propres des universités (évaluées par le ministère).

Les États généraux ont en outre préconisé une forte réduction de la charge d'enseignement des jeunes maîtres de conférences. Ceux-ci sont aujourd'hui tenus d'assurer 192 heures annuelles de travaux dirigés, ce qui laisse peu de temps, si l'on tient compte de la préparation des cours et du suivi pédagogique, pour la recherche pure.

Pressé par la préparation de la loi d'orientation et de programmation de la recherche, les deux camps s'efforcent de parvenir à un compromis. […]

Ce n'est qu'à l'issue de cette évaluation [de l'ensemble des unités de recherche], qui prendrait aussi en compte la « pertinence de la politique scientifique de l'établissement », en termes de recrutements, d'actions de recherche et de procédures, que chaque université connaîtrait « le périmètre de maîtrise de ses moyens ». Une façon de créer un cercle vertueux pour la recherche universitaire.

Pierre Le Hir, *Le Monde*, 11 mai 2005.

Document 2

« Jongler avec les normes comptables, les appels d'offres… C'est ce qui nous tue »

Des souris, crânes à vif, deux électrodes fichées dans le cortex, reposent dans une pièce carrelée de blanc. Dans la fenêtre se découpent les pentes enneigées du massif de Belledonne. Sur un écran de contrôle, les électroencéphalogrammes des rongeurs dessinent des courbes moins paisibles.

Ces cobayes ont été rendus épileptiques par l'injection de neurotoxines, et les chercheurs étudient leur activité cérébrale. Ils se livrent aux mêmes expériences sur des rats parkinsoniens*. Objectif : mieux comprendre les processus neuronaux, chimiques et électriques impliqués dans ces deux pathologies du mouvement.

Le Laboratoire de dynamique des réseaux neuronaux, unité mixte de l'université Joseph-Fourier (Grenoble-I) et de l'Institut national de la santé et de la recherche médicale (Inserm), est une parfaite illustration de la vitalité de la recherche universitaire, mais aussi de ses limites.

Née le 1er janvier 2005 de la fusion de deux jeunes équipes, cette unité de pointe de 28 personnes (5 chercheurs de l'Inserm et du CNRS, 2 enseignants-chercheurs, 4 hospitalo-universitaires et 2 ingénieurs, auxquels s'ajoutent 13 thésards et 2 post-doctorants), a bénéficié d'un soutien important de l'université grenobloise, qui l'a dotée de locaux neufs et d'une plate-forme expérimentale.

« L'université Joseph-Fourier mène une vraie politique scientifique, qui s'exerce de plusieurs manières, décrit son vice-président, Pierre Bérard. Elle permet de soutenir ou de faire émerger des thématiques, de leur affecter des crédits, des postes ou du matériel, mais aussi d'organiser des colloques ou d'accorder des décharges d'enseignement. » Mais, ajoute-t-il, « sur les 6 millions d'euros par an que nous recevons du ministère, notre marge de liberté est faible ». L'université alpine, qui regroupe plus d'une centaine de laboratoires – pour la plupart associés au CNRS, à l'Inserm, au CEA ou à plusieurs de ces établissements à la fois –, et qui accueille 850 enseignants-chercheurs (rattachés à l'université) et autant de chercheurs (rattachés à un organisme), vit mal de se sentir ainsi bridée. « Nous essayons de développer une politique de site, associant les collectivités territoriales et les entreprises régionales. C'est ce que nous faisons, par exemple, avec le projet Nanobio. Mais cette politique s'accommode mal des logiques nationales du CNRS et du ministère », regrette Pierre Bérard.

« La recherche universitaire souffre d'un manque de visibilité », renchérit Marc Savasta, directeur du Laboratoire de dynamique des réseaux neuronaux. « Le rattachement administratif et financier à plusieurs institutions est source d'une extrême complexité de gestion, soupire-t-il. Je passe le plus clair de mon temps à jongler avec des normes comptables, des procédures d'appel d'offres et des logiciels différents. C'est ce qui nous tue. »

Autres doléances : le manque de personnels techniques – 180 seulement pour tous les laboratoires grenoblois – et la charge d'enseignement des maîtres de conférences. « Les deux enseignants-chercheurs de mon labo sont top niveau. Ils ont publié dans les meilleures revues. Mais, regrette le biologiste, ils sont dévorés par leurs cours. »

Pierre Le Hir, *Le Monde*, 11 mai 2005.

* parkinsonien : atteint de la maladie de Parkinson.

AUTO-ÉVALUATION

	oui	pas toujours	pas encore

S'exprimer oralement en continu

Je peux exposer clairement et de façon détaillée des sujets complexes. ☐ ☐ ☐

Je peux résumer oralement un texte long et exigeant. ☐ ☐ ☐

Je peux exposer ou rapporter oralement quelque chose de façon détaillée, en reliant les points thématiques les uns aux autres, en développant particulièrement certains aspects et en terminant mon intervention de façon appropriée. ☐ ☐ ☐

Je peux faire un exposé clair et structuré dans mes domaines de spécialisation et d'intérêt, en m'écartant, si nécessaire, du texte préparé et en répondant spontanément aux questions des auditeurs.

Prendre part à une conversation

Je peux participer activement à des discussions, même très animées, entre locuteurs natifs. ☐ ☐ ☐

Je peux parler couramment, correctement et efficacement sur une grande gamme de thèmes généraux, professionnels ou scientifiques. ☐ ☐ ☐

Je peux manier la langue, en société, avec souplesse et efficacité, y compris pour exprimer un sentiment, ou pour faire une allusion ou de l'humour. ☐ ☐ ☐

Je peux exprimer mes idées et mes opinions dans une discussion avec précision et clarté, je peux argumenter de manière persuasive et réagir efficacement à un raisonnement complexe. ☐ ☐ ☐

Stratégies

Je peux utiliser diverses expressions appropriées pour introduire mes propos avec fluidité, quand je prends la parole ou quand je veux gagner du temps pour réfléchir et garder la parole. ☐ ☐ ☐

Je peux relier avec habileté mon intervention à celle d'un interlocuteur / d'une interlocutrice. ☐ ☐ ☐

Je peux substituer un terme semblable à un mot qui m'échappe sans que ça ne gêne. ☐ ☐ ☐

Qualité / Moyens linguistiques

Je peux m'exprimer avec aisance et spontanéité, presque sans effort ; seul un sujet difficile et abstrait peut gêner mon flot naturel de parole. ☐ ☐ ☐

Je peux m'exprimer de façon claire, très fluide et bien structurée et je dispose des moyens pour exposer ce que je voudrais dire en produisant un texte cohérent tant sur le plan du contenu que de la langue. ☐ ☐ ☐

Je possède un vocabulaire étendu et je peux donc combler sans problème une lacune par une périphrase ; c'est rare que je doive chercher un mot ou renoncer à exprimer exactement ce que je voulais dire. ☐ ☐ ☐

Je peux maintenir un haut degré de correction grammaticale ; les erreurs sont rares et passent presque inaperçues. ☐ ☐ ☐

Réussir le

Niveau C2

du Cadre européen commun de référence

PRÉSENTATION DE L'ÉPREUVE DALF C2

> Peut comprendre sans effort pratiquement tout ce qu'il/elle lit ou entend. Peut restituer faits et arguments de diverses sources écrites et orales en les résumant de façon cohérente. Peut s'exprimer spontanément, très couramment et de façon précise et peut rendre distinctes de fines nuances de sens en rapport avec des sujets complexes.

À ce niveau, l'apprenant du niveau C2 dispose d'un certain nombre d'outils linguistiques efficaces et a surtout développé un art du discours servi par la connaissance de références culturelles sur la société.

En compréhension orale et écrite, l'utilisateur expérimenté (maîtrise, C2), est au dernier niveau de la hiérarchie : au niveau de maîtrise maximale, l'apprenant est en mesure de gérer la complexité de la langue **sans effort,** ou « pratiquement ».

En production orale et écrite, l'apprenant du niveau C2 a saisi depuis longtemps à quel point la maîtrise des nuances, la précision du discours, la capacité à articuler votre pensée et à exprimer celle-ci de manière claire est désormais la règle. Il est prêt à s'exprimer sur des sujets de réflexion ou à se laisser entraîner dans des débats animés, dans des joutes oratoires.

Sur les plans **pragmatiques** et **linguistiques,** derrière la **cohérence** se cache surtout l'expérience d'une pratique du dialogue écrit ou oral à un niveau d'exigence académique. L'apprenant « peut créer un texte cohérent et cohésif en utilisant de manière complète et appropriée les structures organisationnelles adéquates et une grande variété d'articulateurs ».

De même, selon les indicateurs concernant le **vocabulaire,** il est nécessaire que l'étudiant « possède une bonne maîtrise d'un vaste répertoire lexical d'expressions idiomatiques et courantes avec la conscience du niveau de connotation sémantique » et maîtrise une « utilisation constamment correcte et appropriée du vocabulaire ».

Un locuteur de niveau C2 n'est pas un dictionnaire, n'a pas non plus un savoir encyclopédique. Il a le droit d'ignorer l'existence de mots qu'il ne connaît d'ailleurs peut-être pas non plus dans sa propre langue, ou encore de ne pas en connaître la traduction. Qui plus est, peut-être faut-il distinguer **le vocabulaire actif** (que l'on emploie) du **vocabulaire passif** (que l'on comprend).

L'épreuve se déroule en deux temps :

Compréhension et production orales
• compte rendu du contenu d'un document sonore (deux écoutes, durée environ 15 minutes) ;
• développement personnel à partir de la problématique exposée dans le document ;
• débat avec le jury.
2 domaines au choix du candidat : lettre et sciences humaines, ou sciences
1 heure de préparation après les écoutes, 30 minutes de passation

Compréhension et production écrites
Production d'un texte structuré (article, éditorial, rapport, discours…) à partir d'un dossier de documents d'environ 2 000 mots.
3 h 30 pour la rédaction d'un texte de 700 à 800 mots environ

DIPLÔME APPROFONDI DE LANGUE FRANÇAISE

DALF C2 – Lettres et sciences humaines
ou
DALF C2 – Sciences

Niveau C2 du *Cadre européen commun de référence pour les langues*

DALF C2 - nature des épreuves	durée	note sur
Compréhension et production orales **Épreuve en trois parties :** ► compte rendu du contenu d'un document sonore (*deux écoutes*) ; ► développement personnel à partir de la problématique exposée dans le document ; ► débat avec le jury. *Deux domaines au choix du candidat : lettres et sciences humaines ou sciences*	passation : 0 h 30 préparation : 1 h 00	/50
Compréhension et production écrites ► Production d'un texte structuré (article, éditorial, rapport, discours…) à partir d'un dossier de documents d'environ 2 000 mots.	3 h 30	/50

► **Note totale :** /100

► **Seuil de réussite pour obtenir le diplôme :** 50/100
► **Note minimale requise par épreuve :** 10/50
► **Durée totale des épreuves collectives :** 3 h 30

COMPRÉHENSION ET PRODUCTION ORALES

Nature de l'épreuve

durée	note sur
passation 0 h 30 préparation 1 h 00	/50

Épreuve en trois parties :

► compte rendu du contenu d'un document sonore (*deux écoutes*) ;

► développement personnel à partir de la problématique exposée dans le document ;

► débat avec le jury.

Deux domaines au choix du candidat : lettres et sciences humaines ou sciences

PRÉSENTATION

COMPRÉHENSION ET PRODUCTION ORALES

L e niveau C2 (selon le *Cadre européen commun de référence pour les langues*)

 Je peux comprendre dans le détail des textes longs et complexes, qu'ils se rapportent ou non à mon domaine, à condition de pouvoir relire les parties difficiles.

 Je peux comprendre dans le détail une gamme étendue de textes que l'on peut rencontrer dans la vie sociale, professionnelle ou universitaire et identifier des points de détail fins, y compris les attitudes, que les opinions soient exposées ou implicites.

 Je suis habile à utiliser les indices contextuels, grammaticaux et lexicaux pour en déduire une attitude, une humeur, des intentions et anticiper la suite.

► L'épreuve

L'épreuve (hors temps d'écoute et de préparation) dure une trentaine de minutes et se décline en trois parties :

1. Présentation du contenu d'un document sonore d'une quinzaine de minutes après deux écoutes (5 à 10 minutes).
2. Point de vue argumenté à partir de la problématique proposée (10 minutes environ).
3. Débat avec le jury (10 à 15 minutes).

Vous disposerez d'une heure de préparation.

Il ne s'agit pas de tester vos connaissances sur un sujet donné mais bien d'évaluer votre niveau de langue en vous mettant en situation de faire appel à des compétences qui ne sont toutefois pas purement linguistiques…

Lors de votre inscription à l'examen, vous devez choisir suivant vos centres d'intérêt entre deux domaines : lettres et sciences humaines ou sciences. Les documents oraux de cette épreuve peuvent être : une conférence, une interview, un débat, une table ronde, un colloque, etc.

► Les thèmes

Pour les **lettres et sciences humaines**, les thèmes abordés dans les examens sont en principe des thèmes dits « de société » qui font débat dans l'actualité, et peuvent toucher la sociologie, la vie institutionnelle, les relations internationales, les phénomènes culturels, etc. La liste ci-dessous couvre les principaux thèmes pouvant vous être proposés, sans toutefois prétendre à l'exhaustivité :

• Culture et lien social
• Esthétique : nouvelles approches
• Histoire, géographie
• Identités, famille, individu
• Anthropologie, sociologie, psychologie, psychanalyse
• Société, travail, sociologie du travail
• Droit, économie
• Monde, mondialisation
• Appareil d'État, opinion et citoyenneté : entre histoire et science politique
• Démocratie
• Les nouvelles relations internationales
• Médias, publicité
• Éducation

PRESENTATION

Pour les **sciences**, voici également une liste de thèmes pouvant vous être proposés :
• Environnement et développement durable
• Technologies de la communication
• Matériaux et nanomatériaux
• Santé
• L'homme, l'animal, l'évolution
• Éthique et sciences
• Génétique (OGM, cellules souches, clonage thérapeutique)
• Recherche
• Énergies (nucléaire, renouvelable, etc.)
• Sciences et techniques
• Nouvelles technologies
• Cosmos, univers
• Cerveau
• Nouveaux virus
• Physique théorique
• Mathématiques
• Physique
• Chimie

► ## Pour réussir l'épreuve

Pour réussir l'épreuve de compréhension et production orales, la lecture régulière de la presse francophone, de rapports, d'ouvrages de références en français, ainsi que la visite de sites Internet vous sera particulièrement utile.

Sachez que vous pouvez également écouter un grand nombre de radios sur Internet si vous disposez d'une connexion haut débit. Il est important, lors de sa préparation, d'écouter le plus souvent possible des émissions ou des conférences en français.

Pour vous entraîner

La compréhension orale est testée à travers le compte rendu d'un enregistrement que vous ferez à l'oral. L'épreuve se poursuit avec les parties « présentation d'un point de vue argumenté » et « débat ». Dans ce chapitre, nous mettrons tout d'abord l'accent sur la partie compréhension orale proprement dite avant d'aborder les conseils relatifs aux différents types d'expression et leur mise en pratique.

1. L'ÉCOUTE DU DOCUMENT

Une durée totale d'environ 30 minutes sera consacrée à l'écoute de l'enregistrement que vous entendrez deux fois, avec une pause de 3 minutes. Pendant l'heure qui suit, vous vous préparerez à faire la présentation orale du contenu du document puis à développer un point de vue argumenté sur la problématique proposée dans la consigne. La qualité de la prise de notes et l'organisation des idées sont donc essentielles.

1 ## Conseils pour la prise de note

Il vous faudra relever les informations nécessaires à l'élaboration d'un compte rendu fidèle et précis. Voici les principales difficultés de la prise de notes pour cette épreuve :
– la durée de la concentration : environ 15 minutes (deux fois) ;
– la quantité et la diversité des informations à traiter ;
– le débit, la clarté du document, les accents divers français ou étrangers, les bruits de fond, etc. ;
– la grande diversité de sujets possibles, ce qui implique d'avoir un vocabulaire étendu ;
– d'autres difficultés spécifiques au type de documents audio (bruits de fond, interactions entre les participants, par exemple).

1. Les erreurs à éviter

Il convient tout d'abord de préciser que votre objectif ne doit pas être de faire la transcription littérale de ce que vous entendrez. Vous éviterez donc :
– le mot à mot systématique, qui signifie que vous n'essayez pas de synthétiser les idées évoquées ;
– la transcription de phrases complètes (par peur d'oublier ce qui a été dit), ce qui ralentit la prise de notes ;
– une prise de notes trop serrée. Prévoyez au moins cinq à six feuilles, prénumérotées, pour aérer votre prise de notes. Laissez de la place sur vos pages pour y ajouter des détails.

2. Utiliser des codes et des abréviations

Il est recommandé de noter les différents intervenants par des symboles (rond, carré, triangle) ou des abréviations simples (J : journaliste, I1 : 1er intervenant / invité, I2 : 2e intervenant / invité). Cette méthode est plus rapide que la reprise des noms ou des initiales de chacun à chaque nouvelle prise de parole. Par exemple :
△1 = **Invité 1** (Mme Dupont), △2 = **Invité 2** (M. Durand), △3, etc.

Les abréviations courantes, comme « ds » (dans), « + ou – » (plus ou moins), « auj » (aujourd'hui), « pr » (pour), « bcp » (beaucoup), ainsi que toute forme d'abréviation des mots les plus variés vous feront gagner un temps précieux. Il n'est par ailleurs pas indispensable d'écrire les articles (le, la, une, des, etc.). Par exemple :

TV ds stés démo	La télévision dans les sociétés démocratiques
10 ans + tôt	10 ans plus tôt

| Mais auj crise presse quot écrite | Mais aujourd'hui, aggravation de la crise de la presse quoti-dienne écrite |
| Techno resp ? | La question qui se pose : la crise est-elle imputable à la tech-nologie ? |

Vos notes seront donc constituées :
– de votre système de codage (signes, symboles) pour les mots ou les expressions clés ;
– de vos abréviations ;
– de listes de points ;
– des extraits ou des citations et éventuellement de quelques phrases complètes.

3. Organiser ses notes

Soyez un auditeur actif : faites des déductions dès les premières minutes d'écoute pour détermi-ner comment vous allez organiser vos notes sur la feuille. Vous pouvez choisir de :
– la séparer en deux ou en trois colonnes par un trait pour distinguer les questions et les réponses et réserver de l'espace pour la préparation du compte rendu oral ;
– faire des colonnes + et – (pour noter les aspects positifs et négatifs à venir selon le sujet) ;
– faire des traits horizontaux entre chaque intervention pour bien les distinguer les unes des autres.

Exemple 1

Colonne de gauche	*Colonne de droite*
PENDANT L'ÉCOUTE Prendre des notes en vue du compte rendu : – au cours de la 1re écoute ; – entre la 1re et la 2e écoute ; – au cours de la 2e écoute.	**APRÈS LA 2e ÉCOUTE** – personnaliser ses notes en vue du compte rendu (dégager le plan et les idées essentielles) ; – établir des rapports avec les connaissances personnelles, noter des informations supplémentaires à apporter en vue de l'exposition d'un développement personnel dans la problématique.

Exemple 2

1re ÉCOUTE	COMPLÉMENTS D'INFORMATION LORS DE LA 2e ÉCOUTE
Intervention 1 : – –	
Intervention 2 : –	
Intervention 3 : –	
Intervention 4 : –	

Adaptez votre prise de notes au type de document. Par exemple :

Conférence, monologue, plaidoirie :	Prendre des notes en continu, espacer les idées, faire des énumérations en allant systématiquement à la ligne entre les points.
Dialogue :	Diviser la feuille en 2 ou 3 colonnes.
Débat (3 personnes ou plus) :	Symboliser ou signaliser les différents intervenants. Par exemple : – l'interviewer (le médiateur) Σ ou Ω – les invités $\triangle$1 (invité 1), $\triangle$2, $\triangle$3
Selon le nombre de colonnes prévu, disposer sa feuille en portrait ou en paysage :	

De manière générale, lors de l'entraînement, évaluez votre degré d'efficacité dans la prise de notes et, même si l'approche est faussée car vous n'êtes plus en situation de découvrir le document, réécoutez-le en essayant d'adopter une stratégie de prise de notes différente.

4. Développer des stratégies de prise de notes adaptées

Il vous faudra déterminer quelle stratégie adopter en fonction du type de document auquel vous serez confronté. Vous trouverez des entraînements à ces différentes stratégies dans la 3e partie de ce chapitre.

Les premières minutes de l'écoute sont primordiales. Il faut :
– identifier immédiatement le contexte, le type de situation (interview, conférence, reportage, débat…), le thème introduit ;
– noter soigneusement les informations relatives à l'enregistrement (telles que le nom ou le titre de l'émission, les références chronologiques) ;
– dégager la problématique et identifier les différents acteurs en présence (les noms et fonctions des intervenants). Toutes ces informations seront nécessaires pour la compréhension et pour la présentation du document ;
– en prévision de l'organisation de vos notes sur la feuille, relever les indices relatifs au schéma du discours : dès le début, l'auditeur peut-il s'attendre à la description d'un événement, à un témoignage ou à un récit, identifier une approche distinguant les avantages et les inconvénients d'une situation ou encore une analyse présentant la cause d'un problème et ses conséquences ?

Par la suite, vous devrez :
– vous familiariser avec les accents et les manières de parler, avec un débit rapide ou lent, avec un accent inhabituel, des bruits de fond. Le contexte vous aidera à reconstruire le discours lorsqu'il vous échappe ;
– saisir les tours de paroles et repérer qui dit quoi ;
– vous appuyer sur les indicateurs chronologiques, la mise en évidence de certains mots, les marqueurs de relations utilisés par la personne qui parle (d'abord, ensuite, de plus, en définitive, etc.) pour bien suivre la logique de son discours et identifier les transitions entre les différentes parties de son intervention ;
– distinguer les idées essentielles, les prises de position accompagnées d'arguments secondaires, les illustrations ;
– s'il s'agit d'un débat, veillez à identifier celles et ceux qui partagent un même point de vue et ceux qui sont en situation d'opposition.

❷ Gérer son temps

Lors de la première écoute :
– distinguez les informations principales des informations secondaires (en soulignant par exemple les informations principales) ;
– signalez les omissions dans votre prise de notes. Si vous avez manqué une information importante à la 1re écoute, laissez de la place et signalez avec un symbole qui vous est propre qu'il s'agit d'une information à relever impérativement à la seconde écoute.

Pendant la pause de 3 minutes :

Lorsqu'il y a un médiateur, un journaliste organisant les débats par exemple, soulignez ou mettez en évidence ses interventions lors de la relecture de votre prise de notes car celles-ci structureront le document. Elles visent à orienter le débat ou tout du moins délimitent le temps de parole des participants.

Veillez à bien identifier à qui se rapportent vos notes.

Vous pouvez utiliser des couleurs, ajouter éventuellement des symboles.

Pendant la deuxième écoute et la prise de notes complémentaires :

Maintenant que vous avez noté les notions essentielles, les idées ou thèses principales, identifié la problématique, vous pouvez ajouter à vos notes des illustrations, des exemples ou des détails mentionnés par les différents protagonistes. Pensez aussi à compléter ce que vous avez manqué à la première écoute.

2. LA PRÉPARATION DE LA PRODUCTION ORALE

Pour mieux comprendre ce que le jury attend de vous pour chacune des parties de l'épreuve, prenez connaissance des grilles d'évaluation qu'il utilise. Sur le plan linguistique, l'appréciation de votre performance est prise en compte de manière globale, pour l'ensemble de l'épreuve. En revanche, le compte rendu, la prise de position argumentée et le débat sont appréciés sur des critères distincts.

La grille ci-dessous expose clairement les compétences linguistiques requises pour les différentes parties de l'épreuve de production orale. Vous pouvez remarquer que précision, contrôle et expressivité sont systématiquement pris en compte :

Pour l'ensemble de l'épreuve	Évaluation
• Lexique (étendue et maîtrise) Possède un vaste répertoire lexical lui autorisant une grande souplesse pour reformuler ou nuancer des idées. Utilisation constamment appropriée du vocabulaire.	de 0 à 8
• Morphosyntaxe Maintient un haut degré de correction grammaticale, même lorsque l'attention se porte ailleurs. Fait preuve d'une grande souplesse dans les constructions utilisées lui permettant de nuancer, de préciser, de modaliser.	de 0 à 10
• Maîtrise du système phonologique A acquis une intonation et une prononciation claires et naturelles. Peut varier l'intonation et placer l'accent phrastique pour exprimer de fines nuances de sens et/ou mobiliser l'attention de l'interlocuteur.	de 0 à 6

1 ## Le compte rendu

Exemple de consigne d'épreuve

MONOLOGUE SUIVI : PRÉSENTATION DU DOCUMENT

Vous devez présenter, en cinq minutes environ, le contenu du document.

Vous aurez soin de reprendre l'ensemble des informations et des points de vue exprimés. Vous organiserez votre présentation selon une structure logique et efficace qui facilitera l'écoute pour le destinataire.

Sachez ce que l'examinateur attend de vous : étudiez la grille d'évaluation qui sera à sa disposition.

Pour le « monologue suivi », il convient de présenter votre compte rendu sans l'intervention du jury, pendant toute la durée impartie (5 à 10 minutes). Une attention particulière est accordée à votre introduction et à votre conclusion, à la fidélité au texte, ainsi qu'à votre capacité à dégager l'essentiel de manière organisée.

Monologue suivi : Présentation du document	Évaluation
Peut introduire et clore sa présentation avec naturel et pertinence.	de 0 à 2
Peut restituer l'ensemble des informations importantes et des points de vue exprimés sans les altérer (règle d'objectivité, fidélité et précision).	de 0 à 7
Peut organiser son discours selon une structure logique et efficace qui facilitera l'écoute pour le destinataire.	de 0 à 3

On vous évaluera donc sur votre savoir-faire à :
– saisir la nature et la spécificité socioculturelle du document ;
– dégager le thème principal et l'organisation d'ensemble (compréhension globale) ;
– extraire les informations essentielles (compréhension sélective) ;
– synthétiser et reformuler ces contenus dans une langue personnelle, mais de manière objective (respect de la perspective d'origine du scripteur) ;
– rapporter le discours de différents intervenants sans le déformer ;
– produire un discours cohérent et articulé.

Cela implique la présence dans votre discours :
– d'éléments introducteurs ;
– d'articulateurs appropriés marquant l'enchaînement des idées ;
– de verbes et de tournures adéquates pour rapporter les différents discours.

Les contraintes :
– respect d'une consigne de temps (5 à 10 minutes) ;
– nécessité de ne conserver que les idées et informations essentielles du document initial ;
– principe d'objectivité par rapport au document sonore (absence de tout commentaire ou apport personnel du candidat ; respect de la perspective adoptée par l'auteur) ;
– reformulation des éléments retenus (ne pas reprendre les mots et les expressions du texte – à l'exception bien entendu des mots clés) ;
– production d'un nouveau texte personnel, cohérent et articulé.

Mais sachez aussi que vous pouvez regrouper les idées et les informations selon un ordre différent du document initial, à condition que ce nouvel ordre soit cohérent et n'altère pas la perspective d'ensemble.

❷ Le point de vue argumenté

1. Ce que l'examinateur attend de vous

Sur quels critères les jurys d'examen du DALF évaluent-ils la compétence argumentative ? Étudiez la grille d'évaluation qui sera à sa disposition.

Monologue suivi : Présentation d'un point de vue argumenté	Évaluation
Peut élaborer une réflexion personnelle en s'appuyant sur des arguments principaux et secondaires et sur des exemples pertinents.	de 0 à 4
Peut produire un discours élaboré, limpide, et fluide avec une structure logique efficace qui aide le destinataire à remarquer les points importants.	de 0 à 3

2. Conseils pour l'exposition de votre point de vue

– Vous devrez montrer qu'il s'agit d'une réflexion personnelle, organisée de manière rigoureuse et aisément défendable à l'aide d'exemples personnels.

– Vous allez vous exprimer en continu pendant environ 10 minutes. Vous devrez donc faciliter l'écoute en permettant à votre interlocuteur de saisir les éléments que vous jugez essentiels par rapport à ceux qui sont secondaires. La voix, le regard, le geste peuvent y contribuer.

– Vous pourrez utiliser des images, des références, tout élément susceptible de servir à la fois votre propos et votre maîtrise de la langue.

3. Conseils pour structurer votre argumentation

Dans un discours, celui qui développe une argumentation a comme souci d'agir sur autrui. L'argumentation se situe à mi-chemin entre l'art de démontrer et celui de persuader (convaincre). On peut argumenter sans pour autant être placé dans une situation de pure opposition à l'avis de l'autre. Dans tous les cas, il faut s'appuyer sur une démarche de raisonnement.

Noter: Pour celles et ceux qui choisissent le domaine Sciences, l'argumentation n'est pas entendue comme apport de preuves.

Chacun de vos arguments repose sur la communication d'une valeur plus ou moins partagée, plus ou moins acceptable par l'auditeur. Un argument est une idée et peut être soutenu par un fait.
- **Le but:** modifier les savoirs, les croyances, les opinions d'autrui.
- **Le moyen:** démontrer, convaincre, persuader.
- **Les références:** l'expérience, la connaissance, la préférence.

Pour argumenter, trois types de discours s'offrent à vous:
- **Discours délibératif:** pour déconseiller, recommander: faut-il / ne faut-il pas prendre cette décision? Défendre une position idéologique ou morale, étudier ses enjeux, sa faisabilité ou son acceptabilité.
- **Discours démonstratif:** porter un jugement basé sur le bien ou le mal (éloge ou blâme d'un homme, d'un système, d'une institution, etc.). Il ne s'agit pas de dire ce qu'il faut faire mais d'inviter à réfléchir.
- **Discours judiciaire:** accuser / défendre: on fait référence aux faits qui se sont passés; il convient de les établir, de les qualifier, de les juger.

Enfin, vous serez amené(e) à argumenter soit à titre individuel (je), soit en vous assimilant à un groupe et devenir alors un sujet social: « en tant qu'étudiant ».

En résumé, en situation d'examen:
Je fais face au jury et je me prépare à:
– prendre position sur un sujet;
– justifier / donner des raisons personnelles;
– sélectionner des arguments de portée plus générale.

❸ Le débat

Dernier défi, dernière partie de l'épreuve, le débat vous expose à répondre à des questions auxquelles vous ne vous êtes pas préparé à répondre et à aller plus loin.

Il n'y a pas de consignes à proprement parler pour cette partie. Les questions qui vous seront posées par l'examinateur peuvent s'éloigner du contenu du document sonore. Ne vous en étonnez pas.

1. Qu'est-ce qu'un débat ?

• **Définition :** le débat tient à la fois de la discussion (par son caractère argumentatif) et de l'interview. Les conditions d'examen se distinguent de la réalité car un débat comporte généralement un public et un modérateur chargé de veiller à son bon déroulement.
• **But :** convaincre, modifier les opinions et attitudes de l'autre et, le plus souvent, manifester un désaccord irréductible. En effet, le débat est souvent ressenti comme passionnel ; l'affectif peut jouer un rôle important dans la mesure où il est fait référence à des valeurs. Le but n'est pas tant de trouver une réponse à une question que de faire triompher une position au détriment d'une autre.
• **Stratégie :** le jury lance le débat, mais il vous appartient de ne pas entrer dans un jeu de questions-réponses mené par le jury. Faites preuve de réactivité et surtout d'interactivité. Menez le jeu ! À vous de relancer le débat, de résister, de solliciter des éclaircissements et d'élargir le débat.
Noter : le débat pour résoudre un problème dans l'acquisition de connaissances, illustré dans le débat scientifique, ne correspond pas à la situation proposée lors de l'examen.

Types de débat que l'on peut vous proposer lors de l'épreuve :
• **Le débat d'opinion :** il s'agit d'influencer l'autre mais aussi d'accepter de faire évoluer sa propre position. Ce que vous éviterez : les demi et contre-vérités, la volonté de dominer…
• **La délibération :** ce type de débat se caractérise par la prise en compte d'intérêts opposés devant amener à prendre une décision. Ce type de débat implique de recourir aux explications et à la négociation. Il y a recherche de consensus.

2. Ce que l'examinateur attend de vous

Exercice en interaction : Débat	Évaluation
Peut facilement préciser et nuancer sa position en répondant aux questions, commentaires et contre-arguments.	de 0 à 4
Peut faciliter le développement de la discussion en recentrant ou élargissant le débat, en rebondissant sur les propos de l'interlocuteur.	de 0 à 3

Compétences mises en jeu dans un débat :
– compétences sociales (écoute et respect de l'autre, maîtrise de soi) et individuelles (capacité à se situer, à prendre position, construction d'une identité personnelle) ;
– compétences cognitives (capacité critique) ;
– compétences linguistiques.

La capacité à argumenter fait appel à votre sang-froid, à votre capacité à maintenir une cohérence dans votre propos et à apporter de nouveaux éléments si nécessaire, à votre habileté à masquer la recherche d'idées. Vous devez montrer une bonne réactivité aux questions, et une capacité à aller plus loin. Vous devez être capable de réagir, qu'il s'agisse d'une contradiction ou d'une demande d'éclaircissement.

3. Faire face à la contradiction

• Parce que votre interlocuteur peut avoir une position différente et tout aussi légitime que la vôtre sur le sujet, il convient de :
1. comprendre son système de référence (et le lui montrer) ;
2. apprécier la force de ses arguments.
Vous pouvez ensuite reprendre vos idées et signaler éventuellement à votre interlocuteur ce qui différencie son angle d'approche du vôtre.
• Prenez en compte la position de votre interlocuteur.
Réagissez aux arguments favorables à votre propre position :
– arguments logiques (démonstratifs) ;
– arguments théoriques ;
– arguments affectifs : implication personnelle, expression des convictions, des craintes, des sujets de colère, etc.

Réagissez avec tact aux arguments opposés (contre-arguments venant d'un jury délibérément « hostile »).
• Introduisez dans votre discours argumentatif des savoirs, votre expérience, une anecdote, des références.
• Soyez bref, clair, efficace !

3. ACTIVITÉS D'ENTRAÎNEMENT

1 ## Les premières minutes d'écoute

 Enregistrement n° 16

> **Démarche à suivre pour les quatre activités ci-dessous :**
> • Prenez tout d'abord connaissance des tableaux de prise de notes proposés et des indications qui les accompagnent.
> • Écoutez l'enregistrement en prenant des notes sur papier libre. Il est composé de six documents courts.
> • À la fin de l'écoute, complétez les tableaux.
> • Procédez à une deuxième écoute si des informations manquent.

Activité 1

Identifiez le contexte et le type de situation et mettez une croix dans la case correspondante.
S'agit-il :
– d'une émission sur une chaîne de radio (noter le nom de la radio, le jour, l'émission) ?
– d'une conférence entrant dans un cycle de conférences organisées dans un lieu donné (noter les informations communiquées) ?
– d'un discours prononcé lors d'une occasion donnée (noter les informations communiquées) ?

Situation	DOC. 1	DOC. 2	DOC. 3	DOC. 4	DOC. 5
Contexte					
Date					
Lieu d'enregistrement					

Activité 2

Identifiez le type de document et mettez une croix dans la case correspondante.

Type de document	DOC. 1	DOC. 2	DOC. 3	DOC. 4	DOC. 5
Interview, reportage					
Conférence, discours, plaidoirie					
Débat à deux					
Débat à plusieurs					

Activité 3

Relevez les indices relatifs au schéma du discours et mettez une croix dans la case correspondante. Distinguer les structures du discours vous aidera à organiser votre prise de notes et à anticiper sur ce que vous allez écouter, selon qu'il s'agira d'un débat, d'un témoignage ou du récit d'un événement par exemple.

Structure	DOC. 1	DOC. 2	DOC. 3	DOC. 4	DOC. 5
Description, témoignage, récit					
Avantages / inconvénients					
Cause / effet					
Problème / solution					
Polémique					

Activité 4

Identifiez le thème introduit et les invités présentés.

Vous serez en effet amené à citer dans votre compte rendu les différents intervenants et leurs positions. De plus, le croisement des informations collectées ici et du contexte vous permettra de faire un travail de déduction, par exemple sur les positions des uns et des autres suivant leurs fonctions, leur profession, leur origine…

	DOC. 1	DOC. 2	DOC. 3	DOC. 4	DOC. 5
Thème					
Animateur, médiateur					
Invité 1 – Profession, statut – Information complémentaire					
Invité 2 – Profession, statut – Information complémentaire					

❷ La vie du docteur Huo : à la rencontre d'un accent asiatique

Les deux épisodes de la vie du docteur Huo proposés ici (le premier et le dernier), diffusés sur Arte Radio, vont vous permettre d'évaluer votre capacité à comprendre, déduire, reconstituer un discours, donner du sens, en vous habituant à un accent asiatique. Le sujet abordé et le niveau de langue n'atteignent pas un degré de complexité élevé ; les problèmes que vous serez susceptibles de rencontrer se situeront probablement plutôt à un niveau phonologique.

Notre héros, Datang Huo, est un érudit, mais la langue française ne lui a pas encore livré tous ses secrets et il vous appartiendra parfois de faire un effort pour comprendre ce qu'il exprime. Identifiez bien le contexte, reconstruisez le discours lorsqu'il vous échappe. Apprenez à vous familiariser avec un débit rapide ou lent, avec un accent inhabituel, des bruits de fond.

Enregistrement n° 17

Activité 5

Une courte introduction est faite par l'animatrice avant de laisser la parole au Dr Huo.

1. Écoutez le document. Une pause de 15 secondes après l'introduction vous permettra de noter les thèmes qui devraient être abordés dans l'épisode. Vous vérifierez vos déductions à la fin de l'épisode.

2. L'écoute reprend. Vous pouvez prendre des notes.

3. Résumez l'épisode en cinq ou six lignes. Placez-vous dans la perspective de vouloir parler de cet épisode à quelqu'un. Vous lui communiquerez les informations les plus intéressantes.

4. Comparez vos notes avec la transcription. Identifiez les mots que vous n'aviez pas du tout compris (même en vous appuyant sur le contexte) et posez-vous la question suivante : auriez-vous pu les comprendre ?

Activité 6

Prenez connaissance des questions, écoutez une deuxième fois l'épisode n° 1, puis répondez aux questions.

1. Choisissez le titre qui convient le mieux à l'épisode que vous venez d'entendre :

☐ « Les conditions de vie dans la Chine de l'avant-révolution culturelle »

☐ « Les conditions de travail dans la Chine de l'avant-révolution culturelle »

☐ « La condition humaine dans la Chine de l'avant-révolution culturelle »

2. Pourquoi avoir introduit des bruits de klaxon de bicyclette ?

....

3. Où le docteur Huo emmène-t-il l'auditeur ?

....

4. Pour quelle raison connaît-il bien l'endroit ?

....

5. Qu'apprend-on sur les conditions de vie à cette époque ? Cochez la ou les cases correspondantes.

	V	F
a) Exiguïté	☐	☐

Justification : ....

b) Promiscuité	☐	☐

Justification : ....

c) Absence d'hygiène	☐	☐

Justification : ....

d) Quelles étaient les conditions de vie à cette époque ?

....

6. Aux yeux de l'enfant qu'était Datang Huo, quelle était la différence fondamentale entre sa mère et sa grand-mère ?

....

7. Qu'est-ce que le docteur Huo signale en ce qui concerne les repas ?

a) Remarque relative aux voisins : ....

b) **Rationnement :** ....

c) **Circonstance exceptionnelle :** ....

8. De quoi Datang Huo était-il privé ? ....

9. Quelle difficulté Datang Huo soulève-t-il à la fin de l'épisode ?

....

 Enregistrement n° 18

Activité 7

Prenez connaissance de la fiche de contrôle ci-dessous puis écoutez le second épisode. Vous pourrez vérifier vos notes en vous reportant à la transcription.

FICHE DE CONTRÔLE

Histoire du premier psychanalyste chinois

Feuilleton en 10 épisodes : épisode n°

Intitulé de l'épisode :

Qui ? De qui s'agit-il ? De qui parle-t-on ? Qui évoque-t-on ?

Quoi ? Quel est le thème abordé dans l'épisode ? De quoi parle-t-on ?

Où ? Situation dans l'espace : où se situe l'action ?

Quand ? Situation dans le temps : quand se situe l'action ? À quelle période fait-on référence ?

Comment ? Comment se passent les choses ? Quels problèmes se posent ? Quels éléments positifs sont mentionnés ?

Notes complémentaires :

Activité 8

Vous aidez un ami professeur de français qui souhaite utiliser cette série d'épisodes. Il rencontre des difficultés lors de la transcription de l'épisode n° 10. Écoutez le document et complétez sa transcription.

Datong Huo est le premier psychanalyste à exercer en Chine. Sur son divan, on entend aussi la Chine d'aujourd'hui.

10ᵉ épisode : Où l'on profite de ce dernier épisode pour évoquer l'avenir.

Dr Huo : Ici dans quelques années tous .... Parce que c'est le centre. Ce sera un quartier commercial. Tous les habitants .... La Chine suit la même ligne que l'Américain (l'Amérique). C'est un problème. On ne peut pas trouver des gens qui sait (connaît) les problèmes ....
alors qui .... la Chine vers une voie juste. On ne peut pas. Il faut attendre 10 ans, 20 ans pour .... et puis après, on commence à construire la ville. Non, on ne peut pas. Je sais bien que les (la) plupart des Chinois, (*passage incompréhensible*) veulent de grand pouvoir et puis quand ils (*passage incompréhensible*) penser ça, c'est le signe de la modernité. Mais en même temps les conséquences de ce changement, c'est introduire quelque chose (d')inhumain. Donc l'humanité petit à petit disparaît. Mais les Chinois maintenant .... (pris) conscient de la disparition de (l')humanité.

Bruits de rue

Au niveau …………….. ou bien matériel, le changement est trop rapide. Dans ce cas-là, donc on essaie l'histoire… En Chine continentale, on pensait toujours la tradition est contradictoire avec la modernité donc on a une tendance de jeter l'histoire ……………. . On voit bien les ……………. ou bien les Taïwanais mieux garder et maintenir les relations entre ……………. la modernité. Au fond, l'influence occidentale, c'est l'influence de l'individualisme qui est contradictoire avec ……………. . Donc si la psychanalyse aide les Chinois ……………. , dans ce cas-là, la psychanalyse va se développer en Chine.

Chants

L'analyse c'est l'acte de ré……………. .

Bien sûr c'est ça. Justement, maintenant certains patients ……………. à lire les classiques chinois pour comprendre soi-même, c'est pourquoi je dis la psychanalyse aide les Chinois à résoudre le conflit entre le rapport aux traditions et ……………. . Le régime communiste, aussi c'est ……………. .

MHB : La psychanalyse, c'est occidental aussi.

Dr Huo : Oui justement. Peut-être aussi, c'est grâce à ça, les Chinois continentaux l'acceptent plus facilement la psychanalyse ……………. . On verra. Je suis sûr que la psychanalyse se développera en Chine plus ou moins rapidement. ……………. , la psychanalyse chinoise jouira d'une nouvelle fonction ……………. . Les questions c'est comment on peut former des bons psychanalystes ? Qui ne sont pas des gens qui répètent simplement des livres psychanalytiques, qui connaissent bien la situation réelle des Chinois. Il faut faire une double opération. C'est-à-dire on doit donner une interprétation psychanalytique sur la Chine et en même temps on doit ………. .

MHB : Vous fumez le cigare comme Freud !

Dr Huo : Les Chinois qui ……………. sont très rares, parce qu'avant c'est les paysans qui fument les cigares, les cigares fabriqués par eux-mêmes. Donc les nouveaux riches chinois n'ont pas l'habitude des riches occidentaux, pas encore. Les patrons (s)ont des angoisses. Mais peut-être parce qu'on a (est) encore trop petits, les patrons ne connaissent pas la psychanalyse. Alors le premier pas c'est séduire ……………. venir dans le cabinet psychanalytique. À mon avis, si les nouveaux riches viendront dans le cabinet psychanalytique, ça signifie donc la psychanalyse prend une racine dans……………… .

MHB : Mais vous aurez plus le temps de fumer votre cigare !

Et voilà, « Le divan de monsieur Huo ». C'est fini.

Marie-Hélène Bernard, Arte Radio.

---

❸ L'obésité au Canada

 Enregistrement n° 19

Activité 9

Écoutez ce court document traitant du problème de l'obésité au Canada et relevez le processus argumentatif : constats, explications, commentaires, analyses, propositions s'entrecroisent dans ce document. Relevez l'explicite, décelez l'implicite et arrivez à une conclusion.

Activité 10

Préparez un court exposé démontrant qu'il n'est pas facile de vaincre le problème de l'obésité en Amérique du Nord.
Pistes :
– le problème de l'obésité a été analysé (on en connaît les causes mécaniques tant sur le plan de l'individu que de la société) ;
– y remédier est possible mais entraînera un changement de pratiques culturelles tant sur le plan alimentaire que sur le plan de l'environnement.

 4

Maux et mots de la physique

🎧 **Enregistrement n° 20**

<u>1re étape</u> : travail sur la compréhension de l'oral

Activité 11

Lisez les rubriques ci-dessous avant d'écouter la première partie de la conférence. Un signal sonore vous indiquera le moment d'interrompre l'écoute, au bout de 2 minutes environ. Prenez des notes pendant cette écoute, puis renseignez les rubriques.

Contexte et informations utiles sur le document sonore (lieu / cadre, date, conditions, etc.) :

....

Thèmes abordés : ....

Lien avec l'actualité : ....

Autres questions soulevées : ....

Invité(s) : ....

Activité 12

Écoutez à présent le document en entier depuis le début (environ 10 minutes). Essayez de relever aussi précisément que possible noms propres, dates, événements, etc.
Qu'avez-vous relevé sur :
– l'appel Russell-Einstein ;
– Joseph Rotblat ;
– le projet Manhattan ;
– les différents anniversaires cités par Jean-Marc Lévy-Leblond ;
– les thèmes développés par Jean-Marc Lévy-Leblond.

Activité 13

Écoutez une deuxième fois l'enregistrement et répondez aux questions :
– Qu'est-ce que l'appel Russell-Einstein ?
– Qui est Joseph Rotblat ?
– Qu'est-ce que le projet Manhattan ?
– Pourquoi Jean-Marc Lévy-Leblond cite-t-il ces différents anniversaires ?
– Quel(s) thème(s) Jean-Marc Lévy-Leblond va-t-il développer par la suite ?

Noter : Il s'agit de questions semblables à celles que l'examinateur pourrait vous poser à la suite de votre compte rendu pour vérifier votre compréhension fine du document.

2e étape : préparation du compte rendu

Activité 14

Réunissez les éléments en vue de faire un compte rendu oral de la conférence. N'oubliez pas d'utiliser régulièrement des verbes ou des tournures adéquates pour rapporter les propos du conférencier (voir corrigés).

3e étape : préparation du point de vue argumenté

Activité 15

Choisissez un des sujets ci-dessous et répondez-y en développant une argumentation avec des exemples. Essayez de collecter des arguments pour et contre afin de mieux contrer votre interlocuteur lors du débat.

- Quelle doit être l'éthique du scientifique face à des questions comme la bombe atomique ?
- Quelle position doit adopter le scientifique dans les questions de politique (guerre par exemple) ?
- Selon vous, de quels maux souffre la science à l'heure actuelle ?
- Comment les scientifiques peuvent-ils se faire comprendre du grand public ?

❺ Pour ou contre le musée du Quai Branly ?

 Enregistrement n° 21

Activité 16

Écoutez le document en prenant des notes en vue de saisir l'essentiel. Dès les premières minutes, choisissez une stratégie adéquate (voir p. 138).

1. Identifiez les invités (nom, qualité, prise de position).
2. Après avoir présenté la problématique abordée dans le document, entraînez-vous, en vue du compte rendu, à restituer la teneur des échanges. Vous pourrez utiliser des formules telles que « X soutient que… », « X lui rétorque que… », « Ce à quoi X répond que… ».
Que retient-on des positions adoptées par les deux invités ? Sur quels points leurs positions divergent-elles et sur lesquels se rejoignent-elles ?
3. Si on vous demandait de parler des Arts premiers, comment les définiriez-vous ?

Activité 17

Quelques précisions peuvent vous être demandées à l'issue de votre compte rendu. Voici des exemples de questions possibles. Efforcez-vous d'y répondre avec précision.

1. Pouvez-vous revenir sur l'origine du nom du musée ?
2. Qu'entend-on par muséographie ?
3. Qu'entend-on par approche pédagogique ?
4. En quoi est-il intéressant de faire référence à Jean Rouch ?
5. Doit-on comprendre que le MQB a pour vocation de vider les réserves d'autres musées ?
6. Pouvez-vous expliciter la remarque de Valérie de Salles : « Le gros problème avec ce musée, c'est qu'il se place sur un créneau fragile, devant allier à la fois l'art et le savoir. »

Activité 18

Préparez en une vingtaine de minutes votre point de vue argumenté sur l'un des sujets suivants :

SUJET 1

Vous proposez un projet d'exposition (peinture, photographie, presse, dessins humoristiques…) au directeur du Centre Culturel Français. Bien décidé à le convaincre, vous lui en présentez les contenus.

SUJET 2

Voici une citation de Jean Rouch : « Les masques africains ne sont pas faits pour être accrochés sur les murs, ils sont faits pour danser. »

La volonté de permettre au grand public d'accéder à l'art donne-t-elle tous les droits ?

Vers l'épreuve

Ce chapitre vous propose de vous entraîner avec des documents aussi longs que ceux proposés lors de l'épreuve.

DOSSIER 1 : Le documentaire scientifique doit-il être objectif ?

Enregistrement n° 22

1re étape : Écoute et prise de notes

Activité 1

Lisez les rubriques ci-dessous puis écoutez l'introduction du document jusqu'au signal sonore. Pendant l'écoute, écrivez directement les informations demandées ou prenez des notes pour le faire ensuite.

Contexte et informations utiles sur le document sonore (lieu / cadre, date, conditions, etc.) :

....

Problématique : ....

Thèmes abordés : ....

Liens avec l'actualité : ....

Autres questions soulevées : ....

Participants, invités : ....

Activité 2

1. Distinguez les points communs et les différences entre les invités. Est-il possible de constituer des groupes ? Pourquoi ?

   ....

2. Relevez également les termes qui reviennent souvent afin de les abréger d'après vos propres codes.
   Exemples : *le documentaire scientifique, la science…*

   ....

Activité 3

Écoutez la totalité du document en prenant des notes en vue de saisir au moins l'essentiel. Retrouvez les différents intervenants et résumez leur prise de position.

....

....

Activité 4

Écoutez une seconde fois le document et essayez de noter les arguments précis et les exemples de chacun. Attention, il s'agit de la dernière écoute !

....

....

Activité 5

Après cette deuxième écoute, êtes-vous en mesure de répondre aux questions suivantes ?

1. De quoi a été accusé Thomas Nagati ?
2. Quelles expressions révèlent la violence des critiques à son égard ?
3. Quels reproches fait-on au film de Thomas Nagati ?
4. Quels liens abusifs ont été faits entre Thomas Nagati et la théorie dont on l'accuse ?
5. Comment réagissent les deux autres invités ? Soutiennent-ils Thomas Nagati ou au contraire, sont-ils en désaccord avec lui ?
6. Quelles expressions emploie Hervé Gayic pour dire qu'il a vu deux fois le film ? Que souligne-t-il par là ?
7. Expliquez le paradoxe énoncé par Jean-Pierre Tillier, selon lequel il est souhaitable qu'un documentaire scientifique manque d'objectivité.

NB : Les examinateurs sont susceptibles de vous poser des questions sur une partie du document que vous auriez occultée pendant votre présentation.

2e étape : Préparation du compte rendu

Activité 6

Décrivez les deux types de films évoqués et les arguments pour et contre :

– films qui défendent une thèse : ....

– films qui présentent deux visions : ....

Activité 7

Remue-méninges autour du vocabulaire. Donnez une définition de :

– anthropomorphisme (pour désigner une déviance des films animaliers) : ....

....

– vulgarisation scientifique : ....

....

– néo-créationnisme (trouvez un antonyme) : ....

Activité 8

Reprenez vos notes et organisez votre compte rendu. Adopterez-vous un plan personnel ou suivrez-vous les thèmes évoqués lors des échanges successifs ?

Pistes pour l'introduction :
Les récentes productions de documentaires grand public.
La vulgarisation de la science et la déformation par les médias.

Plan possible :
Les accusations contre Thomas Nagati.
1. créationnisme : définition.
2. une seule thèse : manque d'objectivité.
Défense de Thomas Nagati.
Défense des deux autres invités.

Pistes pour la conclusion :
Conclusion sur un manque d'objectivité parfois souhaitable : paradoxe à commenter.
Suite aux violentes attaques subies par le film, ce débat vient réhabiliter le travail de Thomas Nagati et explique les dérives qui ont pu survenir dans l'interprétation du film.

3ᵉ étape : Préparation du point de vue argumenté et du débat

Choisissez un des sujets ci-dessous. Vous disposez de 45 minutes environ pour le préparer.

SUJET 1

Le débat se termine sur cette phrase : « Alors, selon vous, Jean-Pierre Tillier, que devrait-on faire lorsqu'une thèse est aussi mise en doute que celle-ci. De quelle façon la présentez-vous au grand public ? »
Répondez à cette question, soit :
– en tant que représentant d'une émission de vulgarisation ;
– en tant que porte-parole d'une association autour de l'enseignement de la science au grand public ;
– en tant que chargée de communication dans un complexe consacré aux sciences (comme la Cité des sciences de Paris, par exemple).

SUJET 2

Le documentaire scientifique peut-il ne présenter qu'une seule thèse ou doit-il mettre en regard les différentes conclusions sur un même phénomène ?
Il est ici question de **l'objectivité** de la science. « Présenter les choses de manière objective » signifie-t-il :
– expliquer les différentes théories existantes ?
– expliquer la théorie la plus reconnue ?
– expliquer une théorie divergente de la majorité ?
Vous prendrez position sur ce sujet lors d'un colloque, en tant que réalisateur ou en tant que scientifique.

SUJET 3

La principale mission d'un documentaire scientifique, fut-il traité sous la forme d'un docu-fiction, est-elle de vulgariser les connaissances scientifiques, ou s'agit-il au contraire d'une œuvre personnelle du réalisateur qui peut prendre des libertés avec la réalité souvent complexe et contradictoire du savoir scientifique ? Dans ce cas, quel public non averti à qui ces productions sont destinées peut faire la part entre les connaissances reconnues par la communauté scientifique et la création cinématographique ? À vouloir trop simplifier la science, pour la rendre accessible, ne la dénature-t-on pas ?

Activité 9

Remue-méninges. Voici quelques éléments qui pourront alimenter votre argumentation :
– histoire de la science : Copernic, Galilée, les grands scientifiques ne sont parfois pas reconnus à leur époque ;
– évolution des représentations depuis l'Antiquité (le principe des atomes était déjà plus ou moins présents chez certains philosophes grecs).

Activité 10

Écrivez tous les arguments pour et contre qui vous viennent à l'esprit. Même si vous soutenez une position franche, il est important de prévoir les arguments que pourra vous opposer le jury :
– arguments pour : ....
....
– arguments contre : ....
....
– vision mitigée : ....
....

Lettres et sciences humaines

VERS L'ÉPREUVE

DOSSIER 2 : Albert Camus, le discours de Stockholm

Nous vous proposons d'écouter le discours d'Albert Camus sur le site France Culture http://www.radiofrance.fr/chaines/france-culture2/sommaire/. Ce document se compose de deux séquences à aborder séparément.

> → Albert Camus, la pensée de midi   août 2006
> À l'occasion de la reparution dans la bibliothèque de la Pléiade des œuvres complètes d'Albert Camus, une série de treize émissions composées d'archives, de rencontres avec des témoins et d'études approfondies de quelques œuvres philosophiques, diffusées au cours de l'été 2006.
>
> LIEN DIRECT :
> http://www.radiofrance.fr/chaines/france-culture2/dossiers/2006/camus/emissions.php

Activité 1

Écoutez deux fois le début du document jusqu'à « C'est dire enfin que la grandeur de Camus ne tient pas seulement à ses œuvres mais aussi, et surtout peut-être, au bel exemple de sa vie, à cette trajectoire magnifique, achevée trop tôt de la manière la plus bête du monde sur la route de Villeblevin… » (2 : 42). Prenez des notes puis organisez-les.

Activité 2

 Enregistrement n° 23

Écoutez les questions qui vous sont adressées et apportez une réponse appropriée. Les questions suivent l'ordre du texte et vous avez le droit de consulter vos notes. Entre chaque question, vous disposez de 30 secondes pour répondre oralement.

1. Pouvez-vous m'apporter quelques précisions sur l'émission dont il est question ?
2. À quel événement littéraire Raphaël Aendoven fait-il allusion ?
3. Quel portrait de Camus Raphaël Aendoven a-t-il fait initialement ?
4. À qui Albert Camus apporte-t-il des réponses ?
5. Quelle leçon essaie-t-il de donner ?
6. Quelle est la note sombre dans cette présentation ?
7. À qui opposa-t-on longtemps Albert Camus ?
8. Au bout du compte, qu'est-ce qui a permis à Albert Camus d'acquérir l'envergure et la dimension qu'on lui connaît ?

Écoutez les questions qui vous sont adressées et apportez une réponse appropriée. Les questions suivent l'ordre du texte. Entre chaque question, vous disposez de 30 secondes pour répondre oralement. Si nécessaire, vous pouvez consulter brièvement et discrètement vos notes.

Toutes les questions n'appellent pas forcément une réponse évidente. L'examinateur peut parfois attendre une information précise. À vous d'estimer s'il convient ou non d'aller plus loin. Afin d'évaluer votre performance, travaillez en binôme ou enregistrez-vous. Vous pouvez aussi choisir de noter les réponses que vous feriez et les comparer aux pistes présentées dans le corrigé.

VERS L'ÉPREUVE

Activité 3

Écoutez deux fois la deuxième séquence du document à partir de « Ce qui est vrai, c'est que Camus se méfiait de la reconnaissance et n'aimait pas l'argent, or le voici étiqueté comme humaniste, riche à millions et en première page du *New York Times* » (de 10 : 30 à la fin). Prenez des notes.

Activité 4

 Enregistrement n° 24

Écoutez maintenant ces questions. Appuyez sur pause entre chaque question et répondez aux questions oralement.

1. En quoi la crise que traverse Albert Camus rend-elle ironique cette remise de prix ?
2. Quelles tensions intérieures sont mises à jour avec la remise de ce prix ?
3. Cette remise de prix donne lieu à l'exercice obligé du discours. Selon vous, ce discours est-il resté dans les mémoires ?
4. Le journaliste glisse au passage une référence à l'œuvre de Camus en évoquant « la mélancolie de l'étranger ». Mais revenons au discours. Au-delà des remerciements de circonstances, quel est le premier message adressé par Albert Camus à l'assemblée ?
5. Albert Camus fait alors référence à deux contextes historiques ; les avez-vous notés ?
6. Vers qui vont ses pensées au moment de la remise de prix ?
7. Qu'est-ce qui lui permet de retrouver un peu de sérénité ? À quoi se raccroche-t-il pour retrouver un peu de paix intérieure ?
8. Comment conçoit-il l'art ?
9. « L'artiste comprend, ne juge pas. » Et l'écrivain dans tout cela, quel est son rôle, selon Albert Camus ?
10. Que peut faire l'écrivain pour relayer le silence du prisonnier, de l'homme humilié ?
11. D'ailleurs, Albert Camus estime qu'il faut se mettre au service de deux causes fondamentales. Lesquelles ?
12. En quoi Albert Camus apparente-t-il ce qu'il considère comme sa mission à un sacerdoce ?
13. Plus loin, Albert Camus fait référence à une classe d'âge particulière. Pourquoi selon vous ?
14. Sur le compte de quoi met-il les dérives totalitaristes de certains hommes ?
15. En quoi la génération d'Albert Camus est-elle différente des autres, selon lui ?
16. Sa génération ne refera pas le monde mais, selon lui, évitera qu'il ne se défasse. Pourquoi le monde se déferait-il ?
17. En quoi la mission qu'il assigne aux hommes de sa génération est-elle ambitieuse ?
18. Y croit-il vraiment ?
19. Il montre une habileté certaine à manier le paradoxe quand il évoque la place que doit retrouver l'écrivain... Pouvez-vous en citer quelques exemples ?

Si vous avez répondu à la plupart des questions, vous êtes en mesure de faire votre compte rendu oral.

Activité 5

Les écrivains ont-ils un rôle à jouer dans la société ? Doivent-ils obligatoirement être engagés ? Essayez de défendre votre point de vue et de conserver la parole pendant une dizaine de minutes. À vous de jouer. Voici quelques pistes :

Sur l'engagement des écrivains
– pour une cause politique (Hugo).
– par pur humanisme.
– pour la recherche de la vérité (Nietzsche).

Sur le désengagement
– l'art pour l'art.
– individualisme (chez certains auteurs comme Houellebecq).
– littérature d'évasion, aventures.
– parfois collaboration avec les structures politiques en place (soutient l'idéologie) : littérature = moyen de propagande.

L'écrivain est une personne publique, mais peut-il se montrer réservé sur ses opinions ?

Exemples d'épreuve

ttres
iences
naines

DOSSIER 3 : Faut-il enseigner les langues classiques à l'école ?

Enregistrement n° 25

Vous allez entendre <u>deux fois</u> un enregistrement sonore de 15 minutes environ.
* Vous écouterez une première fois l'enregistrement. Concentrez-vous sur le document.
* Vous aurez ensuite 3 minutes pour relire les consignes de l'exercice.
* Vous écouterez ensuite une deuxième fois l'enregistrement.
* Vous aurez 1 h 00 pour préparer votre intervention. Cette intervention se fera en trois parties :
– présentation du contenu du document sonore ;
– développement personnel à partir de la problématique proposée dans la consigne ;
– discussion avec le jury.

1. MONOLOGUE SUIVI : PRÉSENTATION DU DOCUMENT

Vous devez présenter, en cinq minutes environ, le contenu du document. Vous aurez soin de reprendre l'ensemble des informations et points de vue exprimés. Vous organiserez votre présentation selon une structure logique et efficace qui facilitera l'écoute pour le destinataire.

2. MONOLOGUE SUIVI : POINT DE VUE ARGUMENTÉ

Vous travaillez comme professeur de français. Vous intervenez dans un débat sur les enjeux et l'utilité de l'apprentissage des langues étrangères aujourd'hui. Vous soulignez l'importance de l'apprentissage des langues étrangères et vous exposez votre point de vue sur la meilleure manière de les enseigner.

3. EXERCICE EN INTERACTION : DÉBAT

Dans cette partie, vous débattrez avec le jury. Vous serez amené(e) à défendre, nuancer, préciser votre point de vue et à réagir aux propos de votre interlocuteur.

EXEMPLE D'ÉPREUVE

Lettres et sciences humaines

DOSSIER 4 : L'école doit-elle tout enseigner ?

Enregistrement n° 26

Vous allez entendre <u>deux fois</u> un enregistrement sonore de 15 minutes environ.
* Vous écouterez une première fois l'enregistrement. Concentrez-vous sur le document. Vous êtes invité(e) à prendre des notes.
* Vous aurez ensuite 3 minutes de pause.
* Vous écouterez ensuite une deuxième fois l'enregistrement.
* Vous aurez alors 1 h 00 pour préparer votre intervention. Cette intervention se fera en trois parties :
– présentation du contenu du document sonore ;
– développement personnel à partir de la problématique proposée dans la consigne ;
– débat avec le jury.

1. MONOLOGUE SUIVI : PRÉSENTATION DU DOCUMENT

Vous devez présenter, en cinq minutes environ, le contenu du document. Vous aurez soin de reprendre l'ensemble des informations et points de vue exprimés. Vous organiserez votre présentation selon une structure logique et efficace qui facilitera l'écoute pour le destinataire.

2. MONOLOGUE SUIVI : POINT DE VUE ARGUMENTÉ

Vous travaillez au ministère de l'Éducation dans votre pays. Une radio francophone vous invite à participer à une émission portant sur la problématique suivante : « Les missions de l'école doivent-elles être de réduire les différences entre les enfants d'un même pays ou au contraire de les valoriser ? » Vous intervenez en présentant votre point de vue sur ce sujet.

3. EXERCICE EN INTERACTION : DÉBAT

Dans cette partie, vous débattrez avec le jury. Vous serez amené(e) à défendre, nuancer, préciser votre point de vue et à réagir aux propos de votre interlocuteur.

AUTO-ÉVALUATION

AUTO-EVALUATION

	oui	pas toujours	pas encore

Écouter

Je n'ai aucune difficulté à comprendre le langage oral, qu'il soit « live » ou dans les médias, même quand on parle vite. J'ai juste besoin d'un peu de temps pour m'habituer à un accent particulier.

☐ ☐ ☐

S'exprimer oralement en continu

Je peux comprendre et résumer oralement des informations de diverses sources, en reproduisant arguments et contenus factuels dans une présentation claire et cohérente.

☐ ☐ ☐

Je peux exposer avec une grande souplesse des concepts et des points de vue ce qui me permet de souligner ou différencier les informations et de lever les ambiguïtés.

☐ ☐ ☐

Stratégies

Je peux, en cas de difficulté, reprendre et reformuler mon propos de manière si habile que l'interlocuteur s'en rend à peine compte.

☐ ☐ ☐

Qualité / Moyens linguistiques

Je peux m'exprimer de manière naturelle, sans aucune peine ; je dois juste parfois réfléchir un instant pour trouver les mots justes.

☐ ☐ ☐

Je peux exprimer avec précision des nuances de sens assez fines en utilisant avec une correction suffisante une grande gamme de moyens d'expression pour mieux préciser mes affirmations et pour expliciter dans quelle mesure quelque chose est valable.

☐ ☐ ☐

Je peux utiliser avec assurance des expressions idiomatiques et des tournures courantes, en connaissant leurs significations au deuxième degré.

☐ ☐ ☐

Je peux m'exprimer de manière grammaticalement correcte même quand j'utilise des moyens d'expression complexes et que mon attention est engagée ailleurs.

☐ ☐ ☐

COMPRÉHENSION ET PRODUCTION ÉCRITES

► Production d'un texte structuré (article, éditorial, rapport, discours…) à partir d'un dossier de documents d'environ 2 000 mots.

COMPRÉHENSION ET PRODUCTION ÉCRITES

Le niveau C2 (selon le *Cadre européen commun de référence pour les langues*)

Je peux écrire un texte clair, fluide et stylistiquement adapté aux circonstances.

Je peux rédiger des lettres, rapports ou articles complexes, avec une construction claire permettant au lecteur d'en saisir et de mémoriser les points importants.

Je peux résumer et critiquer par écrit un ouvrage professionnel ou une œuvre littéraire.

► L'épreuve

Comme pour le DALF C1, le candidat doit choisir le domaine dans lequel il sera évalué : lettres et sciences humaines ou sciences.

Au niveau C2, l'argumentation prend souvent la forme d'un article ou d'un éditorial que le candidat doit rédiger en 3 h 30. Cet exercice est lié à la lecture d'un dossier constitué de plusieurs documents sur un thème précis. Le candidat doit prendre position, justifier son point de vue argumenté tout en se reposant sur les articles qui lui sont proposés. Voici un exemple de sujet :

Éditorial

> Vous êtes rédacteur en chef d'un hebdomadaire. Vous devez rédiger l'éditorial de votre magazine dont le thème, cette semaine, porte sur les énergies renouvelables. Pour cela, vous prenez position, au nom de votre magazine, pour ou contre la politique énergétique actuelle de la France en y apportant les nuances qui vous paraissent nécessaires. Vous devez appuyer votre argumentation sur les documents qui vous sont remis afin d'illustrer vos propos et votre engagement.

Contrairement au niveau C1 où la reprise d'éléments des documents de départ (qui servent avant tout à la synthèse) est facultative, il est obligatoire, au niveau C2 du DALF, d'utiliser les éléments des documents qui vous sont présentés. Vous devez bâtir votre argumentation à partir d'opinions et/ou d'exemples qui appartiennent à votre expérience personnelle mais également aux documents qui vous ont été remis dans le dossier.

Quelle que soit la forme du sujet qui vous est proposé, vous devrez le traiter en respectant le nombre de mots imposé. Il est important de respecter ce nombre de mots. Vous disposez cependant d'une marge de 10 %, en plus ou en moins. Par exemple, si le sujet stipule 800 mots, votre production écrite doit comporter entre 720 et 880 mots.

Pour vous entraîner

1. BIEN RÉUSSIR SON ARGUMENTATION

Dans le cadre du DALF C2, l'argumentation occupe une place prépondérante en production écrite. Si les sujets sont différents du DALF C1, la technique de l'argumentation reste la même. Il vous sera demandé, au niveau C2, un travail plus long (700 ou 800 mots) sous la forme d'un éditorial ou d'un article de type journalistique.

Vous constaterez que vous serez renvoyés régulièrement à la partie sur l'argumentation que nous avons développée pour le DALF C1. La technique de rédaction, en effet, reste la même. Vous serez, par ailleurs, évalué à partir de critères sensiblement identiques.

❶ L'évaluation de votre travail

Voir le chapitre consacré à ce sujet au DALF C1, page 81.

❷ La méthode de travail

Voir le chapitre consacré à ce sujet au DALF C1, page 82.
Faire un plan : page 82.
Faire une introduction : page 82.
Faire un développement : page 83.
Faire une conclusion : page 83.

2. EXEMPLE DE TRAITEMENT INTÉGRAL DE SUJET DE NIVEAU C2

Vous trouverez ci-dessous un exemple de sujet (éditorial) traité intégralement.

SUJET 1

L'Europe décide, peu à peu, de sortir du nucléaire pour s'orienter vers le développement des énergies renouvelables. Vous rédigez un éditorial de 850 mots pour votre journal en prenant ouvertement position sur le sujet. Vous disposez d'un dossier de quatre articles. Il vous appartient de vous référer à ces documents dans votre argumentation.

Document 1

Durée de vie des centrales, l'EPR, l'arbre qui cache la forêt?

Alors que l'ensemble des milieux écologistes et antinucléaires est mobilisé pour qu'une autre politique énergétique se mette en place dans le cadre du Plan pluriannuel d'investissement (PPI) voté à l'automne 2003 par les parlementaires, EDF (Électricité de France) continue d'intégrer les paramètres du prolongement à 40 ans de ses réacteurs.

Ainsi, le président de la commission d'audit d'EDF, Jean-Michel Charpin, a estimé le 1er avril 2003, lors d'une audition par la Commission d'enquête de l'Assemblée Nationale sur la gestion des entreprises publiques, qu'« il n'était pas illégitime de faire passer la durée d'amortissement des centrales nucléaires de 30 à 40 ans ». « Prolonger la durée de vie des centrales nucléaires est bon pour le pays et pour l'entreprise », a ajouté, à titre personnel, M. Charpin, en citant l'exemple des États-Unis qui ont récemment décidé de prolonger le fonctionnement de certaines centrales jusqu'à 60 ans. Rappelons qu'aux États-Unis, où le dernier réacteur a été commandé en 1973, aucune centrale actuellement en fonctionnement n'a atteint 40 ans et que certaines d'entre elles devraient être arrêtées pour des raisons de sûreté. […]

EDF a la volonté de faire durer ses centrales au moins quarante ans. Il est à craindre que, dans le contexte de libéralisation, avec la recherche de la baisse du prix du kWh, la sûreté passe au second plan dans les calculs d'EDF. L'Autorité de sûreté nucléaire (ASN) ne se prononcera qu'à l'issue des troisièmes visites décennales (VD3), qui débuteront à partir de 2007. Mais encore faudrait-il que les consignes de l'ASN soient suivies d'effet par EDF. Rappelons par exemple que l'ASN avait demandé, avant l'inondation de la centrale du Blayais, le rehaussement des digues de protection. EDF avait sollicité et obtenu de l'ASN des délais importants avant de réaliser les travaux. […] Malgré cela, il ne faut pas se faire d'illusion, il n'y aura pas de consultation démocratique des populations pour connaître leur avis sur le prolongement des réacteurs. Au mieux, les représentants associatifs siégeant dans les Commissions locales d'information (CLI) pourront obtenir une expertise indépendante. […]

Pendant qu'EDF va dépenser des centaines de millions d'euros pour maintenir en état « notre patrimoine nucléaire », elle concocte l'arrêt du parc thermique classique. Pourtant, les centrales au charbon pourraient être modernisées pour éliminer les polluants autres que le gaz carbonique (oxyde d'azote, oxyde de soufre) et contribuer, avec des centrales au gaz à cycle combiné, à assurer la transition nécessaire pour la sortie du nucléaire.

Quant à l'efficacité énergétique et aux énergies renouvelables, seules véritables réponses écologiques à la question énergétique, la France continue de prendre du retard. Ainsi, l'Allemagne est passée d'une puissance installée en éolien de 8 500 MW en 2001 à 12 000 MW en 2002, contre une progression de 110 MW à 150 MW en France pour la même période. Pour ce qui est du solaire thermique, les chiffres sont aussi édifiants, avec un rythme d'installation de 45 000 m2/an en France, contre 900 000 m²/an en Allemagne. […]

Hervé Prat, Association pour l'information rhodanienne sur l'énergie (AIRE),
http://www.sortirdunucleaire.org, réseau « Sortir du Nucléaire ».

Document 2

Énergies renouvelables et nucléaire divisent l'UE

La place à réserver aux énergies renouvelables et au nucléaire divise l'Union européenne, particulièrement la France et l'Allemagne, à quelques jours d'un sommet qui devra trancher sur ce dossier.

Les ministres des Affaires étrangères des Vingt-Sept ne sont pas parvenus à aplanir leurs divergences sur ces deux points même s'ils sont d'accord sur les grandes lignes d'une stratégie de lutte contre le réchauffement climatique.

« Aucune percée n'était possible », a déclaré le chef de la diplomatie allemande, Frank-Walter Steinmeier, dont le pays assume la présidence de l'Union, tout en assurant qu'il y aurait « une décision » au Conseil européen de jeudi et vendredi. Les gouvernements de l'Union européenne sont facilement parvenus à un compromis ces dernières semaines sur quelques grands principes qui seront entérinés lors de cette réunion.

Ils se sont fixés pour objectif de réduire de 20 % au moins en 2020 par rapport à son niveau de 1990 la production de gaz à effet de serre responsables du réchauffement climatique. Il s'agit, peut-on lire dans le projet de conclusions, d'un « engagement indépendant ferme » : en clair, les Européens sont prêts à aller jusqu'à une réduction de 30 % si les autres grands pays industrialisés les suivent, mais ils parviendront quoi qu'il arrive à une réduction de 20 % des émissions de CO_2.

L'Union européenne rendra également obligatoire à cet horizon l'incorporation d'au moins 10 % de bio-carburants dans les carburants utilisés par les voitures automobiles. Mais l'un des principaux points de contentieux reste la détermination de la présidence allemande de l'Union européenne à fixer un objectif contraignant de 20 % d'énergies renouvelables – solaire, éolien ou biomasse – à atteindre d'ici 2020.

« Il s'agit de mettre l'accent sur les énergies renouvelables », a expliqué Steinmeier lors d'une conférence de presse en souhaitant que « l'ambition soit le maître mot ». La chancelière Angela Merkel s'est person-nellement impliquée dans la négociation et entend obtenir gain de cause. Elle a d'ailleurs arraché la semaine dernière l'appui des Britanniques, qui refusaient jusqu'à présent de s'engager de manière ferme mais qui ont changé d'avis au nom de la crédibilité de la lutte contre le réchauffement, et plusieurs pays, dont la Suède, le Danemark et l'Italie, ont suivi. […]

Mais la France, alliée aux pays de l'Est, se cabre. « Nous ne sommes pas favorables à un objectif contrai-gnant qui ne concernerait que les énergies renouvelables », a souligné la ministre française aux Affaires européennes, Catherine Colonna, lors d'une conférence de presse. La France mise beaucoup sur le retour en grâce du nucléaire, qui produit l'essentiel de son électricité et ne dégage pratiquement pas de CO_2, alors que l'Allemagne a décidé une sortie progressive de la filière atomique, ce qui explique son insistance sur des niveaux élevés d'énergies renouvelables.

Paris pourrait toutefois accepter un objectif contraignant sur les énergies renouvelables, mais uniquement à condition qu'il fasse partie d'un objectif global pour les « énergies non carbonées », dont le nucléaire, a expliqué Colonna : « La priorité […], c'est bien la lutte contre le réchauffement climatique. » […]

Reuters, http://www.lexpress.fr, 5 mars 2007.

Document 3

L'éolien se heurte au lobby du nucléaire

Les détracteurs de l'éolien mettent en exergue l'aspect très aléatoire du moyen de production et son coût prohibitif. Qu'en dites-vous ?

Jean-Michel Germa : L'énergie éolienne fait partie des choix de société, avec son environnement et son économie. De grands pays industriels comme les États-Unis, l'Allemagne ou l'Espagne ont fait le choix éolien, en lui donnant une place conséquente. Entre 1995 et aujourd'hui, il s'est construit dans le monde 40 000 MW de puissance éolienne, avec 140 000 emplois à la clé. Tout cela correspond à la consomma-tion de 30 millions de ménages européens. Dans le même temps, il n'y a eu que 1 500 MW supplémen-taires en nucléaire, avec pas mal de pertes d'emplois. De son côté, la France continue à faire croire que l'éolien est cher. […] Il faut savoir que plus une énergie est décentralisée, plus elle crée d'emplois. L'éolien crée cinq fois plus d'emplois par kilowattheure que le nucléaire. […]

D'aucuns reprochent un développement anarchique de l'éolien. Votre avis ?

C'est inacceptable d'entendre cela. Nous travaillons dans un cadre légal et juridique très strict. On ne peut transgresser le choix des élus. Pas plus que l'on peut soudoyer les maires puisque c'est le préfet qui délivre le permis de construire. L'enquête publique est de rigueur et il faut satisfaire au code de l'urbanisme. Vous savez, c'est aujourd'hui plus facile de construire un supermarché que trois éoliennes ! […]

Tout cela compromet-il l'avenir de la filière ?

Si la France n'a pas d'industrie éolienne, c'est parce qu'elle n'en a pas voulu. En 1998, la Compagnie du vent employait cinq personnes à Montpellier. Depuis, nous avons créé 50 emplois ici et 10 au Maroc. C'est respectable de créer des emplois. Sérieusement, si la France prend acte des besoins pour créer une industrie, elle sait ce qu'il faut faire.

Recueilli par Anthony Jones, *Midi Libre*, 11 novembre 2004.

Document 4

DES INDUSTRIELS SUÉDOIS FINANCENT LA CONSTRUCTION DE 150 ÉOLIENNES

Plusieurs entreprises suédoises, grosses consommatrices d'électricité, ont décidé de financer ensemble la construction de 150 éoliennes.

« Il y a eu une telle explosion du prix de l'électricité en Suède que cela en est presque indécent », critique Anders Lyberg, PDG de Vindin, la société qui vient d'être créée à cet effet. Celle-ci est une émanation de l'organisation BasEl, un groupement d'industriels suédois qui se sont rassemblés, il y a deux ans, pour promouvoir des projets destinés à augmenter l'offre d'électricité par le biais de la production ou des importations.

Créée il y a quelques semaines, Vindin est en train d'identifier les sites terrestres sur lesquels pourraient être construites des turbines. Plusieurs parcs sont envisagés, de préférence sur les terrains appartenant aux entreprises impliquées dans le projet, afin d'éviter le coûteux raccordement aux réseaux en place ainsi que le prix du transport de l'électricité.

« La solution éolienne devient intéressante car les turbines sont dix fois plus grosses qu'il y a cinq ans et parce que la production d'énergie renouvelable est subventionnée en Suède. Sans cela, ce ne serait pas rentable », explique M. Lyberg.

Selon Vindin, le prix de l'électricité a doublé ces cinq dernières années. « Les trois principaux producteurs contrôlent l'offre. Ils ne remplissent pas assez les barrages des centrales hydroélectriques, ne font pas marcher les centrales nucléaires à plein rendement et exportent en plus une partie de leur production vers le Sud, insiste M. Lyberg. Tout cela contribue à maintenir les prix à la hausse. Et comme nous sommes sur un marché libre, il n'y a pas grand chose d'autre à faire que de se bouger. » (...)

Vingt-trois sociétés des secteurs minier, forestier, chimique et sidérurgique sont membres de BasEl. Ensemble, elles consomment 32 térawatts par an (1 TWh = 1 milliard de kW), soit plus d'un cinquième de la consommation totale de la Suède. Une dizaine d'entreprises de BasEl ont rejoint le projet Vindin dont l'objectif est de fournir 1 TWh par an d'ici cinq ans, ce qui reviendra à doubler la production suédoise d'énergie éolienne.

« On constate que le prix de l'électricité devient un paramètre qui a pris une importance accrue ces dernières années lorsque nous sommes sur le point d'investir dans de nouvelles capacités de production », note Mikael Hannus, directeur des questions énergétiques de Stora Enso. […]

« La construction de nouvelles centrales nucléaires est bloquée en Suède par le gouvernement et il en va de même pour de nouvelles unités hydroélectriques. L'énergie éolienne est donc le moyen le plus rapide d'augmenter la capacité de production d'électricité », explique Anders Lundqvist, expert en énergie de LKAB, la compagnie qui exploite des mines de fer en Laponie. Cette entreprise envisage de placer une dizaine de turbines au sommet même de sa mine de Kiruna. Le coût du projet s'élèverait aux alentours de 500 millions d'euros. « Mais l'énergie éolienne seule ne suffira pas pour faire face à nos besoins », dit M. Lyberg. […]

Olivier Truc, *Le Monde, Stockholm Correspondance,* http://3dterritoires.free.fr, 2 janvier 2007.

Proposition de plan

Idée essentielle 1	Le choix du nucléaire : danger ou respect de l'environnement ?
• Idée secondaire 1	• Le nucléaire : énergie propre Illustrations à trouver dans les thèmes suivants : nucléaire = énergie alternative, nucléaire = énergie peu polluante.
• Idée secondaire 2	• Le nucléaire, symbole de destruction Illustrations à trouver dans les thèmes suivants : accidents, choix dangereux et réticence de certains pays.
Idée essentielle 2	Les nouvelles orientations : volonté officielle et actes concrets
• Idée secondaire 1	• Les gouvernements s'engagent vers de nouveaux choix Illustrations dans les thèmes suivants : bilan des expériences passées et présentes, signature d'accords et orientations internationales.
• Idée secondaire 2	• L'énergie renouvelable : le futur du citoyen Illustrations / exemples à trouver dans les thèmes suivants : prise de conscience réelle : actions concrètes des États, action des entreprises.

Attention à ne pas vous contredire en traitant ces deux idées secondaires. Vous pouvez les rendre complémentaires en nuançant votre réflexion.

Proposition de traitement

Nous avons souligné de manière différente les éléments issus des divers documents.

> **(Introduction)** De nombreux exemples prouvent que les pays de l'Union européenne ne penchent plus, en matière de poli-tique énergétique, vers le symbole de puissance qu'est le nucléaire. De rares pays tentent encore de résister à cette évolution et d'imposer cette énergie qui est perçue, maintenant, par de nombreuses nations, comme faisant partie du passé. Les gouvernements prennent de nouvelles orientations et dirigent accords internationaux et financements vers les énergies renouvelables. Mais faisons-nous un bon choix ?
>
> **(IE1, IS1)** Malgré les revendications de plus en plus pressantes des écologistes, nous sommes en droit de nous demander si le nucléaire représente réellement un danger pour l'humanité. Le nucléaire, aussi dangereux soit-il lorsque les centrales ne sont pas soumises à des règles strictes de sécurité, reste, qu'on le veuille ou non, une énergie propre. Pourquoi avons-nous, dans de si nombreux pays, abandonné la production d'énergie à base de charbon ou de bois pour la remplacer par l'énergie nucléaire ? Justement, le nucléaire a été une véritable alternative à ces énergies sales et a permis de faire diminuer la pollution atmosphérique causée par les combustions nocives (doc 1), de ralentir la déforestation, voire de cesser le déplacement massif des populations qui a pour but l'exploitation, jusqu'au dernier arbre, des forêts millénaires qui servent de poumon à l'humanité. Certes, l'utilisation d'électricité provenant de centrales utilisant des énergies naturelles, comme les centrales hydroélectriques, permettrait d'écarter tout danger lié au nucléaire, mais les pays, dans ce domaine, ne sont pas égaux. Si le Québec, par exemple, peut faire reposer sa politique énergétique sur la seule puissance hydroélectrique, c'est uniquement parce que sa situation et sa configuration géographiques le lui permettent… naturellement.
>
> **(IE1, IS2)** Mais ne jouons pas non plus avec le feu et cessons de nous voiler pas la face. Dire que le nucléaire est une énergie propre n'est pas un mensonge en soi, mais affirmer que le nucléaire est le futur de l'humanité (et de l'environnement) relève de l'inconscience. Il suffit de faire appel à sa mémoire ou à sa simple

culture générale pour associer le nucléaire à la destruction. Sans aller jusqu'à puiser des exemples dans l'utilisation du nucléaire à des fins guerrières, dressons la liste des accidents, graves et moins graves, liés à des pannes ou des avaries de réacteur nucléaire. Qui ne se rappelle pas l'accident qui a eu lieu dans l'ancienne Union Soviétique à la centrale nucléaire de Tchernobyl ? Certes, le nucléaire ne dégage pas de CO_2 (doc 1), mais peut-on, cependant, nier les risques que l'on fait prendre aux populations civiles ? On peut sincèrement se demander si les pouvoirs publics ont évalué l'ampleur des dégâts causés par un éventuel accident. Il apparaît incroyable que certains pays, comme la France ou des pays d'Europe orientale, en effet, cherchent à maintenir, voire à raviver, l'utilisation du nucléaire. Comment juger la réticence britannique (doc 2) ou le fait que la France cherche à tout prix à rallonger la durée de vie de ses centrales nucléaires, en la faisant passer de 30 à 40 ans (doc 1) ?

(IE2, IS1) Nous pouvons cependant affirmer que l'exemple français fait figure d'exception au sein de l'Union européenne car, d'une façon générale, et même au-delà des frontières de l'Union, le consensus est, d'une part, à la réduction de la pollution atmosphérique et, d'autre part, au ralentissement de l'utilisation du nucléaire (doc 2). Gardons le moral ! C'est, en effet, une tendance bien réelle : de nombreux pays tirent des leçons de leur passé de pollueurs et choisissent de militer pour la réduction de la pollution atmosphérique mais aussi de sortir du nucléaire. Les deux phrases précédentes font répétition. La France, mais aussi les États-Unis et la Grande-Bretagne, ne pourront bientôt plus résister à ce mouvement mondial et devront se plier aux nouvelles règles internationales en signant accords, promesses et conventions (doc 2). Si la résistance peut encore se faire sentir, au travers par exemple du lobbying nucléaire ou du non-respect par certains des accords de Kyoto, nous assisterons prochainement à des changements radicaux de politiques nationales car la prise de conscience des dangers de la pollution et du nucléaire est bien présente au sein des gouvernements mais également des populations (doc 1). L'exemple des orientations données à l'Union sous la présidence européenne de l'Allemagne est un acte concret qui devrait nous rassurer (doc 2).

(IE2, IS2) Les mauvaises langues, toutefois, diront qu'il ne s'agit que d'orientations générales, et que les promesses politiques sont souvent sans lendemain. Il est difficile, en effet, de nier que les hommes et les femmes politiques manient assez bien la promesse d'un futur meilleur pour s'attirer la sympathie des électeurs… et que le concret tarde trop souvent à se réaliser. Mais là encore, ne sombrons pas dans le défaitisme et ouvrons les yeux sur les réalisations qui ont permis de s'éloigner du nucléaire et d'apporter des améliorations tangibles. Les décisions gouvernementales de l'Allemagne (doc 1), du Danemark, de l'Espagne et des États-Unis (doc 3) de développer le parc éolien, bien souvent au détriment du nucléaire, sont autant d'exemples qui prouvent que certains États prennent en main le futur de leurs citoyens. Et ces réalisations ne se limitent pas à la seule action des politiques : en Suède, ce sont les entreprises privées qui, avec l'aide du gouvernement, investissent financièrement dans l'énergie éolienne… tout simplement parce que leur facture d'électricité devient une charge trop lourde à assumer (doc 4). Gardons donc espoir ! L'énergie renouvelable est une réponse à la pollution, au danger nucléaire, mais aussi à l'endettement.

(Conclusion) Motivés pour diverses raisons, nos gouvernements optent, enfin, pour des énergies propres et sans danger pour l'humanité. Nous pouvons donc caresser l'espoir de voir le lobbying du nucléaire s'éteindre. Mais gardons la tête froide. Même si le nucléaire civil fait place, progressivement, à des énergies alternatives, le nucléaire militaire, lui, a encore de très beaux jours devant lui.

Vers l'épreuve

Vous trouverez ci-dessous des sujets de niveau C2 que nous vous invitons à traiter en suivant scrupuleusement la méthode de travail que nous vous avons proposée. Vous constaterez que vous pourrez, avec un peu d'entraînement, traiter presque n'importe quel sujet.

L'argumentation est un exercice qui répond à des règles précises. Si vous les respectez et faites preuve d'un peu d'imagination, vous obtiendrez des résultats satisfaisants même si le sujet ne vous inspire pas.

Soignez la qualité de votre langue française, mais n'oubliez surtout pas de mettre autant d'énergie à peaufiner votre plan. Il s'agit d'une habitude à prendre. Un travail cohérent et structuré est un travail qui mérite 50 % des points de la note. Gardez ce conseil en mémoire !

1. EXERCICES D'ENTRAÎNEMENT À PARTIR DE PROPOSITIONS DE PLANS

SUJET 2

Nous vous proposons, à partir de ce sujet et du dossier l'accompagnant, un plan de rédaction. Nous vous invitons à respecter ce plan (qui est un exemple parmi d'autres) et à rédiger le travail.

Vous collaborez, pour un journal, à la rédaction d'un article sur les méfaits des antennes-relais de téléphone portable en milieu urbain. Vous exprimez votre opinion sur cette question, que vous appuyez sur la documentation que la direction du journal vous a remise (quatre documents). Votre article doit comporter environ 600 mots.

Document 1

Portables : enquête sur 8 cas suspects de cancer

Le Monde, 7 mars 2003

La Direction départementale de l'action sanitaire et sociale (Ddass) des Yvelines a reconnu huit cas suspects de cancer chez des enfants, mercredi 5 mars, dans le cadre de l'étude menée à Saint-Cyr-l'École (Yvelines), après l'installation d'antennes de téléphonie mobile sur le toit d'une école du quartier de l'Épi-d'Or.

À l'issue de la réunion du comité de suivi, piloté par la Ddass, qui regroupe entre autres la municipalité et des associations de parents d'élèves, la mairie de Saint-Cyr a demandé à la Ddass d'élargir à l'ensemble de la population du quartier, adultes compris, l'enquête sanitaire. Cette dernière a pour objectif « de s'assurer que l'exposition aux champs magnétiques provoqués par les antennes-relais de téléphonie mobile n'est pas à l'origine d'un problème de santé publique ». Plusieurs cas de leucémie et de cancer chez les adultes ont en effet été signalés, mais pas retenus par la Ddass. « Les données recueillies sont trop partielles et susceptibles de nombreuses interprétations », déclare Philippe Lavaud, le maire.

Document 2

Saint-Cyr-l'École obtient l'arrêt provisoire d'antennes-relais de téléphonie mobile

Le Monde, 15 mars 2003

Les opérateurs SFR et Orange ont décidé, vendredi 14 mars, de suspendre provisoirement le fonctionnement de deux antennes-relais de téléphonie mobile installées sur les toits des bâtiments du groupe scolaire Ernest-Bizet, situé dans les quartiers hauts de Saint-Cyr-l'École, dans les Yvelines. Depuis plusieurs mois, des associations locales de parents d'élèves s'inquiétaient de la présence de ces équipements au-dessus des classes. Huit cas suspects de cancers avaient été constatés chez des enfants scolarisés dans le secteur […].

Document 3

Une dangerosité jamais prouvée

L'argumentaire des associations est imparable : apportez-nous la preuve que les émissions d'antennes ne sont pas nuisibles, sinon appliquez le principe de précaution. L'issue du conflit des antennes-relais pourrait donc reposer sur une preuve scientifique. Mais laquelle ?

Poulets et souris. Les études menées par les chercheurs sont toutes différentes : les unes se penchent sur les embryons de poulet, certaines sur les souris transgéniques, d'autres sur des cellules de cerveau de rat non irriguées. Et la plupart étudient les effets des ondes des téléphones mobiles et non ceux des antennes. Dans ce méli-mélo de méthodologies, difficile d'extrapoler quelque chose sur l'être humain.

En attendant, chacun fait son marché : les associations puisent leurs sources scientifiques auprès de chercheurs qui les confortent dans leurs doutes, sinon leurs angoisses, tandis que les opérateurs et le ministère de la Santé exploitent des travaux validés par la communauté scientifique au travers des grandes revues (*Nature, Science, Lancet*, etc.). […]

Libération, vendredi 21 mars 2003.

Document 4

Antennes-relais : Paris étale sa charte

Riverains des antennes-relais de téléphonie mobile, dormez tranquilles. La Ville de Paris a signé hier une charte avec les trois opérateurs pour encadrer et mieux intégrer ces émetteurs de champs électromagnétiques. Un texte appelé à servir de « *modèle* » en Belgique mais aussi à « *Rome, Bruxelles, Berlin* », assure-t-on à la mairie. Marseille, Besançon, Rennes et Lyon sont déjà engagés dans la phase de concertation. En dépit d'incertitudes scientifiques, la guerre contre les antennes-relais, soupçonnées par certaines associations d'être à l'origine de pathologies, bénignes ou très graves, comme le développement de cancers, agite en effet beaucoup de municipalités.

D'où la nécessité de rassurer sans obérer la compétitivité technologique des villes. « *Il fallait trouver un compromis intelligent* » entre des « *professionnels très exigeants et des citoyens hyper exigeants en termes de santé publique, d'information et de beauté de la ville et d'accès aux nouvelles technologies* », dit-on à la mairie. Ce compromis s'apparente surtout à une belle opération de communication.

Le texte de la charte constitue un habile tour de passe-passe : « *Les seuils limites d'exposition* » définis par décret gouvernemental sont remplacés par une « *valeur moyenne d'exposition* » au champ électromagnétique pendant 24 heures. En cas de dépassement, une commission, saisie par les associations, pourra imposer un nouveau réglage de l'antenne. Hier, les trois opérateurs exultaient, assurant que « *moins de 1 % des antennes nécessitent un nouveau réglage* ». Yves Contassot, adjoint à l'environnement, a justifié cette « *moyenne* » en arguant que cela permettait de prendre en compte l'exposition en continu des riverains.

Transparence oblige, les opérateurs devront présenter, deux fois par an, leurs projets devant le conseil d'arrondissement élargi aux associations. Se soumettre à des contrôles de puissance plus nombreux. Et se faire plus discrets sur les toits pour ne pas attirer l'attention. « *Ce sera plus joli* », a promis l'adjoint. « *Il s'agit d'une gestion psychosomatique pour limiter l'affolement des gens tout en ne changeant rien sur les implantations : vu la moyenne retenue, aucune antenne n'aura à bouger* », dénonce Stephen Kerckhove, président de l'association Agir pour l'environnement. « *C'est comme pour le bruit : la nuisance, c'est le pic de la moto qui passe en pleine nuit et pas la moyenne de décibels sur 24 heures.* »

La charte parisienne, une fois diffusée dans les autres villes, suffira-t-elle à calmer le jeu ? Hier, les associations non-signataires de la charte ne semblaient pas convaincues par la volonté de dialogue et de transparence des opérateurs. Certaines devaient dès ce matin bloquer une antenne-relais plantée Passage des Écoliers dans le XVᵉ arrondissement.

Libération, vendredi 21 mars 2003.

Proposition de plan

Introduction		Textes et références à utiliser pour étayer son argumentation
Idée essentielle 1	**Le téléphone portable est d'abord une avancée sociale :**	
• Idée secondaire 1	• Le nombre d'antennes relais est conditionné par le succès du portable : nombre record d'antennes-relais, nombre record de détenteurs de téléphone portable (toutes catégories sociales ou d'âge confondues).	• *Document 4* + exemples et arguments à trouver dans son expérience / ses connaissances personnelles.
• Idée secondaire 2	• Le téléphone portable facilite la vie et rend service : gain de temps, d'argent, appels d'urgence.	• *Aucun document* : exemples et arguments à trouver dans son expérience / connaissances personnelles.
Idée essentielle 2	**Il faut cependant être prudent :**	
• Idée secondaire 1	• Diverses enquêtes démontrent la dangerosité du téléphone portable : des téléphones, mais aussi des antennes-relais.	• *Documents 1 et 2* + exemples et arguments à trouver dans son expérience / ses connaissances personnelles.
• Idée secondaire 2	• Mais il ne faut pas céder à la panique : enquêtes peu fiables, d'autres appareils électroniques ont déjà été mis en cause (four à micro-ondes, ordinateurs, photocopieuses…).	• *Document 3* + exemples et arguments à trouver dans son expérience / ses connaissances personnelles.
Conclusion		

Vous pouvez maintenant traiter le sujet en respectant le plan qui vous est proposé. Nous vous conseillons, avant la phase de rédaction, de :
1. **lire attentivement la consigne** (nombre de mots, nature du texte à produire) **et le sujet** (respect du thème) ;
2. lire les documents et **souligner toutes les idées ou exemples** qui se rapportent au thème que vous devez aborder ;

3. noter sur une feuille de brouillon toutes les informations personnelles (expériences et culture personnelles) qui peuvent illustrer les idées essentielles du plan proposé;
4. relier vos idées et exemples personnels avec les idées et exemples tirés des documents proposés.

SUJET 3

Nous vous proposons, à partir de ce sujet et du dossier l'accompagnant, un plan de rédaction. Nous vous invitons à respecter ce plan (qui est un exemple parmi d'autres) et à rédiger le travail.
Le sujet proposé ici vous guide pour l'adoption du plan: les trois questions qui sont posées doivent vous servir à trouver vos idées essentielles, autour desquelles il sera nécessaire de réunir des idées secondaires.

La femme a-t-elle enfin sa place au sein de la société? Vivons-nous dans une société égalitaire? Des progrès sont-ils encore à faire? Autant de questions que vous allez tenter de résoudre, en donnant votre opinion et en tirant vos illustrations des documents ci-dessous, dans une lettre ouverte de 800 mots que vous allez adresser au secrétaire général des Nations-Unies.

Document 1

FEMME – Pouvoir et Entreprise

Le livre *FEMME – Pouvoir et Entreprise* est le premier ouvrage qui recense les femmes dans les instances décisionnelles des sociétés françaises, communément appelées « Conseils d'Administration ».

Après une brève description de la création d'Action de Femme, dont le but est de « promouvoir la présence des femmes au sein des conseils d'administration », cet ouvrage, millésimé 2001, recense 200 femmes parmi les 200 premières sociétés industrielles et de services et livre également le résultat de travaux portant sur la composition des conseils d'administration dans les sociétés du CAC 40 et dans les 200 premières sociétés françaises. L'ouvrage est enrichi d'un index qui synthétise les résultats d'une étude et distingue les sociétés qui ont ouvert leurs instances décisionnelles aux femmes, des autres.

Un travail précis et précieux dont l'intérêt est certain si l'on retient que dans les 200 premières sociétés françaises industrielles et de services, sur 2 325 mandats aux fonctions de Président Directeur Général, Directeur Général, Administrateur, Membre des Directoires, Conseils de Surveillance et de Gérance, 124 sont occupés par 104 femmes.

Soit une présence des femmes de l'ordre de 5 % dans les organes décisionnels des sociétés. Ces chiffres se recoupent lorsque les mêmes éléments sont analysés pour les sociétés du CAC 40.

Une bien curieuse quarantaine à l'aube du 3e millénaire où notre pays se veut à la pointe des partages et des échanges les plus divers.

À suivre... avec la préparation du millésime 2002.

Tita A. Zeïtoun, http://www.actiondefemme.fr, novembre 2002.

Document 2

LES NATIONS-UNIES : UN ATOUT POUR LES FEMMES
jeudi 28 novembre 2002, par Françoise Guillitte

Le Conseil de l'Égalité des Chances vous invite à sa Conférence le **jeudi 12 décembre 2002** – Palais des Congrès – Salle Astrid – Entrée n° 2 – Arcades Monts des Arts – 1000 Bruxelles

Programme :

9h00 Introduction : Madame Myriam Van Varenbergh, Présidente du Conseil de l'égalité des chances entre hommes et femmes

9h15 Les Nations-Unies au service de l'égalité : structures et procédures : Madame Ria Heremans, Chef du Centre d'Information des Nations-Unies pour les Pays-Bas et la Belgique

9h45 La Commission du statut de la femme et la problématique du genre : Madame Lily Boeykens, Past Commissioner of Belgium to the United Nations Commission on the Status of Women

10h15 Pause-café

10h30 Le contrôle de l'application des conventions ratifiées. L'exemple de la Convention sur l'élimination de toutes les formes de discrimination à l'égard des femmes – Préparation et défense des 3e et 4e rapports de Belgique : Madame Marie-Paule Paternottre, Conseillère et Responsable de la Direction de l'égalité des chances

11h00 La plate-forme de Pékin +5 : Madame Carine Joly, Conseillère à la Direction de l'égalité des chances

11h30 Les droits des femmes sont des droits humains ? Madame Neri Sybesma-Knol, Prof. Em. Auprès de la VUB

12h00 Débat

12h30 Conclusion : Madame Myriam Van Varenbergh, Présidente du conseil de l'égalité des chances entre homme et femmes

Informations pratiques : Personne de contact : Secrétariat Conseil de l'Égalité des chances – p/a Direction de l'égalité des chances – Hantson Francine – rue Belliard, 51 – 1040 Bruxelles – Tél. : 02 233 4018 – Fax : 02 233 40 32 – E.mail : hantson@meta.fgov.be – Inscription obligatoire / la participation au colloque est gratuite – Parking non prévu.

http://www.amnestyinternational.be

Document 3

mardi 19 février 2002

par le bureau des chiennes de garde
Manifeste et Halte à la violence sexiste

Nous vivons en démocratie. Le débat est libre, mais tous les arguments ne sont pas légitimes.
➤ Au cours du dernier demi-siècle, les femmes ont investi massivement la sphère publique, jusque-là réservée aux hommes.
➤ Sur les lieux de travail, au Parlement, dans les médias, dans les lieux de loisir et aussi dans la rue, la présence des femmes n'est cependant pas encore perçue comme légitime.
➤ Quolibets, insultes, insinuations à connotation sexuelle, jugements moraux agressent les femmes quotidiennement.

Ça suffit !

Une femme dans un lieu public est une femme publique. Adresser une injure sexiste à une femme publique c'est insulter toutes les femmes. La violence verbale fait partie de la violence générale contre les femmes. Nous nous engageons à manifester notre soutien aux femmes publiques insultées en tant que femmes.
Nous affirmons la liberté d'action et de choix de toutes les femmes.

Nous, Chiennes de garde, exigeons le respect.

Rejoignez-nous !

Voici une nouvelle version du manifeste des Chiennes de garde. Pourquoi ? Parce qu'après deux ans et demi d'utilisation il nous paraît important de préciser notre but et notre domaine d'action, et de

----

dissiper certains malentendus. Par exemple, l'expression « femmes publiques » a souvent été comprise dans le sens « femmes célèbres », et il nous a donc été souvent reproché de pratiquer une sorte d'élitisme lié à la notoriété. Et ceci bien que depuis le début nous ayons pris la défense de femmes parfaitement inconnues. Nous précisons donc que par femmes publiques nous entendons femmes dans l'espace public. Nous insistons également sur le fait que la violence verbale fait partie intégrante de la violence générale contre les femmes. Elle en est indissociable, elle n'en est pas une forme atténuée ou sans gravité. Le langage est un rouage essentiel de la domination masculine. En analyser les mécanismes, en décrypter l'idéologie, le détourner pour qu'il cesse de nous menacer, le réinventer pour en faire un instrument de liberté, telle est notre ambition de féministes.

Les « Chiennes de garde » passent à l'euro !
Vous savez, ou vous ne savez pas, et dans ce cas vous serez ravi-e-s de l'apprendre, que les cotisations aux Chiennes de garde valent pour l'année civile, c'est-à-dire que quelle que soit la date de votre premier paiement, il vaut pour l'année en cours. Si vous avez payé en juin, ou en décembre 2001, vous êtes censé-e-s renouveler votre cotisation dès janvier 2002. Ceci facilite les tâches administratives, et vous retombez sur vos pieds dès l'année suivante… Si vous ne pouvez pas renouveler tout de suite, vous le faites dès que possible… La nouvelle cotisation a été fixée à 15 euros, ce qui équivaut à 98,39 francs. Elle a donc baissé. Nous ne serons pas des agents inflationnistes ! Cependant, si vous avez l'envie ou la possibilité de verser davantage, surtout ne vous gênez pas ! Comme vous le savez, vos cotisations sont la seule ressource de notre association. C'est le prix de l'indépendance et de la liberté.

Chiennes de garde, 35 rue des Francs-Bourgeois, 75004 Paris.

	Introduction	Textes à utiliser pour étayer son argumentation
Idée essentielle 1	**La place de la femme dans la société moderne :**	
• Idée secondaire 1	• La femme dans la vie politique : évolution du rôle de la femme en politique depuis 60 ans ; exemples à trouver parmi les femmes présidentes, premiers ministres, députées, etc.	• *Document 2*
• Idée secondaire 2	• La femme dans l'entreprise : possibilité pour les femmes d'accéder à des postes à responsabilité ; exemples à trouver dans les grandes entreprises internationales, etc.	• *Document 1*
Idée essentielle 2	**Le combat est encore nécessaire :**	
• Idée secondaire 1	• Les droits des femmes ne sont pas encore respectés : les femmes sont victimes de discrimination (sexisme…) ; sous-représentation des femmes en politique et dans le monde des affaires ; exemples à trouver dans de nombreux pays et dans le constat que presque tous les grands groupes sont dirigés par des hommes.	• *Document 3*
• Idée secondaire 2	• La nécessité de défendre et protéger les femmes : lois votées et adoptées par divers pays ; rôle important des associations et des organismes internationaux, etc.	• *Documents 2 et 3*
	Conclusion	

2. EXEMPLES DE SUJETS
À TRAITER INTÉGRALEMENT

Vous pouvez maintenant, à partir des dossiers qui vous sont proposés, traiter plusieurs sujets dans des domaines différents. Nous vous conseillons de suivre la méthode qui vous a été proposée et de vous référer aux exemples et activités de ce chapitre.

**tres
iences
aines**

SUJET 4

Trop de féminisme tue le féminisme? À vous de donner votre opinion dans un article que vous rédigerez en 800 mots environ, en argumentant grâce à certains éléments qui ont retenu votre intérêt et qui figurent dans la documentation qui vous est remise ci-dessous (deux documents). Vous tenterez d'établir des comparaisons avec la situation que vous connaissez dans votre pays d'origine ou de résidence.

Document 1

FÉMINISTE À LA NIPPONNE

Kaori Sasaki n'a pas apprécié le machisme des milieux d'affaires japonais. Elle a créé un site pour aider ses sœurs *executive women*.

Il est rare et souvent mal vu pour une femme japonaise de montrer de l'ambition dans un monde de l'entreprise extrêmement machiste. Kaori Sasaki, 41 ans, mariée, deux enfants, ancienne journaliste et présentatrice de télévision, entend profiter des bouleversements que traverse le Japon pour galvaniser les nouvelles générations de femmes qui cherchent à s'épanouir dans leur vie professionnelle et familiale – grâce à un site Internet, eWoman.

« Je ne veux pas jouer un rôle de pédagogue, mais j'essaie d'aider les gens à élargir leurs possibilités », dit Kaori Sasaki, pour qui eWoman est l'aboutissement d'une croisade commencée très tôt: c'est en créant sa première entreprise, à 28 ans, qu'elle a constaté combien les femmes entrepreneurs sont peu soutenues au Japon. Elle met alors sur pied un réseau d'entraide pour les Japonaises qui désirent se lancer dans les affaires. Puis elle crée, en 1996, un site Internet consacré aux femmes, tout en organisant à Tokyo la première Conférence internationale sur les femmes et les affaires, un événement qui, depuis, se tient chaque année. Pour eWoman, elle s'allie avec une partenaire de choc, Mari Matsunaga, la créatrice d'i-mode, le micro-Web pour portable. Située à Omotesando, au cœur du Tokyo chic et jeune, eWoman est l'une des start-up les plus en vue de Bit Valley, le berceau de la Net économie nipponne. Parce que ce sont les femmes qui, ici, lancent les modes, tiennent les cordons de la bourse, et sont le principal moteur de la consommation, eWoman exploite un filon très convoité. Des milliers d'internautes du sexe faible donnent leur avis sur toutes sortes de sujets, de produits et d'expériences. Chaque lundi, 11 personnalités proposent, chacune, un thème de débat et font le bilan des discussions en fin de journée. À la différence des forums en ligne traditionnels, les réponses des internautes sont rééditées par les rédactrices d'eWoman afin d'être plus percutantes. Au classement des thèmes les plus prisés, forum après forum, « Est-ce que j'aimerais obtenir une promotion? » talonnait cette semaine « Est-il normal pour un couple de dormir séparé? ».

Brice Pedroletti, *L'Express*, 14 décembre 2000.

Document 2

Arriba muchachas !

Depuis vingt ans, les femmes déboulent dans les hautes sphères de la société espagnole. Et, même si on est loin de la parité, cette irruption provoque son lot de crispations à mesure qu'elle met en péril l'hégémonie masculine.

Cela a fait l'effet d'une petite bombe. À la mi-mai, Loyola de Palacio, une des femmes politiques les plus en vue de la majorité, refuse l'écharpe de Dame de l'Ordre royal et très distingué de Carlos III, une décoration qu'on remet d'ordinaire aux ministres femmes émérites. Dans son cas, il s'agissait de récompenser ses performances à la tête du ministère de l'Agriculture face aux technocrates de Bruxelles. Explication donnée par l'intéressée : « Il est inacceptable que les femmes ne reçoivent que des écharpes et des rubans, alors que les hommes sont gratifiés de médailles prestigieuses. Je refuse ce symbole sexiste. » L'incident jette le trouble au sein du gouvernement de José Maria Aznar, lequel promet dans la foulée de faire voter dès que possible la modification de ce décret de 1983, hérité de l'Espagne monarchiste.

Le geste de Loyola de Palacio, une Basque de 49 ans qui ne s'est jamais distinguée par son activisme féministe, a surpris tout le monde. Après tout, l'Espagne est le seul pays européen où les deux plus grands partis, le PSOE et le Partido Popular, ont choisi des femmes comme têtes de liste aux élections européennes. Le coup d'éclat de Loyola de Palacio n'en est que plus révélateur de la place nouvelle qu'entendent occuper les femmes dans la société espagnole. Longtemps condamnées à jouer les seconds rôles au sein d'un pays traditionnellement machiste, elles ont su, au cours de ces deux dernières décennies, faire irruption dans tous les secteurs de la vie économique et, plus récemment, s'immiscer au sein des hautes sphères de décision des partis politiques, de la banque, de l'administration ou des grands groupes privés.

Mais cette évolution, à la fois profonde et timide, n'est pas encore une révolution. Selon une récente étude de l'Institut de la femme – un organisme gouvernemental –, 17 % des postes de direction dans l'administration publique et privée sont occupés par des femmes. « On est encore très loin de la parité, objectif que l'on s'est fixé. En fait, nous, les femmes, butons contre ce qu'on appelle le *techo de cristal* [le toit de verre], cette frontière invisible qui nous relègue en deçà du vrai pouvoir », estime Concepcion Dancausa, la directrice de l'Institut. Le changement, pourtant, est réel. Dans le monde de l'entreprise, des *success stories* déclinées au féminin voient le jour. Celle d'Esther Koplowitz, qui, après avoir évincé son mari de la direction de son négoce, se retrouve seule à la tête du géant espagnol du béton, Fomento de construcciones y contratas (FCC) – 20 milliards de francs de chiffre d'affaires. Ou celle d'Ana Patricia Botin, puissante banquière de charme, qui, malgré sa récente éviction de la direction de Banco Santander, reste promise aux plus belles destinées.

Des professions comme le journalisme, le design ou le secteur des services – 46 % de la main-d'œuvre – se féminisent. Le cas de la justice est plus éloquent encore. Il y a quinze ans, les femmes juges étaient des curiosités de cirque. Aujourd'hui, à en croire le Conseil général du pouvoir judiciaire (CGPJ), 38,5 % des juges et magistrats sont des femmes, de même que 55 % des juges en passe d'accéder à la magistrature et 60 % des étudiants en faculté de droit. « C'est une petite révolution. Dans la profession, l'appartenance sexuelle n'a plus aucune importance », explique Margarita Robles, responsable des contentieux administratifs à la Audiencia nacional, à Madrid.

Quatrième femme à devenir juge en Espagne, ancien numéro deux du ministère de la Justice sous le gouvernement socialiste, elle sait de quoi elle parle. « À l'université de Barcelone, j'étais la seule à étudier le droit et on me prenait pour une folle. En 1981, lorsque j'ai commencé à exercer dans une localité de Catalogne, j'ai été reçue par le représentant local du gouvernement par ces mots : "Bonjour, madame. Savez-vous quand monsieur votre mari le juge compte arriver ?" »

L'émergence des Espagnoles se fait plus spectaculaire encore sur la scène politique. En 1977, au sortir de quatre décennies d'un franquisme pour le moins sexiste, on ne compte que 21 femmes sur les 361 députés de l'Assemblée constituante. Elles représentent aujourd'hui un quart des membres des Cortès – contre 16 % lors de la législature précédente. Bien sûr, si l'on excepte une poignée de ministres, la présidente du Sénat, Esperanza Aguirre, et six maires de grandes villes, les femmes ne sont guère aux commandes des postes suprêmes.

Aux dernières élections, à la mi-juin, près de la moitié des listes européennes et municipales étaient composées de femmes. Pour le politologue Francisco Vanaclocha, de l'université madrilène Carlos Tercero, « les candidates offrent un profil idéal pour des partis politiques qui cherchent à renouveler leur image. Les femmes correspondent à un modèle d'autorité alternatif, fort et enclin au dialogue, efficace et sensible ». À l'origine, ce fut le parti socialiste (PSOE) qui, à partir de 1988, avait imposé des quotas de présence féminine de 25 % au sein de ses instances politiques. Depuis, le Parti populaire (PP, droite), au pouvoir, lui a emboîté le pas. Beaucoup d'observateurs estiment que cette formation conservatrice a amélioré son image le jour où elle a placé des femmes à des postes de responsabilité visibles. « Je ne me fais pas beaucoup d'illusions, confie cette députée du PP. Notre avènement répond largement à des fins électoralistes. On nous inscrit sur des listes comme on soigne un beau décor. Pourtant, au bout du compte, on ne peut plus nous ignorer. »

Au-delà de ces conquêtes, bien réelles, la réalité quotidienne traduit toujours une profonde inégalité des sexes. Le taux d'activité des femmes ne dépasse pas 38 %, lorsque celui des hommes atteint 63 %. Surtout, cette irruption des femmes provoque son lot de crispations, à mesure qu'elle met en péril l'hégémonie masculine. « La violence domestique et les meurtres conjugaux n'ont jamais été aussi nombreux. C'est le signe qu'on assiste à un changement des mentalités : les femmes battues et maltraitées ne se résignent plus au silence et la violence s'accroît à mesure que l'homme se sent plus en danger », estime Rosa Montero, une des plus célèbres journalistes-écrivains. « L'Espagne a connu en deux décennies une mutation sociale et culturelle sans précédent. Le choc des sexes et des générations n'en a été que plus brutal », ajoute cette femme pétulante. Illustration de ce propos : le taux de natalité, en Espagne – 1,2 % –, est le plus bas du globe. Pour le sociologue Amando de Miguel, « cela correspond à une réaction forte contre le rôle traditionnellement effacé et soumis de la femme. Les filles ont reçu de leurs mères, de façon subliminale ou non, l'encouragement à se marier plus tard et à avoir peu ou pas d'enfants ».

Les féministes soulignent le chemin parcouru… et mesurent l'importance des combats qui restent à livrer. Cristina Sanchez, 27 ans, la seule torera d'Espagne, annonce sa retraite, après trois brillantes saisons, victime, dit-elle, du machisme du monde de la tauromachie. Un bastion, comme bien d'autres, où la femme espagnole n'a pas encore gagné sa place.

François Musseau, *Le Point*, 2 juillet 1999.

SUJET 5

Le sport ! Nouvel opium du peuple ? À vous de donner votre avis sur la question, en 800 mots, dans l'éditorial de votre journal. Vivons-nous dans une dictature du sport ou, au contraire, la société nous incite-t-elle à nous sédentariser avec l'arrivée des technologies de l'information ? Les trois documents qui vous sont remis doivent vous permettre d'argumenter votre point de vue.

Document 1

Pourquoi le sport ?

Entretenir sa forme, c'est bien. Se faire plaisir en choisissant un, deux ou trois sports, c'est la suite optimale de la démarche. Une fois bien évalués votre état physique, le temps dont vous disposez et l'investissement financier nécessaire, vous pouvez vous engager avec optimisme vers vos activités de loisir préférées et affiner les techniques qui les caractérisent.

Pratiquer plusieurs sports permet de diversifier le travail des groupes musculaires. Ainsi le travail avec les haltères crée le raffermissement des muscles et communique une force explosive. La natation provoque détente et endurance, avec étirement des muscles. Elle constitue ainsi un exercice qui s'oppose à la pratique de l'haltérophilie.

Une question d'équilibre
Il s'agit de trouver les combinaisons capables d'équilibrer les activités sportives sélectionnées. Un adulte en bonne santé qui pratique une activité physique voit son rythme cardiaque s'élever à 120 pulsations/minute pendant 10 à 15 minutes tandis que la fréquence cardiaque au repos, est selon les individus, entre 60 et 80 pulsions/minute. Les médecins sportifs mettent en garde sur les difficultés pour quelqu'un qui axe trop son travail sur l'amélioration de la résistance, d'obtenir le processus inverse, c'est-à-dire l'amélioration de l'endurance.

À chacun son sport
En dehors de son aspect ludique, l'effort sportif est choisi parce qu'il correspond non seulement à des possibilités qui ne demandent qu'à être mises en pratique, mais aussi à tout un contexte psychologique propre à chaque individu. C'est pourquoi certains iront vers le sport collectif, d'autres vers le sport en duo pour se mesurer à un partenaire, d'autres encore préféreront travailler en solitaire. La compétition galvanise,

mais le défi qu'on se lance à soi-même pour se dépasser et persévérer en dépit des obstacles rencontrés dynamise tous les sportifs. Si l'on sait éviter de tomber dans le piège de l'hyperspécialisation, la pratique sportive est une conquête de liberté.

Geneviève Pons, http://www.doctissimo.fr.

Document 2

Le sport c'est la santé

Il est inutile de souligner que l'activité physique est bénéfique pour la santé. Mais quels sont exactement ces bienfaits ? Quels problèmes de santé peuvent empêcher de pratiquer un sport ? Le Docteur Bruno Sesboüé, secrétaire général adjoint de la Société française de médecine du sport et responsable du service de médecine du sport du centre hospitalo-universitaire de Caen, précise ces indications et contre-indications à la pratique d'un sport.

Doctissimo : Quels sont les avantages de la pratique d'un sport ?

Dr Sesboüé : Le premier avantage est le plaisir ! Pour moi, c'est la chose la plus importante. En ce qui concerne la santé, les bénéfices de l'activité sportive sont trop nombreux pour être cités de manière exhaustive. On peut noter, entre autres, les effets positifs pour le système cardiovasculaire. Le sport diminue la tension artérielle et les problèmes d'infarctus, en augmentant la force et le fonctionnement du cœur. Au niveau pulmonaire, cela augmente légèrement la capacité pulmonaire et surtout permet une bonne ventilation. La pratique d'une activité physique a également des effets sur le squelette : cela protège notamment contre l'ostéoporose. Cela augmente également la masse musculaire et peut permettre, associé à un régime adapté, de réduire la masse grasse. Cela contribue à prévenir le diabète, en particulier le diabète gras. Le sport maintient et améliore les réflexes, ce qui permet la prévention des chutes chez les sujets âgés.

On pense que le sport améliore l'espérance de vie. Ce qui est sûr, c'est que l'activité physique améliore la qualité de vie. De plus, le sport à un rôle psychosocial : il renforce l'estime de soi, permet l'intégration à un milieu social et empêche ainsi certains problèmes d'isolement.

Doctissimo : Quelles contre-indications peuvent empêcher la pratique d'une activité sportive ?

Dr Sesboüé : Il n'existe pas beaucoup de contre-indications absolues. La contre-indication essentielle concerne certains problèmes cardiaques, en particulier les « obstacles à l'éjection » (qui empêchent le sang de sortir du cœur). Certaines maladies musculaires peuvent nécessiter une pratique adaptée. Une fragilité squelettique peut faire déconseiller les sports avec des risques de chutes ou de chocs. De manière générale, il est toujours possible de proposer une activité physique adaptée à chaque personne.

Doctissimo : Une visite médicale est-elle nécessaire pour commencer un sport ?

Dr Sesboüé : Pour débuter dans un sport licencié, une visite médicale préalable est obligatoire. Elle permet la délivrance d'un certificat de non contre-indication et doit être renouvelée chaque année. Le premier examen autorise ensuite l'inscription dans un club dans les 120 jours suivants. Un renouvellement est valable 180 jours. Tout médecin est autorisé à délivrer un certificat de non contre-indication, sauf en ce qui concerne les sports réputés à risque (sports mécaniques, parachutisme, plongée…) qui nécessitent l'avis d'un médecin agréé par la fédération sportive concernée. Il faut savoir que cet examen médical de non contre-indication n'est pas remboursé par la sécurité sociale.

Pour les sportifs de haut niveau, le suivi médical est très poussé (examens de repos, électrocardiogramme, échocardiographie…). Pour les sportifs non licenciés, la participation à une épreuve sportive (marathon de Paris par exemple) nécessite un certificat médical de moins de trois mois.

Propos recueillis par Alain Sousa, http://www.doctissimo.fr, le 13 juin 2000.

Document 3

Sédentarité : n'attendez pas pour en sortir

La sédentarité, dans un pays à fort développement technologique comme le nôtre, se caractérise par la réduction progressive de l'effort physique dans la plupart de nos actes quotidiens : activités professionnelles ou domestiques, déplacements, loisirs, etc. En résumé, on marche de moins en moins, on fait de moins en moins d'effort physique.

Sédentaire sans le savoir

C'est l'absence d'activité physique régulière qui caractérise la sédentarité. Un travailleur du secteur tertiaire qui gare sa voiture à proximité de son bureau et dont les loisirs ne comportent que les activités paisibles de jardinage, de bricolage ou de pêche est un sédentaire, même s'il fait 8 ou 15 jours de ski par an ou 3 à 4 semaines de randonnées l'été.

Un vrai danger pour votre cœur

La sédentarité affaiblit votre cœur. Voici pourquoi :
• sans entraînement, le muscle cardiaque perd de sa puissance de contraction ;
• il reçoit et renvoie moins de sang dans le corps ;
• il fournit moins d'oxygène aux muscles et aux organes ;
• il récupère moins vite en cas de crise cardiaque.

La sédentarité est encore plus dangereuse pour le cœur lorsqu'elle est associée à d'autres facteurs de risque :
• tabagisme ;
• hypertension ;
• obésité ;
• excès alimentaires.

Un vrai bienfait : l'exercice physique

Amélioration de la circulation sanguine : l'exercice physique régulier dilaterait les artères, notamment les artères coronaires, nourricières du cœur et permet une meilleure irrigation. Il les protège contre les obstructions (thromboses) dues aux graisses et aux sucres en excès dans le sang. Il abaisserait favorablement la pression artérielle.

Cœur plus puissant : un cœur, d'autant plus musclé qu'il travaille régulièrement à un rythme soutenu, se contracte plus puissamment ; ses cavités se remplissent bien ; le sang est mieux éjecté. L'exercice physique donne au cœur une réserve de puissance. Le cœur fonctionne mieux dès que l'on s'en sert.

http://www.doctissimo.fr

Sciences

SUJET 6

Devant l'ampleur du phénomène de la chirurgie esthétique et des produits miracles pour rester jeune, vous décidez d'écrire un article de 700 mots pour le journal qui vous emploie. Vous intitulez votre texte : « La jeunesse éternelle : mythe ou réalité ? »
Vous devez obligatoirement utiliser le dossier de trois documents ci-dessous pour étayer votre argumentation.

Document 1

NE PAS VIEILLIR, VIVRE LONGTEMPS, BIEN VIEILLIR…
À LA RECHERCHE DU MYTHE DE L'ÉTERNELLE JEUNESSE.
QUE DISENT NOS EXPERTS ET QUELLES SONT « LEURS » SOLUTIONS ?

Pour bien vieillir, le professeur Coudert privilégie l'activité physique avec un comportement alimentaire adéquat. Il se refuse à utiliser le mot sport mais affirme « qu'il n'est jamais trop tard pour commencer une activité physique, même si la personne n'a jamais pratiqué un sport et même à 70 ans ; le tout est de débuter progressivement, sans excès et après avoir éventuellement pratiqué un test d'effort. À chaque individu son programme personnalisé ».

« La pratique régulière d'une activité physique a deux bénéfices : bien sûr l'appétit et la soif s'accroissent avec l'exercice, mais l'activité physique entraîne aussi un gain osseux notamment sur des points sensibles du squelette, alors que l'immobilisation provoque une perte osseuse. Avec la transpiration, la sensation de soif augmente, et c'est une incitation complémentaire à boire, donc à couvrir ses besoins quotidiens. Pratiquer une activité physique, c'est acquérir une rigueur de vie, et le fait de boire régulièrement de l'eau en fait partie. Pendant une activité physique, il faut boire environ toutes les 20 minutes (l'équivalent d'un verre d'eau). »

Si nos deux experts sont d'accord sur les bienfaits de l'exercice physique, le professeur Meunier est plus prudent sur les moyens, il déconseille bien sûr toutes les activités violentes ou favorisant les chutes, car potentiellement traumatisantes, il recommande en particulier la marche. Le Pr Coudert insiste sur le fait de pratiquer une activité physique qui fait plaisir et permet d'établir des relations sociales.

Repousser les effets de l'âge :

Les conseils de nos deux experts pour se bien nourrir et repousser les effets de l'âge sont de respecter les principes suivants (pourcentages de calories quotidiennes) : 55 % d'hydrates de carbone, 15 % de protéines et le reste en graisses, mais bien sûr plutôt les acides gras polyinsaturés. Le professeur Coudert rejoint le professeur Meunier pour nous engager à manger « des poissons gras, du thon, du maquereau, le tout au soleil et bien arrosé d'eau. »

Pour avoir des apports nutritionnels correspondants à ceux recommandés selon l'âge, nos deux experts pensent qu'il faut varier les eaux compte tenu des apports en oligo-éléments différents d'une marque à l'autre, mais surtout il faut veiller à boire les quantités nécessaires à une bonne hydratation en période d'activité physique. « Si, pour une journée normale, il faut se forcer à boire au moins un litre d'eau, en cas d'effort, la consommation doit être d'1,5 l au minimum et, en cas d'exercice intense, aller très au-delà des 2 litres par jour. Parmi les critères de bonne hydratation, il faut insister sur la constatation d'une bonne diurèse (émission d'urines claires et suffisamment abondantes). »

Pour les médecins, un des secrets pour bien vieillir longtemps est d'abord des solutions simples et naturelles : une hygiène de vie avec une activité sportive adaptée et une hydratation et une alimentation couvrant les besoins spécifiques de la personne âgée.

Vieillir harmonieusement, c'est la proposition que nous fait aujourd'hui la médecine avec simplement une certaine sagesse, tant alimentaire que physique.
Ce n'est peut-être pas un scoop mais c'est sûrement la certitude d'un équilibre pour de nombreuses années.

Entretiens avec le professeur Coudert, professeur de physiologie et spécialiste en médecine du sport à Clermont-Ferrant et avec le professeur Meunier, professeur du service de rhumatologie et de pathologie osseuse, hôpital Édouard Herriot, Lyon, membres du comité scientifique du Centre Évian pour l'eau.

Site Centre Évian pour l'eau, novembre 2002.

Document 2

Vieillissement

Des seniors hyperactifs

http://www.sciences humaines.com

La France vieillit. Une meilleure qualité de vie, les progrès médicaux, entre autres facteurs, concourent à ce phénomène. Dans notre pays, 4,5 millions de personnes sont âgées de plus de 75 ans, soit 8 % de la population. Les projections démographiques estiment que, dans les pays de l'OCDE, un quart de la population sera âgé de plus de 65 ans en 2030. Ce *papy boom* pose de nombreuses questions, à commencer par la plus élémentaire d'entre elles : qu'est-ce qu'être « vieux » aujourd'hui ?

Bien loin de l'image d'Épinal de la grand-mère préparant ses confitures pendant que son mari lit son journal, une pipe à la main, les seniors d'aujourd'hui multiplient les activités. Ils sont friands de tourisme à l'étranger (20 % d'augmentation chez les seniors entre 1991 et 1993 quand le marché reculait de 2 %), s'impliquent dans des activités associatives et le bénévolat, découvrent des biens et services dont ils ne profitaient pas lorsqu'ils travaillaient. Bref, ils consomment et ont les moyens financiers de le faire : le niveau de vie actuel des retraités est équivalent à celui des actifs. Des médicaments comme le Viagra permettent de prolonger la vie sexuelle, et les remariages entre sexagénaires sont de moins en moins rares.

> "
> **Les remariages entre sexagénaires sont de moins en moins rares.**
> "

Même si ce tableau ne rend pas compte des disparités de modes de vie, on peut admettre que tous ces éléments ont profondément modifié la réalité de la vie des seniors. La frontière entre actifs et retraités n'est plus pertinente pour distinguer jeunes et vieux. Le troisième âge d'antan est maintenant divisé en un troisième et un quatrième âge. Le premier recouvre une période allant de 60 à 70-75 ans, avec un rôle social qui gagne de l'ampleur : la génération des nouveaux grands-parents, véritable pivot des autres strates familiales. Nombreux sont ceux qui assurent la garde, régulière ou occasionnelle, des petits-enfants, tout en aidant leurs enfants à accéder à la propriété, ou à faire face à une période de chômage, et en s'occupant de leurs propres parents. Alors, peut-on honnêtement qualifier de « vieux » des inactifs aussi actifs ?

■ G.M.

Gilles Marchand, *Sciences Humaines* hors-série n° 38, 2002.

Document 3

Corps : à nous deux Thanatos !

Aujourd'hui, une adolescente de 13 ans ne rentrerait pas dans les vêtements de nos conscrits du XIXe siècle, dont la taille moyenne a longtemps plafonné à 1,60 m. Depuis deux siècles, le progrès général des conditions de vie, l'amélioration de l'alimentation et de la santé, la disparition progressive des travaux pénibles et malsains s'accompagnent donc d'une transformation de nos enveloppes charnelles… Avec en outre l'allongement spectaculaire de l'espérance de vie (82 ans pour les femmes et 76 ans pour les hommes en France actuellement), c'est notre rapport au corps qui est en train de changer.

L'attention que nous lui portons ne cesse de grandir, attention liée bien sûr aux normes sociales en vigueur : traquer l'embonpoint et les rides est par exemple une injonction des sociétés contemporaines. L'entretien du corps est d'ailleurs devenu une préoccupation quasi générale des pays riches, mobilisant de manière croissante de nombreux secteurs de l'économie : alimentation (bio ou allégée), panoplies sportives et salles de gymnastiques en tout genre, esthétique, pharmacologie, recours aux techniques médicales et paramédicales (chirurgie esthétique, liftings et autres liposuccions…).

« Le corps, déshabillé de sa cuirasse d'aliénation qui l'emprisonnait dans le passé, exige santé, sécurité, alimentation sans risque et maîtrise de sa représentation », explique Michel Serres (*Hominescence*, éditions Le Pommier, 2001). Pour ce philosophe et historien des sciences, « un corps nouveau est né dans les décennies récentes », et ce corps a partie liée avec les progrès scientifiques. Non seulement les nouvelles techniques médicales (échographie, scintigraphie, imagerie cérébrale, scanner, recherches sur l'ADN et le génome…) permettent de l'explorer en profondeur, mais le développement récent des sciences cognitives a aussi mis en évidence ses performances – cognitives justement –, son rôle dans nos actions et nos affects. Autrement dit, notre corps est devenu plus transparent, plus présent, plus important aussi : l'émancipation acquise vis-à-vis des anciennes souffrances, des malformations nombreuses, de la mort souvent précoce, s'accompagne d'une plus grande responsabilité vis-à-vis de lui. Nous savons que fumer ou boire provoque le cancer, nous choisissons de le maltraiter ou de le choyer, y compris à l'aide de greffes et autres prothèses de plus en plus performantes. Nous espérons aussi que la DHEA permettra une éternelle jeunesse…

Justement, voilà bien la tentation récurrente des pauvres humains que nous sommes : mettre la main sur le philtre d'immortalité… « Ne serions-nous pas en train de raviver notre mythe préféré ? », se demande encore M. Serres pour qui nous sommes entrés dans l'« ère thanatocratique ». Ne serions-nous pas en train de défier ce vieux Thanatos (dieu de la mort) ? Et qui peut dire aujourd'hui, dans les alliances nouvelles qui se profilent entre science et humain, ce qu'il en adviendra ?

Martine Fournier,
Sciences Humaines
hors-série n° 38, 2002.

Exemple d'épreuve

DOSSIER : « Quand la langue ne reste pas dans sa poche »

Lisez les documents suivants.

Document 1

Une langue est, tout ensemble, le support de la pensée – une façon d'ordonner sa représentation du monde – et un instrument de communication qui permet aux gens de s'entendre. Selon son éducation, selon ses goûts, chacun mettra l'accent sur la priorité de l'une ou l'autre de ces fonctions. Peu importe, en fait. L'enfant qui crée son premier mot, c'est-à-dire identifie une certaine production vocale et un objet ou une circonstance, réalise tout ensemble une opération intellectuelle et un acte social. Il restera, par la répétition, à rapprocher cette identification de celle que réalise l'entourage de l'enfant et, finalement, la communauté linguistique tout entière. Mais jusqu'où s'étend cette communauté ? D'abord, le mot peut rester, pour l'enfant, teinté par les circonstances particulières de son acquisition, ce qu'on a pu désigner comme ses connotations. Mais l'intégration à la communauté n'en sera guère affectée.

Plus sérieuses sont, en la matière, les divergences entre les membres d'une nation, d'une région, d'une province à une autre. Même s'ils s'entendent parfaitement, les Français ne s'accordent pas, par exemple, sur la façon de désigner l'opération qui consiste à mêler la salade : les uns la touillent, d'autres la brassent ou la fatiguent. Dans ce cas, les circonstances sont telles qu'une fois présents le saladier, la verdure en cause et les instruments, une invitation à agir suffit, quelle qu'en soit la forme. Mais ne va-t-on pas, dans bien des situations, se heurter à des divergences d'un bout à l'autre du domaine de la langue ? Dans le cas du français, on pense aux incompréhensions possibles lorsqu'on passe de l'Hexagone aux pays voisin, aux autres continents ou aux îles lointaines. Le recours aux formes parisiennes pourrait sembler s'imposer. Chacun sait que c'est à partir de Paris que s'est diffusé le français. Mais c'est là que nous allons trouver des résistances. C'est là qu'il convient, dans les termes d'Henriette Walter, de distinguer entre Paris-terroir et Paris-creuset. Toute langue change à tout instant, et non seulement parce que s'y créent sans cesse des formes nouvelles pour des objets nouveaux ou des notions fraîchement dégagées, mais aussi parce que la langue elle-même est un réseau de structures qui se conditionnent les unes les autres.

Pendant longtemps, par exemple, le terroir parisien a maintenu la différence entre le *a* d'avant de *Montmartre* et le *â* d'arrière de *câline*, tantôt en repoussant le premier vers l'avant, tantôt en accentuant la profondeur du second. Mais, finalement, dans Paris-creuset, la masse des nouveaux venus ne s'y retrouvait plus, soit parce que, Méridionaux, ils ne connaissaient pas la différence, ou que, fidèles à une tradition, ils opposaient la brève de *patte* à la longue de *pâte*, plutôt que deux timbres nettement distincts. La solution se trouve dans la progressive désaffectation pour une des formes en conflit : face à *tache*, *tâche* a reculé, cédant sa place à l'argotique *boulot*, ailleurs que dans les emplois littéraires ou les expressions figées comme (*un travail payé*) *à la tâche*.

Tout ceci devait inciter les linguistiques à chercher à localiser les divergences, à déterminer, en France ou hors de France, les zones où se maintiennent les formes particulières sur les deux plans des sons et du sens. Doit-on distinguer entre des provinces, ou, plutôt, entre ce que l'on désigne comme des pays ? La tâche est longue et ardue, et Henriette Walter l'avait amorcée dans un ouvrage antérieur. Elle rappelle ici l'existence de ces zones du terroir, comme la Bresse et le Bugey, dont les limites ne se laissent pas cerner comme celles des départements, mais qui peuvent guider le linguiste dans sa recherche des variétés de la langue.

C'est surtout dans son développement à travers les siècles et dans sa diffusion dans ce que nous appelons l'Hexagone et au-delà, qu'il convient de suivre le français comme se singularisant parmi les parlers issus du latin et s'imposant graduellement comme la langue à tous usages, aussi bien quotidiens que littéraires ou administratifs. Le français apparaît pour la première fois dans les *Serments de Strasbourg*, en 842, distinct du latin qu'utilise Nithard pour nous le présenter. Il s'étend lentement à la fiction, mais il faut plus de deux siècles pour qu'il s'impose dans l'œuvre majeure qu'est la *Chanson de Roland*. D'autres siècles s'écouleront avant qu'on s'enhardisse à l'employer dans des actes administratifs. Si, dans la présentation de sa diffusion géographique, Henriette Walter part de la

Savoie, c'est que le compte Amédée VI décide d'adopter le français comme langue officielle, près de deux siècles avant que François Ier en fasse autant, en France, par l'ordonnance de Villers-Cotterêts, en 1539. Il va sans dire que le bon peuple continuera jusqu'à nos jours à utiliser des parlers locaux.

Ces parlers, dans la mesure où ils sont d'origine romane, sont, aujourd'hui, en voie de disparition et remplacés par la langue nationale sous des formes qui ont été influencées par les habitudes locales. Leurs caractéristiques retiennent l'attention de l'auteur. On ne peut, en effet, exclure qu'ils finissent par influencer, dans une certaine mesure, la norme de la langue, comme on l'a signalé ci-dessus à propos du sort de *a*.

Ce panorama de l'expansion du français comporte naturellement celle qui va atteindre, avec la colonisation, d'autres régions du globe. Elle commence avec Jacques Cartier à une date qui coïncide à peu près avec celle de l'ordonnance de Villers-Cotterêts.

Elle s'étend hors de France, en Belgique, en Suisse et, plus difficilement, dans le Val d'Aoste, c'est-à-dire dans les domaines de la langue d'oïl et du franco-provençal. Au-delà de la frontière, on relève des entorses à la norme parisienne, dans la numération notamment, et, plus récemment, dans l'extension des formes féminines de profession. Mais la mondialisation qui se manifeste aujourd'hui freinerait sans doute les tendances centrifuges, et les innovations que l'on relève hors de France n'ont guère de chance de s'y implanter. Le creuset parisien ne peut finalement imposer que des formes qui ont l'appui de l'ensemble de l'Hexagone : un Savoyard, votre serviteur, a éliminé ses septante et nonante à la minute où il a pénétré dans la classe de mathématiques au lycée qui porte aujourd'hui le nom de Vaugelas.

André Martinet, linguiste,
préface de *Le français d'ici, de là, de là-bas*,
Henriette Walter, coll. Poche, Lattès éditeur,
Paris 1998, 480 pages.

Document 2

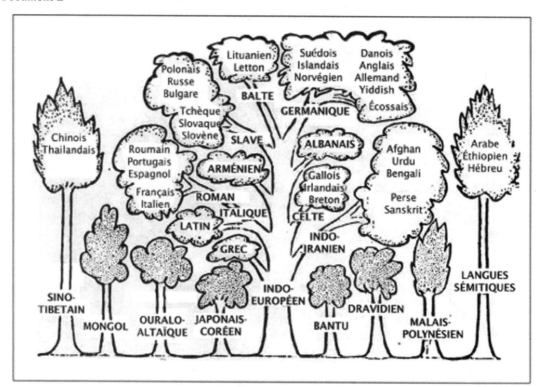

Document 3

Une centaine de mots nouveaux dans Le Petit Larousse 2006

AFP (mis en ligne le 23/06/2005) par Johanna de Tessieres

Reflet de l'époque, le dictionnaire Petit Larousse 2006, présenté jeudi à Paris, comprend une centaine de mots nouveaux, venus parfois de Belgique, du Québec ou d'origine anglo-saxonne, souvent liés aux nouvelles technologies, au bien-être et à l'environnement.

Le Petit Larousse illustré, dont la devise est : « instruire tout le monde sur toute chose », s'est vendu dans le monde à 57 millions d'exemplaires depuis sa création en 1905, selon l'éditeur.

La version 2006 comprend 15 millions de signes, 59 000 noms communs, 28 000 noms propres et 5 000 illustrations.

L'an passé, le dictionnaire du centenaire proposait plus de 400 mots et sens nouveaux. Le millésime 2006 n'en comprend qu'une centaine : « il y a en effet eu l'an passé un gros renouvellement » de mots, a-t-on expliqué chez l'éditeur. Cette année, parmi les mots nouveaux, on trouve « blog » (site web), « bluetooth » (connexion sans fil), « coming out » (révélation de son homosexualité), « cybercriminalité », « docu-fiction », échelle « ines » (mesure de la gravité d'un accident nucléaire), « écocitoyenneté », « grunge » (style négligé), « jet-ski », « pesto » (sauce italienne), « téléopérateur », « ti-punch », « toc » ou « t.o.c. » (trouble obsessionnel compulsif), « victimisation », etc.

Comme sens nouveaux, l'ouvrage propose « féroce » (préparation de cuisine antillaise), « grave » (stupide), « majuscule » (considérable), « mortel » (génial) ou « oméga » (famille d'acides gras).

Parmi les locutions et expressions nouvelles, figurent « ascenseur » (social), « bilan » (de compétences), « discrimination » (positive), « éthique » (pour un fonds), « habiller » (quelqu'un pour l'hiver), « méditerranéen » (régime), « mode » (opératoire), « parachute » (doré), « réchauffement », « global », « tranche » (nucléaire) ou « voyou » (pour un État).

Des personnalités étrangères comme Benoît XVI, Condoleezza Rice ou Madonna entrent dans l'ouvrage.

La francophonie n'est pas oubliée : la Belgique apporte notamment « babelutte » (sucre d'orge) ou « paletot » (pardessus), le Québec « calotte » (casquette), « grignotine » (amuse-gueule), ou « jambette » (croc-en-jambe) et la Suisse « bedoume » (femme stupide), « bérot » (petit chariot à deux roues), « glinglin » (auriculaire) ou « patrigot » (boue).

En outre, un cahier spécial offre une sélection de mots de la francophonie illustrée par des dessinateurs comme Moebius, Pétillon, Schuiten ou Zep. Cette 101e édition comprend un second cahier illustré (« La terre, planète vivante ») : il s'agit d'un état des lieux de la planète et d'une recension des grands défis environnementaux.

Tiré à un million d'exemplaires, le dictionnaire, qui existe aussi bien en version multimédia, grand format et compact, sera vendu dès le 7 juillet. Il connaîtra, comme chaque année, deux « pics » de vente : la rentrée scolaire et la semaine de Noël.

Document 4

Comme étranger et francophone, vous répondez à l'appel à contribution d'une revue française de sociologie qui souhaite consacrer un numéro spécial aux évolutions de la langue.

À l'aide du dossier joint et d'apports personnels, vous rédigez un texte structuré dans lequel vous présentez, dans un style approprié, votre langue maternelle, ses évolutions et le rapport que vous entretenez avec elle.

(minimum 700 mots)

L'usage de dictionnaires monolingues français / français est autorisé.

AUTO-ÉVALUATION

	oui	pas toujours	pas encore
Je peux saisir les jeux de mots et comprendre correctement un texte dont le message est implicite, en reconnaissant, par exemple, l'ironie, la satire.	☐	☐	☐
Je peux comprendre des textes écrits dans un style très familier avec beaucoup d'expressions idiomatiques ou argotiques.	☐	☐	☐
Je peux comprendre des manuels, règlements et des contrats même dans des domaines non familiers.	☐	☐	☐
Je peux lire des textes appartenant aux différents genres de la littérature classique et contemporaine (poésie, prose, théâtre).	☐	☐	☐
Je peux lire des textes tels que chroniques littéraires ou commentaires satiriques, qui contiennent beaucoup d'informations indirectes et ambiguës et de jugements de valeur implicites.	☐	☐	☐
Je peux distinguer les effets de style les plus variés (jeux de mots, métaphores, thèmes littéraires, connotations, symboles, ambiguïté) et apprécier leur fonction dans le texte.	☐	☐	☐
Je peux écrire des rapports et des articles bien structurés et lisibles sur des sujets complexes.	☐	☐	☐
Je peux exposer un thème que j'ai étudié dans un rapport ou un essai; je peux résumer les opinions d'autres personnes, apporter des informations et des faits détaillés et les commenter.	☐	☐	☐
Je peux écrire un commentaire clair et bien structuré sur un document de travail ou un projet et justifier mon opinion.	☐	☐	☐
Je peux écrire une critique sur un événement culturel (film, musique, théâtre, littérature, radio, télévision).	☐	☐	☐
Je peux résumer par écrit des textes factuels ou littéraires.	☐	☐	☐
Je peux écrire des récits sur des expériences dans un style clair, fluide et approprié au genre choisi.	☐	☐	☐
Je peux écrire une lettre formelle, même assez complexe, d'une manière claire et bien structurée, dans un style adéquat, par exemple une requête, une demande écrite, une offre aux autorités, à des supérieurs ou à des clients.	☐	☐	☐
Je peux m'exprimer, dans mes lettres, d'une manière délibérément ironique, ambiguë ou humoristique.	☐	☐	☐

TRANSCRIPTIONS

C1 – Compréhension de l'oral

Enregistrement n° 1
Activités 1, 2, 3, 4
Document 1 (interview)
Pourquoi j'ai changé de métier

Journaliste: Bonjour à tous. Eh bien, comme chaque semaine, nous découvrons celles et ceux qui tentent de mieux vivre leur vie et viennent nous faire partager leur expérience. Alors aujourd'hui, nous accueillons Philippe, Philippe, 41 ans, qui a changé sa vie en changeant de métier.

Philippe, bonjour, voilà, nous écoutons votre témoignage, faites-nous partager votre expérience.

Philippe: Bonjour. Alors voilà, j'étais dans l'informatique depuis dix ans, j'avais commencé tout en bas de l'échelle, j'avais gravi tous les échelons de la hiérarchie et je me suis retrouvé cadre supérieur dans une grosse entreprise, à un poste où j'étais payé à rien faire. Alors, j'avais beaucoup d'avantages sociaux, que je regrette un peu aujourd'hui, des collègues très sympas, une ambiance de travail chaleureuse, mais franchement, je m'ennuyais à mourir. Je suis parti du jour au lendemain, sans rien prévoir pour l'avenir, et ça s'est soldé par une dépression. Mais je n'ai eu aucun regret. À côté de mon entreprise, j'avais entendu qu'un artisan cherchait des jeunes pour les former au métier de charpentier. Alors, je me suis présenté, l'artisan a ri quand je lui ai donné mon âge, et, ben, il m'a donné ma chance.

J.: Donc vous voilà aujourd'hui devenu charpentier. Alors, qu'est-ce que cela vous a apporté? Et, vous arrive-t-il de regretter votre ancienne situation?

P.: Non, non. Moi, ce que j'aime, j'aime toucher le bois, travailler avec mes mains, être en équilibre sur les toits. Avec ce métier, surtout ce que j'ai redécouvert, c'est un rapport à la réalité qui me manquait, franchement. D'abord, mes rapports avec les autres ont changé. Parce que dans mon travail, j'ai des relations plus vraies, plus saines avec mes collègues.

Document 2 (interview)
La vitamine C

Journaliste: C'est la vitamine dont nous avons tous besoin. La vitamine C revitalise, renforce nos défenses, préserve notre capital jeunesse, améliore notre activité cérébrale. La liste de ces bienfaits est longue et pourtant, pourtant, nous n'en consommons pas assez.

Pour en savoir plus, nous recevons aujourd'hui Françoise Bater, médecin, qui vient nous présenter les résultats de son enquête.

Françoise Bater, bonjour et bienvenue sur le plateau de Question santé. Alors, votre enquête révèle que nous souffrons tous, ou presque, d'une carence en vitamine C. Quelles sont les conséquences pour l'organisme?

Françoise Bater: Cette carence peut avoir de lourdes conséquences sur notre organisme et tout particulièrement en nous rendant plus vulnérables aux menaces de la vie quotidienne. Alors, des petits troubles comme un rhume ou une mauvaise grippe mais peut-être des troubles plus graves comme une cataracte ou certaines affections artérielles même. Pour la santé de l'homme, la vitamine C est primordiale. Et comme on sait que l'homme ne la fabrique pas naturellement, il est capital qu'il veille à satisfaire ses besoins en vitamine C.

J.: Et alors, comment? Est-ce qu'il faut consommer davantage de fruits et de légumes?

F. B.: Ah ça, bien entendu, il faut consommer des fruits et des légumes colorés: c'est connu, le kiwi, le poivron, le brocoli, car c'est ceux qui contiennent le plus de vitamine C naturelle. Ne pas oublier les agrumes, à consommer dans la journée plutôt que le matin en raison de leur acidité. Malheureusement, même en consommant une dizaine de fruits et de légumes par jour, l'apport en vitamine C ne sera pas comblé totalement. Impossible donc d'échapper aux compléments alimentaires pour atteindre les 500 mg de vitamine C à consommer obligatoirement par jour.

Document 3 (monologue radiophonique)
La science en livres

Le Sahara n'est pas le désert uniforme de notre imaginaire. CNRS éditions nous le révèlent avec plusieurs livres: *Flore et végétation du Sahara* nous fait découvrir un millier d'espèces; *Villes du Sahara* nous décrit un désert contemporain, principalement urbain, avec même une agglomération de 150 000 habitants!

Et puis les dunes cachent un passé luxuriant. Le livre écrit il y a déjà quatre ans par Nicole Petit-Maire, Directeur de recherche émérite au CNRS, *Sahara, sous le sable... des lacs* retrouve toute son actualité au moment où les États-Unis s'éveillent aux problèmes de changement climatiques.

Photos à l'appui, nous voici plongés dans une machine à remonter le temps. On est terrifié par l'incroyable variabilité du climat. Dans sa ronde autour du Soleil, la Terre fait alterner le chaud et le froid. La dernière période glaciaire date d'il y a 18 000 ans. Il faisait plus froid qu'aujourd'hui de 4,5 °. Nous vivons depuis dans une phase intermédiaire, avec un pic de chaleur, deux degrés de plus qu'aujourd'hui, il y a 8 000 ans. Du minimum au maximum: 7° d'écart, pas plus. On mesure l'importance des 2° que pourrait apporter notre industrie d'ici la fin du siècle. De quoi revenir des milliers d'années en arrière.

Et le Sahara? Pour simplifier, dans cette région, froid rime avec sécheresse, chaleur avec humidité. En plein cœur du désert, on trouve de gigantesques buttes de mollusques fossiles, des silex taillés, des gravures rupestres de girafes, antilopes et serpents... des dents d'hippopotames, des nids de guêpes fossilisés et des sépultures néolithiques. Il n'aura fallu que quelques millénaires pour transformer un paysage avec plein de grosses bêtes et des hommes, en un désert hyperaride aujourd'hui. Mais le processus va s'inverser. Quand la planète se refroidira, le désert reculera… dans 100 000 ans.

Seulement voilà, entre-temps l'homme l'aura sans doute réchauffé. Avec *Sahara, sous le sable… des lacs*, aux éditions du CNRS, Nicole Petit-Maire se pose la question de l'avenir de son désert préféré. Le chercheur redevient citoyen pour demander aux politiques d'y veiller.

Le CNRS vous propose toute la semaine prochaine, en partenariat avec France Info, un voyage aux confins des déserts. « Grains de Science », organisé dans les jardins du Trocadéro à Paris, vous convie à un parcours ludique dans la richesse des paysages désertiques, et à de très nombreuses conférences et projections de films jusqu'à dimanche prochain. Dépaysement intelligent assuré.

France Info, 15 octobre 2003.

Document 4 (interview)
Ardoisier de pères en fils

Journaliste: Dites-moi, monsieur Beaud, on se trouve où, là?

M. Beaud: Alors là, on est dans la fabrique d'ardoises de Morzine, c'est un village de montagne. Là, vous voyez, les falaises sont riches de veines bleues d'ardoise, on voit partout… tout le long de son corps de roche. Et ce que vous voyez, ça, c'est les toits des chalets traditionnels qui brillent, on voit un éclat bleuté, là.

J.: Et quel est votre métier?

M. B.: Je suis ardoisier, dans ma famille, on a tous été ardoisiers de pères en fils, et ça remonte au moins au XVIIe siècle, hein.

J.: D'accord. Ardoisier, c'est un métier difficile, dites-moi?

M. B.: Ah ben oui, oui, oui, ardoisier, c'est difficile, parce qu'il faut savoir tout faire, de l'extraction à la fente, en passant par la taille et faut même faire couvreur parce qu'il en manque.

J: Mais aujourd'hui avec le tourisme, est-ce que vous avez toujours autant de travail?

M. B.: Ben oui, le tourisme n'a pas tué l'ardoise. Trois chantiers sont encore en exploitation. Enfin, la production s'est appauvrie car les filons d'ardoise ne sont pas éternels, non plus. Aujourd'hui le problème, c'est pas la vente, l'ardoise de Morzine a une renommée extraordinaire dans toute la région, mais également au-delà de la vallée. Disons qu'à l'heure actuelle, le problème, c'est plutôt la pénurie. Le tourisme, ça a fait évoluer l'utilisation de l'ardoise. Alors aujourd'hui, elle ne sert plus seulement à couvrir les toits des maisons traditionnelles. Elle plaît beaucoup aux touristes étrangers, qui repartent tous avec des objets de décoration réalisés à partir des ardoises.

Document 5 (monologue radiophonique)
Station en manque de neige

Tombera, tombera pas? Chaque année, des milliers de vacanciers scrutent le ciel pour répondre à cette question. Et s'assurer ou pas de pouvoir dévaler les pistes recouvertes d'or blanc. Dans les stations de ski, c'est l'affaire des spécialistes de la neige qui sont garants du bon enneigement des pistes. Finie l'attente inquiète des premiers flocons, les professionnels prennent les choses en main: un défi à la nature et un savoir-faire devenus indispensables au développement économique des stations. Des professionnels qui ont une mission: gérer la neige, denrée rare, fragile et délicate. Difficile aujourd'hui pour une station de ski de faire l'impasse sur la production de neige de culture. Il ne s'agit bien évidemment pas d'enneiger toutes les pistes de la station mais de pourvoir les axes les plus fréquentés le plus longtemps possible car la vie de la station en dépend. Sans neige, pas de skieurs, sans skieurs, pas de fréquentation dans les hôtels et restaurants, et par conséquent, un avenir sombre pour les stations de ski. Aujourd'hui, l'extension du domaine skiable français et l'enjeu économique des sports d'hiver exigent donc une organisation solide et passe par une gestion stratégique de la neige.

Enregistrement n° 2
Pour ou contre la vaccination

Activité 5
Extrait 1
Journaliste: Mesdames, Messieurs, bonjour. Qu'il s'agisse du vaccin contre les maladies infantiles ou de celui contre la grippe, la vaccination a toujours divisé. Nous recevons aujourd'hui Françoise Frias, présidente de l'Association des victimes du vaccin de l'hépatite B, et le professeur André Gutierrez, chef du service des maladies infectieuses à l'hôpital Arnaud de Villeneuve de Montpellier.
Alors, que pensez-vous de la vaccination?

Activités 6, 7, 8
Extrait 2
Françoise Frias: Notre association exige que chaque citoyen français puisse choisir ou non de se faire vacciner. Alors au départ, nous agissions pour plus de transparence, plus d'informations à l'égard de la vaccination. Car nous pensons que les personnes doivent connaître les risques liés aux vaccinations. En plus de cela, depuis quelques années, nous militons également pour la liberté de se faire ou non vacciner. Et je tiens à indiquer d'ailleurs à ce propos que la France est le seul pays de l'Union européenne à avoir une législation si contraignante en matière de vaccination.

Journaliste: Tout à fait. De toute façon, on sait aussi qu'aujourd'hui il n'est pas nécessaire de rendre les vaccinations légalement obligatoires pour que les gens se fassent vacciner puisqu'on sait que 91,5 % de la population y est favorable.

F. F.: Nous persistons également à avoir des doutes quant à la polémique qui touche la communauté médicale. D'un côté, de nombreux praticiens se font entendre pour modifier, voire supprimer la vaccination contre la tuberculose, qui est jugée inefficace. Et de l'autre côté, pour certaines maladies infectieuses comme la coqueluche ou bien la méningite, d'autres prônent au contraire un renforcement des vaccinations.

Professeur Gutierrez : Oui, enfin, il y a une chose que vous oubliez, l'efficacité de la vaccination est sûre, étant donné que les campagnes de vaccination ont permis l'éradication de la variole, la diminution de la fréquence d'autres maladies infectieuses graves et parfois mortelles comme la poliomyélite ou encore la diphtérie, et une réduction des cas de tétanos. La vaccination permet non seulement une protection collective, en diminuant la circulation des germes entre les individus, mais en plus, elle constitue un acte médical solidaire.

F. F. : Non, mais je suis d'accord avec vous sur ce point-là. Mais est-ce que vous ne pensez pas qu'il vaudrait mieux convaincre que contraindre ? D'autre part, c'est en totale contradiction avec toutes les lois qui garantissent les libertés individuelles. Pourquoi est-ce qu'il n'existerait pas une objection de conscience qui permettrait aux gens de dire : « Non, je ne veux pas être vacciné, en toutes circonstances et pour des raisons personnelles » ?

Pr G. : Oui… Non, non… Je partage votre analyse. Un choix ne peut être fait en effet que s'il y a information. C'est le devoir des médecins qui doivent donner une information claire, appropriée et exhaustive sur l'acte de vaccination. En plus, j'insiste sur le fait qu'on ne met pas un vaccin dans un document officiel s'il nuit au niveau individuel.

F. F. : C'est ridicule, je ne suis pas d'accord avec vous. Aujourd'hui encore, les familles ne savent rien : elles font confiance à leur médecin de famille et elles se font vacciner les yeux fermés, et ceci à leurs risques et périls. Je ne compte plus les lettres reçues de personnes vaccinées rencontrant des effets secondaires. La vaccination est pratiquée en masse, alors que nous, nous réagissons tous différemment à un même produit. On ne peut donc pas dire que la vaccination sur telle personne est une protection, forcément.

Pr G. : Non, non, pas tout à fait. Je tiens à rappeler que la vaccination consiste à introduire dans l'organisme un microbe rendu inoffensif qui va stimuler les défenses naturelles, en immunisant l'organisme contre une infection ultérieure. Donc les contre-indications à la vaccination sont peu nombreuses. Elles concernent essentiellement les allergies aux constituants des vaccins, qu'il s'agisse de la substance vaccinale elle-même, mais aussi des conservateurs, des supports contenant la substance vaccinale. Le respect des contre-indications et des précautions d'emploi permet de limiter les risques.

F. F. : Ben alors là, je ne partage pas votre avis. C'est justement ce point qui constitue pour moi et les membres de mon association, l'essentiel de nos craintes, vis-à-vis des vaccins. Nous œuvrons pour des preuves d'efficacité et d'innocuité qui, jusqu'à ce jour, n'ont jamais été fournies de façon scientifique et incontestable. Quand un vaccin est lancé, dès le départ, on sait qu'il y aura du dégât, qu'il ne sera pas efficace pour certains, et rien n'est fait. La preuve en est faite avec la vaccination de masse contre l'hépatite B qui a entraîné une recrudescence de maladies neurologiques comme la sclérose en plaques, la myopathie, les névralgies…

Sans cette campagne de vaccination massive, tout cela aura pu être évité !

Pr G. : Oui, certes, enfin je vous rappelle quand même qu'à l'heure actuelle, aucune étude scientifique n'a mis en évidence de lien de causalité entre ce vaccin et la survenue de telles affections neurologiques. Il est vrai que des effets secondaires, fréquents mais modérés, peuvent apparaître chez l'adulte. En revanche, chez l'enfant, ils peuvent être plus importants. Le vaccin peut entraîner une inflammation bénigne au point d'injection et, selon les vaccins, une petite réaction fébrile dans les 48 heures qui suivent, simulant parfois les maladies pour lesquelles ils ont été conçus. Enfin, les risques liés à l'utilisation des vaccins restent malgré tout minimes au regard de la protection qu'ils assurent.

F. F. : Je suis toujours perplexe quant aux risques liés à l'utilisation des vaccins. Professeur, vous nous dites que les risques sont minimes et pourtant on constate que les adultes qui attrapent des maladies bénignes chez les enfants peuvent courir un risque grave. Je pense entre autres aux oreillons, à la rubéole. La durée d'effet du vaccin est-elle si limitée dans le temps ? Hein, est-ce qu'elle sert vraiment à quelque chose ?

Pr G. : Attention, parce que là, il semblerait que votre exemple ne soit pas lié à la qualité du vaccin mais plutôt à la mise en œuvre de la politique sanitaire en matière de prévention. Aujourd'hui, la couverture vaccinale stagne autour de 85 % chez les nourrissons, ce qui est insuffisant et induit même des effets secondaires préoccupants du point de vue épidémiologique. Dans la mesure où il y a beaucoup moins de cas qu'auparavant, une personne qui n'a pas été protégée va grandir pendant longtemps avant d'en rencontrer un. Alors, ces maladies sont plus graves lorsqu'on les attrape plus tard. Autrement dit, ne pas faire vacciner son enfant revient donc à lui faire courir un risque médical individuel. Je pense que le maintien de la vaccination est donc indispensable.

Enregistrement n° 3 (interview)
Les conditions de travail
Activité 9

Journaliste : Que désigne-t-on sous le terme de « conditions de travail » ?

Inspecteur du travail : Alors, c'est un concept, c'est une notion qui englobe l'ensemble des caractéristiques de la qualité de la vie professionnelle. Les bonnes conditions de travail ne sont pas seulement celles qui ne provoquent pas directement des troubles. Souvent, un individu va prendre conscience de ses conditions de travail quand elles se détériorent… Nous observons depuis une dizaine d'années environ l'évolution de cette notion de conditions de travail. Autrefois, c'est vrai que certains accidents étaient considérés comme, je dirais, « dans la juste lignée des choses ». Je pense, par exemple, aux accidents mortels chez les professionnels du bâtiment. Aujourd'hui, chuter d'un toit ou d'un échafaudage, c'est vraiment inadmissible. Grâce aux études menées sur les conditions de travail, celles-ci ont pu être vraiment améliorées, et on voit, depuis une vingtaine d'années, c'est vrai, le nombre d'accidents diminuer.

J.: En quoi consistent les études menées par la direction du travail et de la prospective ?

Inspecteur: Tout d'abord, l'amélioration des conditions de travail passe forcément par des études du terrain et puis surtout, une meilleure connaissance des gestes professionnels. Effectivement, plus nous connaissons les habitudes des professionnels, plus nous pouvons les aider et améliorer leurs conditions de travail. Alors ensuite, nous combinons les résultats de nos recherches avec les apports de nombreuses disciplines scientifiques (ça va de l'épidémiologie à la physiologie, la psychologie du travail, l'ergonomie aussi). Mais attention, l'évolution des techniques n'entraîne pas forcément une amélioration de la qualité de vie au travail. La réalité c'est quand même quelque chose de plus complexe. Depuis les années 80, on assiste en fait à une intensification du travail et donc à l'apparition de nouvelles contraintes de rentabilité à la fois chez les cadres et chez les employés. Ça concerne en particulier le respect des normes et des délais beaucoup plus stricts. Par ailleurs, les ouvriers et les techniciens, eux, ils ont dû s'adapter pour répondre de plus en plus aux urgences et aux fluctuations de la demande.

Enregistrement n° 4 (témoignage)
L'hyperacousie
Activité 10

Le 18 juin prochain aura lieu la Journée nationale de l'audition à Marseille. Au cours de cette manifestation, de nombreuses associations tenteront de sensibiliser et de prévenir le grand public des risques encourus par le niveau sonore de certains concerts, spectacles, salles de cinémas ou dans certaines discothèques.

Les membres de l'Association de sensibilisation à l'hyperacousie (ASH) seront présents le 18 juin pour alerter les jeunes sur les conséquences d'une surcharge de décibels et sur une maladie bien mal connue qui touche de plus en plus de jeunes, l'hyperacousie. Cette hypersensibilité aux bruits les plus ordinaires a des conséquences désastreuses pour l'individu qui en souffre : des sifflements ou bourdonnements d'oreille intempestifs appelés acouphènes ou, plus grave, une surdité. En outre, les symptômes de l'hyperacousie, indécelables et mal connus, ne donnent droit à aucune prise en charge par les organismes sociaux.

Et pourtant, l'hyperacousie est évitable. C'est pour cela que les membres de l'ASH, pour certains victimes, ont décidé de faire la chasse aux décibels, en créant l'ASH. La nocivité du bruit dépend à la fois de l'intensité du son et de sa durée. Deux heures passées dans une salle de concert à 100 dB présentent le même danger que 10 minutes de marteau-piqueur à 110 dB ! À ce niveau sonore, les cellules ciliées de l'oreille se froissent. L'oreille siffle, semble cotonneuse et ne récupérera toutes ses facultés qu'au bout de quelques heures. Si l'oreille est confrontée trop souvent à ce genre d'exposition, l'audition se détériore. Une exposition longue et répétée à 90 dB (comme dans un orchestre symphonique) peut par conséquent entraîner de graves dom-

mages allant parfois jusqu'à une surdité irréversible. La surdité, par son coût, vient aujourd'hui en tête des maladies professionnelles. On estime que deux millions de personnes sont exposées dans leur profession à des niveaux de bruit dangereux pour l'audition. Routiers, musiciens ou ouvriers du bâtiment présentent un déficit auditif moyen de 20 dB ! Plus de deux millions et demi de Français souffrent aujourd'hui d'acouphènes. Un excès de décibels provoque aussi des effets sur le cœur et la tension artérielle, engendre des troubles du sommeil, diminue les défenses immunitaires. Une loi fixe le niveau sonore maximum des concerts à 105 dB en moyenne. Et pourtant, cette limitation peut avoir des conséquences dangereuses pour l'oreille et l'organisme : 30 minutes d'exposition à 105 dB peuvent provoquer un traumatisme auditif ! L'Association de sensibilisation à l'hyperacousie milite pour qu'une mise en garde systématique soit faite à l'entrée des lieux fréquentés par les jeunes pour les avertir des risques encourus.

Enregistrement n° 5 (conversation)
Counter Strike
Activité 1

– Vous jouez à quoi ?
– À Counter Strike. Il y a en fait une équipe de gangsters face aux forces de l'ordre, donc c'est en fait les policiers qui doivent arrêter un groupe de malfaiteurs. Le principe, c'est au début, au fur et à mesure des parties, on gagne de l'argent, et quand on a de l'argent, on peut s'acheter des équipements pour contre-attaquer les assauts des malfaiteurs. Alors, au final, plus on a d'argent et plus vite on pourra mettre nos adversaires derrière les barreaux…

Enregistrement n° 6 (reportage)
Les jeux en réseau
Activité 2

– Bienvenue dans l'univers des hardcoregamers, autrement dit les accros du jeu vidéo en réseau. Jeu d'action, jeu de stratégie, jeu de rôle, ce sont les principaux thèmes sur lesquels ces joueurs s'affrontent. En France le nombre de connexions aux plates-formes sur Internet explose, et le nombre de salles spécialisées se multiplie. Visitons donc le Linco, l'une des trois cents salles françaises de jeux en réseau. Ce lieu est situé dans le sixième arrondissement à Paris et Benjamin Teller, l'un des co-gérants, a accepté d'être notre guide :
– Alors on accueille entre 25 et 28 personnes. Au niveau matériel, c'est très simple, c'est à peu près 25 ordinateurs qui sont tous reliés entre eux, évidemment ils sont connectés sur Internet, et c'est sur ces ordinateurs que les joueurs vont jouer, ensemble, que ce soit en coopératif ou les uns contre les autres. Voilà. Après, bien sûr, c'est aussi un lieu social, c'est important, où ils viennent se retrouver pour jouer ensemble…

Enregistrement n° 7 (reportage – monologue)
La souveraineté nationale
Activité 3

Les premiers accords entre les pays européens de l'Ouest ont ouvert une brèche dans la citadelle de la souveraineté nationale qui barrait la route à l'unité de l'Europe. Depuis 1 000 ans, la souveraineté nationale s'est manifestée en Europe par le développement du nationalisme et par de vaines et sanglantes tentatives d'hégémonie d'un pays sur l'autre. Pour éviter tout retour à un passé de déchirement et de ruine qui a menacé la civilisation européenne, les hommes politiques européens de l'Ouest ont mis en place les fondations de la Communauté européenne.

Enregistrement n° 8 (reportage – monologue)
Femmes chercheurs
Activité 4
Les femmes font-elles de meilleurs chercheurs ? Aujourd'hui encore, dans les pays où les femmes ont la chance de poursuivre une carrière scientifique, elles restent nettement moins nombreuses que les hommes dans les laboratoires et voient trop souvent leur avancement retardé pour des raisons plus ou moins avouées. Selon Nathalie Frenkel, directrice adjointe du CNRS, une femme scientifique doit fournir deux fois et demie la quantité de travail d'un homologue masculin pour avoir quelques chances de décrocher des fonds pour ses recherches. On doute encore de la créativité des femmes, de leur autorité et même de leur combativité. Pourtant, selon une étude menée par l'Institut Sofres, les femmes ont développé de solides capacités d'organisation, font d'excellentes responsables, sont plus concrètes et plus orientées vers l'action. Et pourtant, elles doivent toujours, plus que les hommes, faire leurs preuves dans leur travail.

Enregistrement n° 9 (publi-reportage)
Des semelles adaptées
Activité 5
Plus jamais mal aux pieds, c'est désormais possible.
La vieille légende qui entoure le ski, c'est que les chaussures font toujours mal aux pieds. Trop rigides, trop droites, trop raides, trop dures. Depuis peu, ce n'est plus qu'une vieille histoire !
Un fabricant suédois vient de mettre au point une technique révolutionnaire qui vous permettra de retrouver chaussure à votre pied, enfin !
Ce nouveau procédé s'appelle « Ski-light ». Vous le trouverez chez tous les spécialistes de sports de glisse qui sont désormais équipés pour prendre vos pieds en main et vous bâtir du sur-mesure. Les revendeurs agréés « Ski-light » sont capables de faire de vos chaussures des « premières classes ». Comment ? Tout simplement en déposant dans le fond de vos propres chaussures des semelles spéciales thermoformées à la forme de vos pieds. Tout est équipable, vos vieilles chaussures ou celles que vous venez d'acheter. Le vendeur diagnostiquera le problème, prescrira la semelle adéquate puis équipera vos chaussures avec les semelles magiques réalisées sur place, immédiatement. Rapide, efficace, et surtout beaucoup plus de plaisir sur les pistes. Cette nouvelle technique est un service particulier qui vous permettra de faire un choix judicieux selon votre niveau de ski, la forme de votre pied et votre exigence. Voici donc une petite révolution, l'invention de la chaussure qui vous convient.

Enregistrement n° 10 (reportage – rubrique actualités)
Vie familiale, vie professionnelle
Activité 6
Sur notre antenne aujourd'hui, un reportage sur les difficultés rencontrées par les femmes pour concilier vie professionnelle et vie familiale, à partir d'une enquête menée lors de la conférence européenne sur la famille qui a eu lieu le 15 février dernier à Oslo.
Lors de cette conférence, les ministres européens représentés ont promis qu'un effort financier significatif serait porté à la création de structures de garde pour les enfants en bas âge : crèches, jardins d'enfants et haltes-garderies. Alors, tiendront-ils leurs promesses ? En Europe, alors que près de 80 % des femmes de 25 à 49 ans travaillent, seulement 9 % des enfants de moins de trois ans sont accueillis dans des structures de garde. Les femmes travaillent toujours davantage, n'interrompent plus leur activité à l'arrivée d'un enfant, et revendiquent un accès aux carrières et aux responsabilités identique à celui des hommes. Ce sont elles qui assurent 80 % du travail domestique et les deux tiers des activités avec les enfants. De plus, la société évolue, et les attentes des familles aussi : elles souhaitent davantage de structures collectives et une plus grande souplesse dans leur fonctionnement. Les modes d'accueil doivent désormais prendre en compte les nouvelles contraintes de la vie économique pour les parents : travail à mi-temps, stages ponctuels, horaires atypiques ou irréguliers, précarité professionnelle. Pour pouvoir continuer à travailler quand on a des enfants, il faut avoir, d'une part, une organisation très efficace, d'autre part, des ressources…
C'est sur cet ensemble de propositions d'évolution que se sont engagés les parlementaires. Une charte a été élaborée sur les actions à mener en priorité.
Les pays européens se sont engagés à développer plusieurs axes. En premier lieu, le développement des services aux familles, en légiférant sur le droit à la garde des jeunes enfants. Un second axe consistera à réfléchir sur une réorganisation du temps de travail : une révision des horaires de réunion, ou la possibilité de commencer sa journée de travail plus tôt… Et enfin, un troisième axe sera développé. Il s'agira d'œuvrer pour une égalité entre hommes et femmes. C'est cet axe qui a engendré le plus de réticences. Pourtant, l'exemple des Suédois incite à la réflexion. En effet, en Suède et dans les pays du Nord, les féministes ont réussi à théoriser assez tôt, dans les années soixante-dix, la double nécessité pour les femmes de travailler, et pour les hommes de s'impliquer dans la vie familiale.
Cette charte européenne permettra, nous l'espérons, de réduire les difficultés rencontrées par les femmes qui concilient vie professionnelle et vie familiale, en levant les obstacles liés à la pénurie des offres de garde, aux horaires de travail non adaptés aux horaires des parents et aux coûts engendrés par les frais de garde.

Enregistrement n° 11 (interview)
Le temps des scientifiques
Activité 7

Journaliste : Les scientifiques manipulent un temps qui n'a que peu à voir avec le nôtre. Les uns plongent dans les millisecondes pendant que les autres raisonnent en millions d'années. Le géologue, lui, étudie la terre. Âge estimé : 4,5 milliards d'années. Son temps de référence se mesure en milliards d'années. Les plus anciennes roches découvertes ont le bel âge de 3,9 milliards d'années. En arpentant les sols de notre planète, le géologue va donc découvrir les traces d'un passé très ancien. Changement d'échelle pour l'astronome : l'univers serait âgé d'une quinzaine de milliards d'années. L'astronome manipule un temps qui n'a vraiment rien à voir avec celui de notre quotidien. Une heure « astronomique » représente 625 millions d'années. Pour les physiciens et les chimistes, qui traquent les particules de la matière dans l'infiniment petit, il faut aller dans l'autre sens. Le temps de réaction des molécules se mesure en quelques dizaines de dixièmes de secondes. Que les unités de mesure du temps soient infiniment grandes ou infiniment petites, nous avons très souvent du mal à nous y retrouver.

Tout cela semble bien inaccessible pour nous simples mortels... Alors, ne serait-il pas plus simple de mesurer le temps de l'univers avec nos unités ordinaires telles que les heures ou les secondes ? Eh bien, nous avons posé cette question au professeur Andreï, directeur de l'Observatoire européen de l'espace.

Pr Andreï : Les unités de mesure ne sont jamais que des conventions. C'est en quelque sorte un langage commun adopté par la communauté scientifique à laquelle j'appartiens. Cependant, nous ne pourrions pas mesurer le temps de l'univers avec les unités ordinaires que sont les heures, les minutes ou les secondes. Nous travaillons essentiellement en années-lumière car c'est très parlant pour des objets astronomiques, puisqu'elle nous dit automatiquement à quel moment a eu lieu l'événement que nous sommes en train d'observer.

J. : Et quel regard portez-vous donc sur le temps à l'échelle humaine, sur les unités de mesure ordinaires ?

Pr A. : A priori, mon temps, c'est-à-dire le temps en astronomie, et le vôtre, celui de la vie quotidienne, n'ont pas grand-chose à voir ensemble. Et pourtant, vous allez voir qu'il existe un petit lien entre nos deux mesures. Dans notre vie courante, nous avons besoin d'une échelle de temps réduite relative à nos activités. Alors qu'en astronomie, les temps caractéristiques des phénomènes que nous observons vont de la microseconde, voire moins, au milliard d'années, et cela en relation avec les phénomènes étudiés. Pourtant, comme je vous l'ai dit, il existe une petite zone commune entre les deux temps. C'est le cas dans l'étude des phénomènes cycliques, tels que la comète de Halley qui revient tous les 76 ans dans notre système solaire. Cet ordre de durée, à l'échelle d'une vie humaine, se rencontre également avec les galaxies et les étoiles. Quand on étudie une supernova, c'est-à-dire l'explosion et la disparition d'une étoile, les astronomes doivent renoncer à toute autre activité, ils sacrifient leurs vacances, car l'événement dure une centaine de jours, au cours desquels ils ne peuvent quitter leurs télescopes, car l'observation doit être de tous les instants.

Enregistrement n° 12 (interview)
Le Conservatoire du littoral
Activité 8

Journaliste : Bonjour Nathalie Fonterel. Vous êtes donc à la rédaction d'Inter spécialiste des questions environnementales et nous fêtons aujourd'hui les trente ans du Conservatoire du littoral. Depuis 1975, l'établissement public a protégé quoi, à peu près 10 % du linéaire côtier du béton ?

Nathalie Fonterel : Oui, ça représente 800 km de rivages. Alors, dans les années 70, la côte d'Azur avait déjà sacrifié sa côte à l'urbanisation et c'est pour éviter que le littoral français ne devienne un mur de béton que le Conservatoire a été créé. Il rachète depuis les terrains grâce à des fonds publics.

J. : Et j'imagine qu'il n'est pas facile, pour les communes, de choisir entre la protection des paysages et les retombées économiques générées par l'urbanisation.

N. F. : Non, non, évidemment, mais elles se rendent compte que le vert peut valoir de l'or et que la nature attire les touristes et c'est souvent de plus en plus et à la demande des communes que le Conservatoire agit. C'est le cas par exemple de l'île Tristan dans le Finistère. C'est en face de Douarnenez, une île auparavant privée mais les propriétaires avaient du mal à financer son entretien ; la mairie a appelé le Conservatoire au secours. Monique Prévos est le maire de Douarnenez :

Monique Prévos : « Il y a de nombreux promoteurs qui se sont fait connaître, je pense qu'on aurait eu une résidence de luxe, des hôtels ou voilà, quelque chose qui, du coup, était aussi un peu confisqué, parce que l'avantage quand même de cette situation c'est que l'île fait partie du patrimoine commun et que les Douarnenistes y ont accès. Ils ont été très surpris les premières fois qu'on a fait des portes ouvertes parce que très peu de Douarnenistes étaient venus sur l'île et il y a eu un engouement très fort et je pense que ça aussi c'est important, que cet espace qui est assez magique ne soit pas réservé à une élite, à une petite... à un petit groupe de personnes. »

J. : Et tous les terrains, Nathalie Fonterel, qui ont été acquis par le Conservatoire sont effectivement ouverts au public.

N. F. : Et ils sont très fréquentés, imaginez, trente millions de visiteurs par an, ça devient d'ailleurs problématique parce que l'entretien coûte de plus en plus cher. Marie Bonnet est la directrice adjointe du Conservatoire du littoral :

Marie Bonnet : On est aujourd'hui propriétaires de 75 000 hectares, on ambitionne d'avoir atteint plus de 200 000 hectares en 2050 et on a des travaux d'aménagement et de réhabilitation extrêmement importants sur ces terrains et ça relève de la responsabilité du Conservatoire et, bien évidemment, plus les surfaces détenues, plus le patrimoine du Conservatoire s'étend, plus ces travaux d'aménagement coûtent et mobilisent notre budget. Aujourd'hui, sur un budget d'acquisition d'à peu près 18 millions d'euros, on en a 7 qui sont consacrés aux travaux d'aménagement.

J. : Mais justement, n'est-il pas dommage d'aménager des espaces sauvages ?

N. F. : Oui, sans doute, mais sinon, le vert devient victime de son succès ; il faut donc recourir au génie écologique, comme il existe le génie civil.

Il y a un exemple célèbre c'est la pointe du Raz. Denis Bredin est le délégué du Conservatoire du littoral pour la Bretagne :

Denis Bredin : Quand on acquiert des sites très dégradés, c'est le cas par exemple de la pointe du Raz, bien évidemment on se doit de faire quelque chose ; il n'y avait plus du tout de végétation à la pointe, vous aviez un grand parking, vous aviez une cité commerciale et tout autour, même plus un réseau de sentiers, vous n'aviez plus de végétation, on avait la roche mère à nu. Donc le choix a été de créer *ex nihilo* des sentiers pour que les gens soient quelque part guidés par le confort pour éviter d'avoir envie d'aller en dehors de ce sentier ; un phénomène très simple c'est quand vous êtes sur un sentier avec des flaques d'eau, vous évitez la flaque d'eau ; si votre sentier est pas bien drainé, petit à petit vous n'avez pas un sentier d'un mètre 50 de large mais 3 mètres, 4 mètres et ainsi de suite, donc tout ça, ça fait partie du savoir faire qu'il a fallu acquérir, comment traiter les passages d'eau pour avoir des sentiers qui soient confortables et qui évitent que les gens n'aient la nécessité d'en sortir. Bien évidemment, il y a une certaine artificialisation mais le constat c'est qu'actuellement, depuis dix quinze ans qu'il y a une fréquentation qui a augmenté sur le littoral, deux, trois, quatre, voire cinq fois dans certains secteurs, en termes de nombre de personnes, vous avez des sites en meilleur état qui accueillent plus de personnes.

J. : Et comment le Conservatoire finance-t-il la protection du littoral et l'accueil du public ?

N. F. : Un budget est voté tous les ans par le parlement, un budget qui n'est pas toujours d'ailleurs à la hauteur des enjeux ; les dons, vous pouvez donner de l'argent ; vous pouvez léguer des sites ; les entreprises privées, neuf fondations, Total, EDF ou encore la Banque populaire aident le Conservatoire ; et puis ça, c'est nouveau, la vente de « produits partage ». C'est le cas cette année avec la société Armor Lux qui va commercialiser un tee-shirt estampillé Conservatoire du littoral et qui versera 1 euro par tee-shirt vendu, une somme destinée à financer l'aménagement de l'île Tristan dont on parlait tout à l'heure.

J. : Et c'est tout ça qu'on appelle le mécénat écologique ?

N. F. : Oui, alors la question, c'est de savoir quel est l'intérêt évidemment pour l'entreprise. Réponse du PDG d'Armor Lux, Jean-Guy Le Floch :

Jean-Guy Le Floch : Notre intérêt bien sûr est avant tout commercial mais, au second degré, il est quelque part aussi éthique, on milite dans l'entreprise depuis 60 ans pour faire vivre des gens ici en Bretagne, et avec le Conservatoire, on a trouvé un vecteur de communication qui nous permet de vendre j'espère plus demain qu'aujourd'hui.

N. F. : Parce que vos produits sont plus chers ?

J.-G. Le F. : Alors nos produits sont fabriqués essentiellement en France donc ils sont forcément plus chers que des produits chinois, mais le consommateur a besoin quelque part aussi d'afficher ses... son credo, ses croyances ; le fait d'afficher un tee-shirt fabriqué à Quimper avec en plus le logo du Conservatoire du littoral, c'est... c'est bon, il aime bien, il achète, et voilà, tout le monde s'y retrouve, l'entreprise, la marque, et le Conservatoire.

J. : Et si vous avez envie de visiter sur le papier avant d'aller sur le terrain, un très beau livre vient de paraître. Le Conservatoire publie cet ouvrage qui a pour titre, aux éditions Gallimard, qui a pour titre *Le Tiers sauvage*, livre publié pour fêter ses trente ans ; c'est un livre qui est préfacé par Erik Orsenna, signé d'Éric Fottorino, avec des photographies, Nathalie Fonterel, qui sont magnifiques.

– Elles sont magnifiques et les textes sont très beaux aussi.

Le 7-9, France Inter, 12 mai 2005.

Enregistrement n° 13 (reportage – interview)
Virus, variole, vaccins
Activité 9

Depuis qu'aux États-Unis une série d'attaques au bacille du charbon a défrayé la chronique, la peur des armes chimiques et bactériologiques s'est installée. L'anthrax, on en a beaucoup entendu parler, cette maladie du charbon provoquée par *Bacillus anthracis*, doit son nom à l'aspect noirâtre des lésions et des croûtes qui apparaissent sur la peau. Ce qui effraie dans l'anthrax, c'est qu'au bout d'une quinzaine de jours, la maladie évolue vers une véritable détresse respiratoire qui entraîne le plus souvent la mort.

Les armes chimiques, on le sait aujourd'hui, un petit groupe de personnes, voire un homme seul, ayant les connaissances nécessaires, peut fabriquer des armes chimiques : gaz moutarde, cyclon B ou gaz sarin. S'agissant des armes biologiques, les plus à craindre sont l'anthrax, dont on vient de parler, le virus Ebola, le bacille de la peste pulmonaire et le virus de la variole. Alors, il faut bien savoir que le caractère particulièrement contagieux de la variole en fait une arme redoutable et efficace. Selon le biophysicien Steven Bloch de Standford en Californie, je cite, « il suffit qu'on dissémine le virus dans le système d'aération d'un vol international où l'air recyclé infecterait de très nombreux passagers, pour que ceux-ci partent à leur tour infecter les personnes au sol. »

Jan Simson, bienvenue. Vous entendez tout ce qui se dit depuis quelques temps sur la variole. On peut avec raison se demander si cette maladie est vraiment bien morte. Votre avis est bien entendu celui de l'Organisation mondiale de la santé :

Jan Simson : C'est très difficile à dire, parce qu'on n'a pas vu un cas de variole depuis les années 70, et en 80, l'OMS a déclaré que la variole, comme vous dites, est morte. Il existe la variole seulement dans les laboratoires. Il y a deux laboratoires de référence, un en Russie et l'autre aux États-Unis, à Atlanta. Là-bas, la variole existe dans des conditions de sécurité, dans des conditions très surveillées, il y a des recherches scientifiques sur la variole. Mais ça ne veut pas dire qu'il y a des cas de variole, parce qu'on ne l'a pas vue depuis plus de vingt années !

Journaliste : Alors monsieur Simson, le 25 mai 1999, la 52e Assemblée de l'OMS renvoyait à 2002, et nous sommes en 2002, les questions relatives à la destruction des derniers stocks du virus de la variole existant dans le monde. Alors, où en est-on aujourd'hui de cette destruction ?

J. S. : Elle a été discutée en mai, à l'Assemblée de l'OMS, et les pays membres ont décidé qu'il fallait encore la repousser pour quelques années. Il n'y a pas encore de nouvelle date pour la destruction des stocks, mais ils ont décidé qu'en 2005 il y aurait un débat, un rapport sur les progrès faits dans les recherches scientifiques, et, si on est arrivé au bout des recherches, l'Assemblée dira s'il faut détruire tous les stocks. Mais pour le moment, les recherches scientifiques produisent des résultats très intéressants, vraiment très importants, on ne veut absolument pas les arrêter.

J. : Oui, mais justement, il y a une question qui se pose et qui continue d'être posée. Là, vous venez d'y répondre, un peu : pourquoi stocker un virus aussi dangereux pour l'espèce humaine, alors que l'éradication officielle date déjà du 8 mai 1980 ?

J. S. : Mais simplement parce qu'il y a des méthodes de recherche, au niveau génétique par exemple, qu'on peut utiliser pour mieux comprendre un tel virus, et aussi on peut comprendre d'autres virus de la même famille, parce que pendant des années, des dizaines d'années, on a fait beaucoup de recherches sur la variole, il y a un énorme taux de recherche, et on peut en profiter pour mieux comprendre les autres virus de la même famille, pour mieux agir contre, par exemple, le *monkeypox* et autres maladies de la famille -*pox*.

J. : Oui, variole en anglais se dit « *smallpox* », hein, c'est ça. Alors monsieur Simson, la crainte exprimée aujourd'hui par les Américains et les autres pays de voir le virus se propager ne vient-elle pas de l'idée que les États-Unis et l'URSS ne seraient plus les seuls détenteurs du virus de la variole ?

J. S. : Nous ne sommes pas du tout naïfs. Il y a eu des rapports dans les années 80 qu'il y a d'autres pays qui ont un stock du virus. On ne peut pas le confirmer, mais ces rapports existent, évidemment, surtout au niveau de la Russie, il y a un homme qui était le directeur adjoint du programme biologique en Russie qui est allé aux États-Unis. Il a écrit un livre dans lequel il dit que la variole s'est échappée du laboratoire, et qu'il existe dans d'autres pays. Mais nous, on ne peut pas le confirmer, on ne l'a jamais vu ailleurs depuis que les stocks ont été envoyés aux États-Unis et en Russie, et dans les années 90, on a simplement demandé aux pays s'ils avaient encore des stocks de la variole, et nous n'avons pas eu d'autres réponses positives. Bien

sûr, ça ne veut pas dire que de tels stocks n'existent pas ailleurs.

J. : Encore une question avant de vous laisser partir, M. Simson. Nous savons que les Américains se sont fait livrer plus de 200 millions de doses de vaccin au cas où le bioterrorisme frapperait. Mais ne vaudrait-il pas mieux souhaiter un *statu quo* ?

J. S. : Espérons très fortement qu'il n'y aura pas d'autre cas de la variole. La directrice générale de l'OMS dit qu'il s'agirait d'un affront à l'humanité de faire comme ça. Mais bien sûr, les pays qui sont... comment dire, se sentent confrontés par la possibilité d'une attaque utilisant les armes biologiques doivent se préparer, ils doivent stocker du vaccin, parce que s'il y a une attaque utilisant la variole, la réponse sera d'utiliser le vaccin, parce que le vaccin contre la variole peut être utilisé trois, quatre ou même cinq jours après l'exposition à la variole. Donc, on utiliserait des techniques de vaccination de toutes les personnes qui ont eu des contacts avec la personne infectieuse pendant quatre ou cinq jours. Alors si on fait ça, c'est ce qu'on a fait pour éliminer la variole du monde, alors on utilisera les mêmes moyens pour lutter contre n'importe quel nouveau cas, nouveau malade.

J. : Bien, monsieur Simson, je vous remercie infiniment pour votre contribution à cette émission.

J. S. : Merci beaucoup.

Enregistrement n° 14 (reportage – chronique)
Mille et un lits
Activité 10

Dès la nuit venue, tous les habitants de notre bonne vieille planète dorment à poings fermés. Mais dorment-ils tous de la même façon ? Vous vous en doutiez, eh bien non, notre bon vieux matelas n'a pas le monopole. Et c'est ce que nous révèle l'étonnante exposition qui a ouvert ses portes lundi à la Cité des sciences et de l'industrie : « Mille et un lits ». Au cours d'un parcours à travers les âges et les civilisations, vous découvrirez qu'on ne dormait et qu'on ne dort pas de la même façon dans les différents pays du monde. Selon le lieu, le climat, la religion ou les habitudes culturelles du pays, les pratiques de couchage se sont adaptées, modifiées, et ont évolué. Lit, tatami, natte, hamac, en pyjama, pourquoi pas tout nu, dans des draps, sous une couette... eh bien, les pratiques de couchage sont multiples et se révèlent parfois surprenantes. Vous découvrirez, par exemple, les lits flottants des tribus indiennes qui pourraient se révéler bien inconfortables pour certains d'entre nous... L'homme a toujours recherché le confort et cette exposition met en évidence que cette notion est terriblement subjective d'une civilisation à l'autre.

L'exposition débute par une reconstitution des couchages des hommes préhistoriques dans les cavernes, permise grâce aux découvertes des archéologues, qui ont retrouvé ce que l'on appelle des empreintes en creux, autrement dit des affaissements dans la roche. On peut ainsi se rendre compte que ces hommes dormaient couchés, à même le sol sur la pierre. Le choix de s'allonger le plus confortablement possible existe donc depuis la nuit des temps. Se coucher relève bien d'un apprentissage, d'une technique. Car nous ne nous couchons pas par hasard. On nous a appris à nous coucher, c'est toute une éducation au sommeil !

En France, selon les années, les modes de couchages ont évolué. On se remémore des souvenirs quand on revoit certaines photos des années 50, où l'on dormait sur le dos, le corps étendu sous des draps bien bordés… Et puis y a eu cet énorme chamboulement dans les années 70, où nos manières de dormir sont devenues beaucoup plus libres. Ceci s'illustre avec des photos et des mises en scènes où l'on voit des lits recouverts de couettes moelleuses. Ces dernières ont permis aux Français de dormir à la nordique, c'est-à-dire sur le ventre et souvent sans vêtements.

En proposant une carte géographique des façons de dormir en Occident, l'exposition retrace l'évolution des lieux de couchage à travers les époques et les pays. Cette carte nous fait découvrir quantité de pratiques : certains dorment dans un lit, d'autres sur un tatami, sur une natte ou suspendu dans un hamac, certains utilisent un oreiller, d'autres un traversin et d'autres rien de tout cela. Multitudes de pratiques liées à notre éducation, à notre culture, voire à notre religion.

Selon les sociétés, les choix de couchage sont très différents mais toutes ces pratiques ont une histoire. Nous apprenons, par exemple, que l'utilisation des draps par les Méditerranéens est liée à la domestication du lin qui a permis de les fabriquer. Depuis presque toujours, les familles méditerranéennes se couchent dans des chambres non chauffées, leurs lits bordés et recouverts de couvertures. Cette pratique perdure ; aujourd'hui encore, il est d'usage de ne point chauffer les chambres à coucher et d'augmenter le nombre des couvertures en fonction de la fraîcheur de la pièce. La visite se poursuit, et nous découvrons une toute autre façon de procéder. Les sociétés scandinaves, nordiques, ont fait quant à elles un choix complètement différent. En effet, on voit sur des estampes que le choix de couchage dans ces sociétés froides est plutôt de dormir sur des lits chauffants ou chauffés, sans vêtements, sous une couette. Chez nous, dans les pays latins, réputés pour la douceur du climat, on se couche habillé sous des draps et sous une pile de couvertures. Tandis que dans les pays froids, on a tendance à chauffer très fort l'intérieur des maisons, à se déshabiller quand on entre pour se réchauffer vraiment, et à dormir nus sous une couette. Paradoxal, non ?

Enregistrement n° 15
Extrait 1
Les saisons astronomiques

Saviez-vous que les saisons astronomiques n'ont rien à voir avec nos quatre saisons ? Car je vous le rappelle, le printemps, l'été, l'automne et l'hiver n'existent pas dans les tous les pays. En Afrique, il n'y a que deux saisons climatiques : la saison sèche et la saison des pluies. Pour être plus précis, on peut dire que la notion de saison climatique dépend de la latitude à laquelle

on se trouve. Pour ce qui concerne la saison astronomique, il s'agit d'une division de l'année en quatre parties, selon les solstices et les équinoxes.

Extrait 2
Un nouveau genre de sorcier

– Ah, ben tiens, j'ai rencontré un genre de sorcier, tu vois, qui peut te faire devenir milliardaire. Faut juste lui donner 200 euros un soir de pleine lune.

– Oui, et moi je connais un conseiller info énergie qui m'a démontré qu'en installant une nouvelle chaudière, on pouvait économiser jusqu'à 30 % de sa facture de chauffage. Ça fait justement à peu près 200 euros par an. Tu vois, ça c'est pas sorcier !

Extrait 3
Jour de grève

Défense du service public en France. C'est classique, vous le savez, il y a les pour et les contre, ceux qui estiment que les fonctionnaires payés par les contribuables ne sont pas à plaindre, loin de là, et sont là pour servir le public, et puis ceux qui pensent que les revendications sont légitimes. Quelques réflexions recueillies hier dans les rues de Paris par Brunissant Desourdan.

– Ben, c'est une bonne chose qu'ils fassent la grève, ben c'est vrai, faut pas se laisser faire, quoi… Bon c'est vrai qu'après, c'est sûr… c'est sûr que pour… non, c'est pénible mais bon, moi, je le comprends. Je ne sais pas, en fait, ça ne m'embête pas tant que ça.

– Ben, matériellement des fois, c'est un peu compliqué.

– Oui, oh, c'est un peu compliqué mais j'arrive toujours à me débrouiller si je le sais à l'avance, y a pas de problème. Non, non, moi, j'prends pas ça mal du tout.

– Oui, ben, j'm'excuse, mais alors, défendre le service public en faisant grève, moi, je trouve ça un petit peu, comment dire, contradictoire. Parce que, ben justement, il y a une notion de continuité dans le service public, donc il faut que les usagers puissent à tout moment se servir du service public justement, enfin, c'est logique.

– Alors si le droit de grève est inscrit dans la Constitution, en revanche les abus ne le sont pas. Par conséquent, faut quand même penser aux usagers. Donc tôt ou tard, il faudra instaurer un service minimum, parce que y'a pas de raisons qu'on soit tous pris en otage comme ça, y'en a marre, hein.

C2 – Compréhension et production orales

Enregistrement 16
Document 1

Le prix Nobel de la Paix a été décerné cette année à Mohammed Yunus, l'inventeur du microcrédit. Voici l'occasion de faire le point sur ce système avec Sophie Bessis, directrice de recherches à l'IRIS.

Journaliste : Comment fonctionne aujourd'hui le microcrédit ?

Sophie Bessis: Alors le microcrédit, c'est quelque chose qui a été inventé effectivement par le dernier prix Nobel de la Paix, Mohammed Yunnus au Bangladesh, et il s'agit de prêter des sommes extrêmement modestes aux pauvres, pour prendre ce terme générique qu'on emploie beaucoup aujourd'hui. Les sommes peuvent être extrêmement modestes, ça peut être 5 euros, 10 euros ou 20 euros, euh, et avec lesquelles, euh, il est possible, disons, d'élaborer des stratégies de survie pour sortir de la pauvreté. Le microcrédit a commencé au Bangladesh avec la création de la Grameen Bank par Mohammed Yunnus et aujourd'hui, c'est une des formes les plus répandues dans le monde, d'aide, entre guillemets, à la sortie de la très grande pauvreté. Donc c'est-à-dire que cette expérience de microcrédit bangladeshi a fait école aujourd'hui partout dans le monde, en Afrique subsaharienne notamment où la grande pauvreté est très importante. Ce petit crédit est remboursé à une échéance assez rapide et réservé à des gens qui n'ont pas la possibilité d'accéder au crédit bancaire parce que… ils ne possèdent aucune garantie, qui est demandée par le crédit bancaire classique, et lequel crédit bancaire classique ne prête pas des sommes aussi modestes, et pour remplacer, disons, la garantie classique, eh bien, en général, dans ce type de microcrédit, le prêteur, c'est-à-dire l'organisme prêteur, l'ONG, etc., demande une garantie solidaire, c'est-à-dire que la communauté, la famille, le groupe doit se substituer à l'emprunteur en cas de défaillance de celui-ci. Donc voilà quelle est le… la solution, disons, au fait qu'il n'y a pas de garantie matérielle.

J.: Quel bilan on peut tirer aujourd'hui de ce développement du microcrédit dans le monde ? Est-ce que c'est une solution qui est réservée aux pays en développement ou est-ce qu'on assiste dans les pays du nord au développement de ce type de prêt ?

S. B.: Première approche, bilan très positif dans la mesure où effectivement, le microcrédit a pu servir à la création de groupements productifs, à la sortie de la très grande pauvreté, etc. ; mais enfin c'est quand même quelque chose d'extrêmement controversé le microcrédit aujourd'hui, d'abord, parce que beaucoup disent qu'il ne s'agit pas d'un instrument de développement mais d'un instrument de survie, en réalité, ça permet de sortir de la très grande pauvreté en créant des petits commerces minuscules, etc., de planter trois aubergines et quatre tomates, d'acheter des semences, mais que le microcrédit ne permet pas d'accéder à l'étape supérieure, qui est l'étape du développement, l'étape de l'accumulation, en réalité, hein, ça c'est une critique très importante qui a été faite ; et deuxième critique qui a été faite, il s'agit d'une solution technique, disons, à la sortie de la pauvreté, qui peut être tout à fait pertinente et qui peut être totalement utile dans un certain nombre de cas, mais les grands bailleurs de fonds aujourd'hui estiment et font comme si une solution technique pouvait remplacer le problème politique que constitue la pauvreté au niveau mondial. Pour l'instant, si vous voulez, 99 % du microcrédit, euh, se, se, a lieu dans les pays en développe-

ment, hein, mais il y a quelques petites expériences intéressantes dans un certain nombre de pays du Nord, si je ne me trompe pas aux États-Unis, mais même en France aussi, de développer des systèmes de microcrédit à l'intention des plus pauvres également.

IRIS, www.iris-france.org.

Document 2

« Le divan de monsieur Huo, histoire du premier psychanalyste chinois », un feuilleton documentaire de Marie-Hélène Bernard.
Premier épisode, où l'on retourne avec Datang Huo sur les lieux de son enfance.

Marie-Hélène Bernard, Arte Radio.

Document 3

En Amérique du Nord, les gens mangent beaucoup parce que les portions sont plus grosses. Ils mangent plus parce que la cuillère qu'ils utilisent est plus grande, le verre plus large, le bol plus gros ou parce que les plats de service sont restés sur la table. Le docteur Jean-Patrice Baillargeon est endocrinologue à l'université de Sheerbrook.

J.-P B.: La satiété, c'est pas que'qu'chose qu'est bien fixé dans la tête des individus, y savent exactement pas quand est-ce s'arrêter, donc plus y ont de la nourriture, plus y vont manger.

J.: Une des études qui le confirme, c'est celle de Brian Wansix, chercheur au laboratoire alimentaire de l'université Cornell, dans l'État de New York. Elle a d'ailleurs incité des compagnies alimentaires à proposer de plus petites portions de 100 calories chacune. Mais pour combattre l'obésité et le diabète, encore faut-il bouger, et bien souvent nos villes nous en empêchent. Avy Friedman est professeur d'urbanisme à l'université Mc Gill.

A. F.: Vous allez dans tous les quartiers… nouveaux quartiers de Toronto, vous regardez, qu'il y a toujours le même type de *baliou*, ça veut dire que vous êtes toujours très loin d'un(e) place à jouer, il n'y a pas possibilité acheter dans distance de marche, aller acheter le pain, et lait, le journal.

J.: Il reproche au zonage d'interdire les commerces dans les zones résidentielles qui pourtant favoriseraient la mobilité. Mais monsieur Friedman estime qu'il faudrait encore une génération avant qu'le zonage ne l'permette.

Anne Kirion, Radio Canada, Toronto.

Document 4

Bienvenue pour notre rendez-vous scientifique hebdomadaire, avec cette semaine une question qui touche également à l'univers des médias : le documentaire scientifique doit-il obligatoirement être objectif ? La science était jusqu'ici peu présente aussi bien sur le petit que sur le grand écran. Cependant, depuis quelques années, de nombreuses chaînes accordent une place de plus en plus importante aux documentaires traitant de sujets scientifiques. On a pu observer de véritables succès d'audience avec des productions sur les origines de l'homme comme *Le Temps des mammouths* ou encore *L'Odyssée de l'Homo sapiens* de Jacques Humery. Au cinéma, également, les films animaliers attirent de plus en plus de monde. Le film de Luc Jacquet *La Marche de l'empereur,* sorti en janvier 2005, a ainsi connu un succès mondial avec près de 2 millions d'entrées en France et plus de 8 millions aux États-Unis.

La science s'ouvre donc au grand public, mais à quel prix ? Quelques-unes de ces productions ont été vivement critiquées par certains spécialistes. La mise en scène de connaissances scientifiques ne va pas sans poser problème. En effet, il est parfois tentant de transformer légèrement la réalité scientifique afin de rendre le scénario plus marquant, les explications plus faciles à comprendre, ou les scènes plus spectaculaires. Si certains documentaires se caractérisent par leur sérieux, d'autres frôlent en revanche la caricature de la réalité scientifique. Le docu-fiction, genre télévisuel hybride très en vogue, qui mêle documents d'archives et reconstitutions fictives, aurait tout particulièrement tendance à favoriser cette dérive.

La science semble alors utilisée comme prétexte pour produire des films hauts en spectacle avec de gros budgets et ce, malgré la caution de chercheurs renommés. Le résultat peut laisser parfois songeur. Cette volonté de captiver l'attention du plus large public, et en particulier des jeunes, peut conduire à une vulgarisation dangereuse avec son lot d'imprécisions, voire de déformations. Dans certains cas, ces productions nuisent à l'image de la science plus qu'elle ne la serve. *Le Temps des mammouths* ou encore *l'Odyssée de l'Homo sapiens* regorgent par exemple de simplifications utiles au niveau pédagogique mais très contestables du point de vue scientifique. Un autre documentaire intitulé *Homo sapiens, une brève histoire de l'humanité,* de Thomas Nagati, a également provoqué une levée de bouclier chez bon nombre de spectateurs et de spécialistes qui ont vu dans cette réalisation une défense indirecte de théories néo-créationnistes.

Le but premier du documentaire scientifique, traité ou non sous la forme d'un docu-fiction, est-il de vulgariser les découvertes scientifiques, ou s'agit-il au contraire pour le réalisateur de créer une œuvre personnelle qui peut alors s'éloigner quelque peu d'une réalité scientifique souvent complexe et contradictoire ? Comment, dans ce cas, le public de profanes à qui s'adresse ces productions peut-il faire la part entre des faits validés par la communauté scientifique et la création cinématographique ? À vouloir trop simplifier la science pour la rendre accessible, ne la déforme-t-on pas ?

C'est donc de ces questions que nous allons aujourd'hui débattre dans notre émission avec nos invités : Jean-Pierre Tillier, Hervé Gayic et Thomas Nagati.

Jean-Pierre Tillier est documentariste, directeur de la société de production Eurofilm et président du festival du documentaire scientifique Pariscience qui se déroule actuellement dans le cadre de la fête de la science au Jardin des plantes au Muséum d'histoire naturelle de Paris.

Hervé Gayic est également parmi nous, il est responsable des documentaires scientifiques, médicaux et historiques sur France 4 et enfin Thomas Nagati est documentariste, réalisateur, producteur à Science Movie et auteur d'*Homo sapiens, une brève histoire de l'humanité* dont nous avons déjà parlé et mais aussi plus récemment, d'un film remarqué intitulé *Tchernobyl ou les oubliés de la catastrophe nucléaire.*

Document 5

Journaliste : D'accord ? Pas d'accord ? Pour ? Contre ? On ne sait pas ?

D'ACCORD/PAS D'ACCORD – La radio dans tous ses débats.

Alors, sujet du jour : le MQB – MQB pour Musée du Quai Branly.

Un an après son ouverture, le Quai Branly, dernier né des musées parisiens, dépassait les 1,5 million de visiteurs ! Comment rester indifférent face à ce nouveau temple à l'architecture monumentale, destiné à accueillir les arts et civilisations de peuples qui n'ont pas l'Occident en partage…

L'un accable, l'autre défend le fruit de ce projet… présidentiel. Donc, avec nous aujourd'hui sur les ondes de RFC, Valérie de Salles, archéologue, bonjour, et Antoine Garcia, journaliste.

Enregistrement 17
La vie du docteur Huo, épisode 1

« Le divan de monsieur Huo, histoire du premier psychanalyste chinois », un feuilleton documentaire de Marie-Hélène Bernard.

Premier épisode, où l'on retourne avec Datang Huo sur les lieux de son enfance.

Dr Huo : La voiture ne peut pas passer, très étroit. Simplement c'est les…

M.-H. B. : Cyclo-pousse ?

Dr Huo : Oh cyclo-pousse.

[…]

Je suis venu à… dans ce cour, au début des années 60 jusqu'à ce que j'aie terminé mes études d'université, c'est-à-dire jusqu'à 92. Chaque famille qui a une ou bien deux pièces et puis on fait la cuisine dans la cour et puis tous les enfants qui jouaient dans la cour, voilà, et chaque famille sait qu'est-ce qu'on mange. Pour se laver, il y a un robinet commun. Ma grand-mère paternelle vivre avec nous. Elle est illettrée mais elle travaille beaucoup, tout le temps, tous les jours. Et puis aussi elle est très sympathique, surtout par rapport à ma mère. Ma mère est très, (une) personne qui est très sévère.

[…]

Dans les fêtes, on peut manger de la viande mais quotidiennement on ne peut pas manger parce qu'on n'a pas assez de viande. À cette époque on n'a que 150 grammes de viande par mois pour une personne. C'est-à-dire que c'est pas beaucoup. En général on mangeait une fois de viande par semaine, en général. Alors pour fête dans ces cas-là, on a double de viande. Et puis aussi on peut avoir des nouveaux vêtements et aussi un petit cadeau. Pour les garçons, c'est un pistolet à eau.

M.-H. B. : Qu'est-ce que vous aviez comme jouets ?

Dr Huo : Il n'y a pas. Il n'y a pas. Pour les petites filles, donc il y a un petit jouet, des pépés…

M.-H. B. : Des poupées.

Dr Huo : Des poupées, voilà, des poupées. Simple. Pour les garçons, non très rare. Je n'ai pas une petite voiture, non je n'ai pas.

[…]

Il y a des combats entre les petits enfants.

M.-H. B. : Et entre les adultes ?

Dr Huo : Entre les adultes aussi parce que les questions, c'est… les relations très compliquées. Les adultes, c'est en même temps les collègues de travail et aussi en même temps c'est les voisins.

[…]

Mais voici qu'approche la révolution culturelle. Que va-t-il se passer ? À suivre sur ArteRadio.com.

Marie-Hélène Bernard, Arte Radio.

Enregistrement 18
La vie du docteur Huo, épisode 10

« Le divan de monsieur Huo, histoire du premier psychanalyste chinois », un feuilleton documentaire de Marie-Hélène Bernard.
Dixième épisode, où l'on profite de ce dernier épisode pour évoquer l'avenir.

Dr Huo : Ici dans quelques années tous… les gens doit (doivent) déménager. Parce que c'est le centre. Ce sera un quartier commercial. Tous les habitants… doit (doivent) partir… La Chine suit la même ligne que l'Américain (l'Amérique). C'est un problème. On ne peut pas trouver des gens qui sait (connaît) les problèmes occidentaux… alors qui peut donc conduit (conduire)… la Chine vers une voie juste. On ne peut pas. Il faut attendre 10 ans, 20 ans pour former les bons architectes et puis après, on commence à construire la ville. Non, on ne peut pas. Je sais bien que les (la) plupart des Chinois, ou bien des gens… veulent de grand pouvoir et puis de grands immeubles, et… on pensait ça, c'est le signe de la modernité. Mais en même temps les conséquences de ce changement, c'est introduire quelque chose (d')inhumain. Donc l'humanité petit à petit disparaît. Mais les Chinois maintenant… on a pas encore prendre (pris) conscient de la disparition de (l')humanité.

[…]

Au niveau… économique… ou bien matériel, le changement est trop rapide. Dans cas-là, donc on essaie l'histoire… En Chine continentale, on pensait toujours la tradition est contradictoire avec la modernité donc on a une tendance de jeter l'histoire pour… s'emparer la modernité. On voit bien les Japonais ou bien les Taïwanais mieux garder et maintenir les relations entre la tradition et la modernité. Au fond, l'influence occidentale, c'est l'influence de l'individualisme qui est contradictoire avec la morale traditionnelle confucéenne… Donc si la psychanalyse aide les Chinois régler ce conflit-là, dans ce cas-là la psychanalyse va se développer en Chine.

[…]

L'analyse c'est l'acte de récupérer les souvenirs reflets. Bien sûr c'est ça. Justement, maintenant certains patients commencent aussi à lire les classiques chinois pour comprendre soi-même, c'est pourquoi je dis la psychanalyse aide les Chinois à résoudre le conflit entre le rapport aux traditions et l'influence étrangère. Le régime communiste, aussi c'est un régime occidental.

M.-H. B. : La psychanalyse, c'est occidental aussi !

Dr Huo : Oui justement. Donc, peut-être aussi, c'est grâce à ça, les Chinois continentaux l'acceptent plus facilement la psychanalyse que les Taïwanais, ou même que les Japonais. On verra. Je suis sûr que la psychanalyse se développera en Chine plus ou moins rapidement. Pour moi, la psychanalyse chinoise jouira d'une nouvelle fonction d'aide les Chinois à retrouver notre… nos racines. Les questions c'est comment on peut former des bons psychanalystes ? Qui sont pas des gens qui répètent simplement des livres psychanalytiques, qui connaissent bien la situation réelle des Chinois. Il faut faire une double opération. C'est-à-dire on doit donner une interprétation psychanalytique sur la Chine et en même temps on doit donner une interprétation chinoise sur la psychanalyse.

[…]

M.-H. B. : Vous fumez le cigare comme Freud !

Dr Huo : Les Chinois qui fument le cigare sont très rares, parce que avant c'est les paysans qui fument les cigares, les cigares fabriqués par eux-mêmes. Donc les nouveaux riches chinois n'ont pas encore l'habitude des riches occidentaux, pas encore. Les patrons (s)ont des angoisses. Mais peut-être parce qu'on a (est) encore trop petits, les patrons ne connaissent pas la psychanalyse. Alors le premier pas c'est séduire les nouveaux riches venir dans le cabinet psychanalytique. À mon avis, si les nouveaux riches viendront dans le cabinet psychanalytique, ça signifie donc la psychanalyse prend une racine dans la société chinoise.

M.-H. B. : Mais vous aurez plus le temps de fumer votre cigare !

(rires)…

Et voilà, « Le divan de monsieur Huo ». C'est fini.

Marie-Hélène Bernard, Arte Radio.

Enregistrement n° 19
Voir enregistrement 16, document 3.

Enregistrement n° 20
« Mots et Maux de la physique »
par Jean-Marc Lévy-Leblond

Journaliste : Vous allez écouter une conférence podcast de la chaîne Colloques et conférences. Si vous le souhaitez, vous pouvez également accéder à la vidéo et au support visuel du conférencier sur canalc2.tv. Bonne conférence !

Présentateur : Voilà, bonsoir, bienvenue dans cet amphi Fresnel à l'Institut de physique à Strasbourg. Merci d'avoir répondu à l'invitation de la SFP, la Société française de physique. Merci en tout cas d'être venus aussi nombreux pour accueillir Jean-Marc Lévy-Leblond. Merci aux internautes qui sont avec nous en direct sur canalc2.tv, pour la… cette conférence enregistrée en direct. Ce qui veut dire aussi, c'est la magie du web aujourd'hui que, dites-le autour de vous, ceux qui ne seraient pas là peuvent revoir, se repasser la conférence de Jean-Marc. On enregistrera les débats un peu plus tard.

Quelques mots pour présenter Jean-Marc Lévy-Leblond, qui est professeur devenu émérite à l'Université de Nice, physicien, ça c'est une première chose, mais aussi philosophe ou épistémologue des sciences, qui est aussi, Jean-Marc Lévy-Leblond est aussi le directeur depuis… près d'une trentaine d'années d'une collection intitulée « Sciences ouvertes » aux éditions du Seuil. Jean-Marc est aussi le directeur, le rédacteur en chef, l'animateur d'une revue, *Alliage*, depuis maintenant une douzaine d'années, essayiste, critique de sciences, par certains aspects, et qui se propose ce soir avec vous de débattre d'un point précis. Le titre de la conférence, vous la connaissez sans doute déjà : « Des mots, M.OT.S, et des maux, M.A.U.X, de la physique d'hier et d'aujourd'hui sans doute ».

Jean-Marc, je te laisse la parole et puis… et de demain peut-être. Entre trente et quarante-cinq minutes et les questions après. On essaye.

Jean-Marc Lévy-Leblond : Bien, bonsoir, vous savez tous pourquoi nous sommes là, pour ce cycle de conférences organisé par la SFP. Nul n'ignore plus désormais, il y a eu suffisamment d'articles de journaux, d'émissions de radio pour que chacun sache que nous sommes dans l'Année internationale de la physique décrétée telle par l'Unesco, au motif que c'est un double anniversaire : celui… le centenaire de la publication de trois très fameux, et même quatre d'ailleurs, quatre très fameux articles d'Einstein, de 1905, qui, peut-on dire, ont inauguré la physique moderne, qui a marqué l'entrée dans une nouvelle ère de la physique moderne ; c'est également le 50e anniversaire de sa mort puisqu'il est mort le 18 avril 1955.

(bip sonore)

Avant peut-être d'aborder le thème principal de mon exposé, il me semble qu'il faudrait rappeler qu'il y a d'autres anniversaires à fêter cette année, si on s'intéresse à la physique, non pas seulement du point de vue de ces grands noms et de ces découvertes, mais aussi, et cela me semble tout à fait indispensable de nos jours, de sa place dans la société et du rôle qu'elle y joue. Il y a, ou il y aura, le 6 août 1945, il y aura donc 60 ans le 6 août 2005 que, le 6 août 1945, une bombe nucléaire éclatait sur Hiroshima. L'anniversaire me semble devoir être médité au moins autant que celui de la mort d'Einstein. Soixante ans, soixante ans depuis la première explosion nucléaire et la seconde qui a suivi trois jours après sur Nagasaki.

Dix ans après en 1955, deux mois avant sa mort, Einstein cosignait un appel, qui est connu sous le nom d'appel Russel-Einstein, qui était un appel à la renonciation à la force pour régler les conflits internationaux et au désarmement nucléaire, appel à tous les gouvernements du monde. Appel qui a joué un rôle non négli-

geable dans la prise de conscience des risques que faisait courir à l'humanité tout entière la course aux armements et je rappelle à ceux ici dans cette salle qui ont mon âge, et je l'indique aux autres plus jeunes, que nous étions en pleine période de guerre très froide qui menaçait de devenir très chaude assez rapidement. L'utilisation concrète de l'arme nucléaire, tant pendant la guerre de Corée que même pendant la guerre du Vietnam, a été évoquée, n'a pas eu lieu, Dieu merci ! Et probablement les appels du genre de celui que je mentionne ont joué un rôle important dans cette affaire-là. C'était un des derniers gestes publics d'Einstein, il me semble qu'il faudrait s'en souvenir. L'appel en question était signé de onze noms, dont dix prix Nobel, des grands noms de la physique, et un d'un jeune homme inconnu à l'époque, d'un jeune physicien britannique qui s'appelle Joseph Rotblat qui était d'une autre génération que les précédents, mais c'est lui, en vérité, qui avait pensé cet appel et qui l'avait fait circuler. Joseph Rotblat avait participé au projet Manhattan de construction de la bombe nucléaire à Los Alamos, entre 41 et 45. Il est le seul à avoir en 44 démissionné du projet, au moment où il devenait absolument évident que l'Allemagne nazie n'aurait pas la bombe. Ce projet, je le rappelle, avait été engagé dans cette perspective-là. Il était évidemment intolérable de penser que l'Allemagne nazie pouvait avoir la bombe atomique avant les puissances alliées.

En 44, il était clair qu'elle ne l'avait pas, qu'elle ne l'aurait pas, et donc toute la justification politique et même militaire du projet de construction de l'armement nucléaire ne tenait plus. Un seul homme a démissionné du projet à ce moment-là, c'est Joseph Rotblat.

Joseph Rotblat, après avoir fait signer l'appel dit Russel-Einstein, a été l'un des fondateurs, le fondateur principal du mouvement Pugwash, il en est devenu le président en 1957, donc deux ans après, et ses efforts continus, permanents en faveur du désarmement qui ont fini par produire des fruits. Ils n'étaient pas les seuls à avoir cet effet, mais il est de fait que la détente internationale s'est installée dans les années 60, il est de fait qu'il y ait eu un début de désarmement nucléaire, encore insuffisant même aujourd'hui, mais qu'en fait il y a quand même nettement moins d'armes en circulation aujourd'hui qu'il n'y en a eu. Les efforts de Joseph Rotblat ont été couronnés par un prix Nobel de la Paix cette fois-ci, il était le seul signataire de l'appel à ne pas avoir le prix Nobel, il l'a eu. Quarante ans après, en 1995, il a reçu, avec le mouvement Pugwash, un prix Nobel de la Paix. Cela fait donc exactement 10 ans, encore un anniversaire à souhaiter.

Et puis on ne saurait terminer sans rappeler deux noms, deux grands personnages de la physique, qui sont morts cette année en 2005. Le « zéroième » anniversaire si j'ose. Ce sont deux grands physiciens qui eux aussi ont participé au projet Manhattan et se sont très rapidement, dès l'après-guerre, dès les années 45 opposés à l'armement nucléaire, signé l'appel Russell-Einstein et ont mené un combat très long de plusieurs années. L'un s'appelait Hans Bette, un grand nom de la physique nucléaire et qui même sur le tard de sa vie, quand il avait plus de 95 ans, dans les toutes dernières années, s'est vigoureusement opposé à l'aventure américaine en Irak et donc a, jusqu'à la fin de sa vie, fait preuve de cet esprit de responsabilité civique, qui honore la profession des physiciens et dont je crois qu'il faut le rappeler aujourd'hui parce que trop peu nombreux ont été ceux de nos collègues à jouer un tel rôle. En particulier en France, il faut se souvenir qu'en 1945, apprenant l'explosion de la bombe nucléaire, des personnages pourtant aussi progressistes que Langevin et que Joliot-Curie, qui plus tard prendront parti contre l'armement nucléaire, ne réalisent pas en 45 ce qui est en train de se passer et saluent l'explosion de la bombe au nom du progrès scientifique.

Voilà, je tenais à ce petit préambule puisqu'après tout nous sommes en… année anniversaire, mais il convient de prendre en charge tous les anniversaires. Et puis après tout, cela rejoint un peu le thème principal de mon propos, puisque, en cette année de la physique, il convient certainement de se féliciter des grands progrès qu'elle a accomplis, des merveilleuses découvertes qu'elle a faites au cours des dernières décennies, des lumières qu'elle a jetées sur le monde, mais il me semble tout à fait nécessaire, pour faire un bilan complet, de prendre en compte les ombres qui accompagnent nécessairement ces lumières. Il n'y a pas de lumière sans ombre, où que ce soit, et que si la physique du dernier siècle peut effectivement se targuer de très grands succès, de réussites tout à fait remarquables, il faut aussi prendre acte d'un certain nombre de ses limites, voire de ses déficiences, de ses maux M.A.U.X comme je souhaitais le dire. Et je vais tenter ici de mettre le doigt sur l'un de ces maux M.A.U.X qui concerne les mots M.O.T.S. et de montrer qu'il y a de graves insuffisances, de graves déficiences dans le rapport aujourd'hui, on peut le dire de la science en général, mais ici je vais parler de la physique en particulier, dans le rapport de la physique avec la langue, avec la langue qui est nôtre, avec la langue commune, celle de tous les jours. Et que ceci n'est pas sans effet considérable sur les difficultés que nous rencontrons à partager, nous physiciens, notre savoir avec la communauté humaine qui nous entoure. Nous nous plaignons souvent à juste titre qu'il soit si difficile d'expliquer nos découvertes, d'en faire partager, de faire partager cet émerveillement que nous avons devant elles. Bien, je crois que nous en sommes en partie responsables par la négligence avec laquelle nous manipulons le langage et dans le choix des mots que nous utilisons. C'est ce que je voudrais expliquer en vous montrant un certain nombre d'exemples.

Enregistrement n° 21
Pour ou contre le musée du Quai Branly?

Journaliste: D'accord? Pas d'accord? Pour? Contre? On ne sait pas?

D'ACCORD/PAS D'ACCORD – La radio dans tous ses débats.

Alors, sujet du jour: le MQB – MQB pour Musée du Quai Branly.

Un an après son ouverture, le Quai Branly, dernier né des musées parisiens, dépassait les 1,5 million de visiteurs! Comment rester indifférent face à ce nouveau temple à l'architecture monumentale, destiné à accueillir les arts et civilisations de peuples qui n'ont pas l'Occident en partage…

L'un accable, l'autre défend le fruit de ce projet… présidentiel. Donc, avec nous aujourd'hui sur les ondes de RFC, Valérie de Salles, archéologue, bonjour, et Antoine Garcia, journaliste.

Antoine Garcia: Je suis allé au musée Branly très peu de temps après l'ouverture au public. Je voulais comprendre en fait pourquoi ce nouveau musée dont le nom n'évoque d'ailleurs plus les arts dits premiers, ce qui amène déjà à s'interroger pourquoi, pourquoi il fascinait à ce point.

Valérie de Salles: Ce qui amène déjà à s'interroger sur les arts premiers!

A. G.: Arts premiers plutôt que primitifs, parce que primitifs, ce n'est plus politiquement correct! Et de fait, on est passé de « musée des arts premiers, musée des arts et civilisations premières » à… euh, MQB, un nom qui fait figure d'adresse. Ah, c'est sûr, c'est moins polémique jusqu'au jour où, immanquablement, ça deviendra le musée Jacques Chirac!

V. D. S: C'est vrai qu'on a le centre Pompidou, mais le musée d'Orsay n'est pas devenu le musée Giscard!

A. G.: Je te le concède. Mais reprenons. Je me rends donc à ce musée. *Primo*, je ne comprends pas le choix architectural, cette espèce d'immense galerie… c'est vrai, ça évoque tout sauf un musée. Je n'avais jamais vu de musée en pente. Eh ben, c'est fait! Tu es toujours en train de monter. Tu vois des choses sublimes, des masques, des totems, des parures. Mais tout reste mystérieux puisque tu ne fais que passer. Il n'y a quasiment rien de prévu pour s'asseoir et contempler à sa guise un univers qui t'échappe. Dans ces conditions, c'est très difficile, voire impossible, de rattacher ces objets aux peuples qui les ont créés, de connaître leur raison d'être, de saisir leur dimension symbolique. Bien sûr le visiteur dispose d'écrans informatiques mais tu vas pas au musée pour taper sur un clavier!

V. D. S: Mais pourquoi tu attends une tonne d'explications alors que d'habitude, tu es plutôt adepte d'une approche minimaliste?

A. G.: J'ai beau ne pas être super catho, loin s'en faut, si tu me mets devant la *Piéta*, c'est évident que mon fond d'éducation judéo-chrétienne va m'aider à saisir l'essentiel. C'est là toute la différence. Devant ces arts dits premiers, ma mémoire est une page blanche, mises à part quelques références glanées au fil de mes lectures.

V. D. S: Effectivement, je pense qu'un certain nombre de visiteurs doivent partager ton sentiment. Il ne s'agit pas de faire de l'élitisme et de tabler sur les quelques rares connaisseurs. Toutefois, il faut aussi apprécier le chemin parcouru. Ces pièces uniques ont enfin quitté leurs vitrines poussiéreuses, où elles étaient entassées dans des réserves inaccessibles au public. Le plus bel exemple, tiens, c'est celui des masques Dogon au musée de l'Homme, présentés comme provenant du Soudan français alors qu'ils venaient du Mali et que ce pays existe depuis longtemps. À mon avis, Griaule devait se retourner dans sa tombe ! C'est plus qu'un coup de balai qu'il fallait. Le musée était la proie de conflits personnels, chacun voulant sa part de reconnaissance et de gloire. On avait perdu de vue la valeur intrinsèque de ces objets dans leur dimension symbolique.

A. G. : Tu as raison de le souligner. Ils l'ont bel et bien perdue ! Personne ne conteste le bien-fondé du projet. Et pourtant, moi, je suis super déçu ! À la fin de la visite, j'ai atteint la sortie avec un énorme sentiment de frustration. Je pense d'ailleurs ne pas être le seul à avoir ressenti ça. Je suis ressorti vide, plus vide qu'en entrant d'une certaine manière. Ce n'est pas un film de Jean Rouch et d'autres documentaires qui m'ont sauvé de ce sentiment de noyade.

V. D. S : Tu cites Jean Rouch, or…

A. G. : Il était contre le projet justement !

V. D. S : Il prônait un musée qui utiliserait l'image et non les objets sacrés pour faire revivre le passé. Dès qu'on s'est mis à parler de ce lieu pas encore baptisé MQB car sortant à peine des rêves émerveillés de quelques-uns, il s'est opposé farouchement au projet. Pour lui, la seule issue était l'image, rien que l'image.

A. G. : Il faut reconnaître que Branly nous transmet quelques belles émotions, au détour de certaines projections, ou d'arrêts musicaux auprès de ce que j'appellerais des boîtes à musique. C'est génial ! Mais ce qui vient tout gâcher, c'est le soupçon qui plane sur les critères de sélection utilisés. On peut s'interroger sur les conditions d'acquisition de ces objets.

V. D. S : Alors là, on ouvre la boîte de Pandore. Tous les musées se voient un jour accusés d'avoir acquis plus ou moins légalement certaines pièces et, parmi eux, pas les moindres. La France ne fait pas exception.

A. G. : Non, effectivement, ce n'est pas ce que je reprocherais au MQB. J'en reviens décidément au parti pris muséographique. À mes yeux, il y a une absence totale de démarche pédagogique et on a privilégié le côté « galerie d'art ». Le visiteur déambule sans comprendre, sans être guidé, sans être initié même. Il est cantonné dans le rôle d'un explorateur qui n'y connaîtrait rien mais admirerait béatement tout ce qu'il voit, avec ce petit côté « Ah ! Ils étaient capables de faire ça ! ». Et c'est là que je ressens un certain malaise car ce musée ne contribue pas à placer les cultures du monde sur un pied d'égalité.

V. D. S : Pour moi, c'est une question de positionnement. Si tu es clair avec l'axe muséographique adopté, il n'y a rien à redire.

A. G. : Mais justement, ce n'est pas le cas. En plus, on a affaire ici à une commande d'État. Il fallait à tout prix que l'inauguration se fasse avant l'échéance des élections. Moralité, tout s'est fait dans la précipitation et on a un sentiment d'inachevé. Et c'est là le problème parce qu'il y a une vraie responsabilité à assumer. On propose au public, pour des générations, une vision du monde, de l'art, une vision des hommes à travers leur culture…

V. D. S : D'accord, mais rien n'est définitif ! Il évoluera ce musée.

A. G. : Peut-être, mais je trouve quand même que ça aurait mérité davantage de réflexion. Il est destiné au public, et je pense en particulier au jeune public. Eh bien pour moi, le message ne passe pas.

V. D. S : Le gros problème avec ce musée, c'est qu'il se place sur un créneau fragile, devant allier à la fois l'art et le savoir.

A. G. : Exactement, sur ça au moins, finalement on tombe d'accord, c'est pas une réussite !

Document 5

Bienvenue pour notre rendez-vous scientifique hebdomadaire, avec cette semaine une question qui touche également à l'univers des médias : le documentaire scientifique doit-il obligatoirement être objectif ? La science était jusqu'ici peu présente aussi bien sur le petit que sur le grand écran. Cependant, depuis quelques années, de nombreuses chaînes accordent une place de plus en plus importante aux documentaires traitant de sujets scientifiques. On a pu observer de véritables succès d'audience avec des productions sur les origines de l'homme comme *Le Temps des mammouths* ou encore *L'Odyssée de l'Homo sapiens* de Jacques Humery. Au cinéma, également, les films animaliers attirent de plus en plus de monde. Le film de Luc Jacquet *La Marche de l'empereur,* sorti en janvier 2005, a ainsi connu un succès mondial avec près de 2 millions d'entrées en France et plus de 8 millions aux États-Unis.

La science s'ouvre donc au grand public, mais à quel prix ? Quelques-unes de ces productions ont été vivement critiquées par certains spécialistes. La mise en scène de connaissances scientifiques ne va pas sans poser problème. En effet, il est parfois tentant de transformer légèrement la réalité scientifique afin de rendre le scénario plus marquant, les explications plus faciles à comprendre, ou les scènes plus spectaculaires. Si certains documentaires se caractérisent par leur sérieux, d'autres frôlent en revanche la caricature de la réalité scientifique. Le docu-fiction, genre télévisuel hybride très en vogue, qui mêle documents d'archives et reconstitutions fictives, aurait tout particulièrement tendance à favoriser cette dérive.

La science semble alors utilisée comme prétexte pour produire des films hauts en spectacle avec de gros budgets et ce, malgré la caution de chercheurs renommés. Le résultat peut laisser parfois songeur. Cette volonté de captiver l'attention du plus large public, et en particulier des jeunes, peut conduire à une vulgarisation dangereuse avec son lot d'imprécisions, voire de déformations. Dans certains cas, ces productions nuisent à l'image de la science plus qu'elle ne la serve. *Le Temps des mammouths* ou encore *l'Odyssée de l'Homo sapiens* regorgent par exemple de simplifications utiles au niveau pédagogique mais très contestables du point de vue scientifique. Un autre documentaire intitulé *Homo sapiens, une brève histoire de l'humanité,* de Thomas Nagati, a également provoqué une levée de bouclier chez bon nombre de spectateurs et de spécialistes qui ont vu dans cette réalisation une défense indirecte de théories néo-créationnistes.

Le but premier du documentaire scientifique, traité ou non sous la forme d'un docu-fiction, est-il de vulgariser les découvertes scientifiques, ou s'agit-il au contraire pour le réalisateur de créer une œuvre personnelle qui peut alors s'éloigner quelque peu d'une réalité scientifique souvent complexe et contradictoire ? Comment, dans ce cas, le public de profanes à qui s'adresse ces productions peut-il faire la part entre des faits validés par la communauté scientifique et la création cinématographique ? À vouloir trop simplifier la science pour la rendre accessible, ne la déforme-t-on pas ?

C'est donc de ces questions que nous allons aujourd'hui débattre dans notre émission avec nos invités : Jean-Pierre Tillier, Hervé Gayic et Thomas Nagati.

Jean-Pierre Tillier est documentariste, directeur de la société de production Eurofilm et président du festival du documentaire scientifique Pariscience qui se déroule actuellement dans le cadre de la fête de la science au Jardin des plantes au Muséum d'histoire naturelle de Paris.

Hervé Gayic est également parmi nous, il est responsable des documentaires scientifiques, médicaux et historiques sur France 4 et enfin Thomas Nagati est documentariste, réalisateur, producteur à Science Movie et auteur d'*Homo sapiens, une brève histoire de l'humanité* dont nous avons déjà parlé et mais aussi plus récemment, d'un film remarqué intitulé *Tchernobyl ou les oubliés de la catastrophe nucléaire*.

(bip sonore)

Journaliste : Bonjour, Thomas Nagati. Alors, donc, justement, cette polémique autour de votre documentaire, *Homo sapiens, une brève histoire de l'humanité*, illustre bien les problèmes que les réalisateurs peuvent rencontrer peut-être, comme vous. La diffusion de ce film a eu lieu le 25 septembre sur France 2 et il a suscité de vives critiques de certains scientifiques vous accusant de diffuser des théories néo-créationnistes. Alors, quelle a été votre réaction suite à ces attaques ?

Thomas Nagati : Oui, bon, c'est vrai que les accusations de toutes parts ont été immédiates. Je dois avouer que le film a été dénigré et accusé effectivement de soutenir des thèses néo-créationnistes. Mais je vous le dis tout de suite et catégoriquement, je ne suis pas néo-créationniste, le film à mon avis n'est pas du tout néo-créationniste et ne défend pas les théories créationnistes, bien au contraire il n'y a pas de providentialisme dans le film. Alors, quelle a été ma démarche ? En fait, j'ai en partie réalisé ce film en réaction au docu-fiction dont il était question tout à l'heure. Avec ce film, je voulais aller sur le terrain, creuser dans le fossile, le sortir de terre, voir les mystères qu'il donne à résoudre au scientifique.

J. : Ce n'est donc pas un docu-fiction, mais plutôt une véritable investigation, non ?

T. N. : Oui, c'est une enquête pure et simple et c'est quasiment une énigme policière et c'est-à-dire on creuse, on relève les indices, on cherche à les relier, etc. Et donc, il y a effectivement un personnage principal, un chercheur qui a été mis en lumière dans ce film qui a été…

J. : Qui est Judith Marty.

T. N. : Qui est Judith Marty. Alors il est effectivement possible que le film insiste un peu trop sur ce personnage car c'est elle qui le fait progresser, qui apporte les différents éléments, qui analyse… C'est une tendance générale dans les documentaires de prendre un personnage et de le suivre tout au long de ses recherches. C'est une façon effectivement de mettre en scène la réalité scientifique. Et comme je vous le disais, bon, elle occupe peut-être un peu trop de place par rapport au reste du contenu mais pourtant, je reste persuadé qu'elle devait avoir cette place principale.

J. : Enfin bon, il faut tout de même préciser, pour nos auditeurs qui n'ont pas vu le film, que ses recherches sont extrêmement controversées dans le milieu scientifique et force est de constater que votre film reflète très peu les mises en doute de sa théorie…

T. N. : C'est vrai, en effet, c'est vrai que sa thèse prête à controverse et il y a un moment dans le film où ce sujet est abordé mais c'aurait pu être plus développé.

J. : C'était un peu bref.

T. N. : C'était un peu bref, mais ce qu'il faut voir, c'est qu'au départ, il y avait une décision de faire un documentaire qui prend une théorie peu connue, qui paraît intéressante, défendue par un certain nombre de spécialistes, et de s'y plonger pour chercher à la comprendre. C'était un choix délibéré et de la part de la société de production et de la part de la chaîne. Ils ne voulaient pas un film polémique où l'on pèse le pour et le contre. Moi, j'ai trouvé ça intéressant et j'ai également accepté ce choix. Donc on prend une thèse parce qu'on la trouve passionnante et qu'on a envie de l'exposer, on la suit, on la défend, et on va au bout de l'histoire. Si je devais moi-même produire un documentaire, peut-être qu'en effet, alors, je ferais plus de place au débat mais dans ce cas précis, on m'a demandé au contraire de le réduire au maximum.

J. : Alors, il est vrai que des débats scientifiques assez pointus peuvent se révéler difficilement abordables pour le grand public, mais tout de même, pour un réalisateur qui s'adresse à un public de béotiens, il est très difficile de faire la part des choses. D'autant plus que, dans votre cas, il y avait beaucoup de méfiance puisque les travaux scientifiques faisaient référence au néo-créationnisme, et le néo-créationnisme est un courant très développé aux États-Unis. Il y avait justement un débat à ce sujet à l'époque de la diffusion du film et on a donc assisté à un étrange concours de circonstances qui a provoqué toutes ces attaques.

T. N. : Oui, en effet, les médias se sont rués sur le film, l'accusant d'être de la théologie déguisée, le montrant comme une tentative d'introduction du « *design intelligent* » en France. Les diverses rédactions avaient besoin d'un article sur ce sujet en France, et ils se sont servi du documentaire pour ça. Il y a eu des confusions incroyables, ce film était créationniste, la chercheuse était une créationniste, moi-même je fais partie d'une conspiration venue des États-Unis, enfin, j'étais un de leurs agents.

J. : Oui et il faut souligner que, manque de chance, vous portez effectivement le nom d'un apôtre du néo-créationnisme.

T. N. : Oui, la maison de prod s'appelait Science Movie, il y a eu un certain nombre de coïncidences qui étaient en effet troublantes. Mais quasiment personne ne s'est adressé à moi pour me demander plus d'information. On peut dire personne, même !

J. : Cela montre donc bien toutes les difficultés et les risques du métier. Quant à vous, Hervé Gayic, vous êtes responsable donc des documentaires science, médecine et histoire sur France 4. Que pensez-vous donc de tout ça, vous, personnellement ? Ici la chaîne est aussi en cause étant donné qu'elle est coproductrice du documentaire.

Hervé Gayic: Alors, il faut d'abord préciser que j'ai d'abord vu le film à chaud au moment des événements, puis j'ai eu l'occasion de le revoir à froid plus tranquillement. Et réflexion faite, je pense personnellement que les critiques ont vraiment été exagérées parce que le film s'appuie tout de même sur une investigation rigoureuse. Moi qui avais déjà fait des documentaires sur ce sujet, je dois dire que j'ai beaucoup appris sur par exemple... sur la flexion du sphénoïde chez les hominidés et son rôle dans le développement du cerveau, de la face et de la locomotion. On y trouve vraiment beaucoup de réflexions hautement intéressantes et il faut vraiment faire la part belle à la surinterprétation pour oser dénoncer ce film comme créationniste, quoi ! En outre, en ce qui concerne la méthode, je suis moi aussi de ceux qui pensent que c'est légitime de faire de temps en temps un film qui défend une thèse. Les faits scientifiques sont parfois difficilement accessibles pour le grand public et il est dans certains cas préférable de se limiter à l'exposition d'une seule thèse. Dans ce cas-là, eh bien pourquoi ne pas faire deux films présentant chacun une des thèses. À mon avis, ça permet aux spectateurs non spécialistes de réellement s'immerger dans une problématique, de s'approprier la matière et de bien saisir les différents arguments...

J. : Oui, mais bon, revenons maintenant à notre question première : quelles sont les limites du documentaire scientifique et en particulier du docu-fiction ? Alors, Jean-Pierre Tillier, vous semblez avoir une approche un petit peu différente puisque vous refusez de réaliser des docu-fictions ou d'autres productions de ce genre. Vous qui privilégiez la rigueur avant toute chose, quelle est votre position par rapport à cette problématique ?

Jean-Pierre Tillier : Alors, je tiens tout d'abord à souligner que tout comme Hervé Gayic, j'ai personnellement beaucoup apprécié la qualité du film de M. Nagati. C'est un film très rigoureux, très fouillé au niveau scientifique. Il n'expose en effet qu'une seule thèse, mais à vrai dire pourquoi pas ? Je ne suis, moi aussi, pas fondamentalement opposé à cette démarche. Ensuite, il est vrai que le réalisateur s'approprie cette thèse pour en faire une œuvre, un produit culturel, et cette interpénétration du monde de la science avec le monde de l'image ne va pas toujours sans poser problème. Cependant, les chercheurs ne doivent pas imposer une seule et unique façon de donner à voir la science ou une réalité scientifique particulière.

J. : Mais, tout de même...

J.-P. T.: Et d'ailleurs, j'aimerais aussi ajouter un autre commentaire, c'est qu'il y a toujours, au sein de la communauté des scientifiques, des visions différentes. Il y a finalement très peu de points sur lesquels les scientifiques sont unanimes et c'est aussi comme ça que la science a pu progresser au fil des siècles, par la confrontation de thèses contraires. Cependant chaque époque a connu des thèses officiellement reconnues par la majorité et on fait alors l'amalgame entre majorité et vérité, ce qui n'est pourtant pas du tout la même chose, hein. Personnellement, je pense qu'il serait triste que la télévision ne se fasse que l'écho des thèses officiellement reconnues. Je vais peut-être être un peu provocant mais je pense que le manque d'objectivité est parfois souhaitable et fertile. Un fait scientifique a de multiples facettes et il peut valider plusieurs hypothèses, parfois contradictoires.

J. : Vous êtes effectivement provoquant mais l'objectivité dont vous parlez ne se réfère pas à la science elle-même, mais plutôt à la façon de la présenter. Or, dans le cas d'*Homo sapiens* de Thomas Nagati, la polémique est née du fait qu'il ne présentait qu'une thèse, extrêmement documentée certes, mais sans la replacer dans le contexte des débats scientifiques actuels sur ce sujet. Alors, selon vous, Jean-Pierre Tillier, que devrait-on faire lorsqu'une thèse est aussi mise en doute que celle-ci. De quelle façon la présentez-vous au grand public ?

Enregistrement n° 25
Faut-il enseigner les langues classiques à l'école ?

Faut-il encore enseigner le grec, le latin ou, d'une manière plus générale, des langues classiques dites mortes, à l'école ? Voilà le thème de notre dossier de cette semaine. Mesdames, Mesdemoiselles, Messieurs, bienvenue dans « L'école buissonnière », votre magazine éducatif hebdomadaire. Avec nous aujourd'hui, le professeur Pierre Chanville, directeur à l'Institut universitaire de formation des maîtres, Sophie Blanche, agrégée de lettres classiques, et Paul Lebrand, spécialiste de l'enseignement des langues étrangères. Alors, madame Blanche, commençons par vous, si vous le voulez bien, faut-il encore enseigner le latin et le grec à l'école ?

Sophie Blanche : Ah oui ! Bien sûr ! L'enseignement du grec et du latin me paraît tout à fait indispensable en France aujourd'hui. En France d'ailleurs, et dans bon nombre d'autres pays. Parce que ces langues sont le berceau de la nôtre. Le français est né du latin, du bas latin, qui lui-même s'était lourdement enrichi de l'héritage hellénique. À mon avis, connaître le latin, connaître le grec, c'est revenir aux sources du français, et vous savez, connaître son passé, c'est souvent mieux comprendre son présent.

Journaliste: Vous avez raison, tout le monde a bien conscience de l'importance pour des philologues et des linguistes de se pencher sur ces langues mortes, mais enfin, croyez-vous sincèrement que c'est nécessaire pour un jeune adolescent de la banlieue parisienne ?

S. B. : Ouh ! Vous dites plusieurs choses qui me troublent, pour ne pas dire plus. Tout d'abord, ces langues ne sont pas plus mortes que l'occitan ou le breton. Elles sont écrites, largement diffusées, encore relativement publiées, et leur survie finalement ne dépend que du nombre de locuteurs qu'elles ont. Tant que nous serons quelques centaines à parler ou à lire le latin, ça ne sera pas une langue morte. Et puis…

J. : Mais vous le dites vous-même, il ne s'agit que de quelques centaines d'érudits et…

S. B. : Laissez-moi continuer. Quelques centaines, quelques milliers, peu importe ! Essayez de comprendre ce que représentent ces langues en Italie ou en Grèce. Elles y ont un statut tout à fait exceptionnel…

J. : Mais nous sommes en France !

S. B. : Eh bien justement, je ne vois pas pourquoi ces langues devraient mourir en France et rester bien vivantes ailleurs. Mais je voudrais ajouter autre chose. Vous me demandez si un jeune banlieusard a intérêt à apprendre le grec ou le latin. Mais pourquoi un jeune banlieusard n'y aurait-il pas droit ? Vous rendez-vous compte du niveau de ségrégation dans lequel vous vous immergez ?

Pierre Chanville : Je rejoins tout à fait madame Blanche.

J. : Le professeur Chanville, responsable d'un IUFM, institut chargé de la formation des maîtres.

P. C. : Oui, je suis d'accord avec madame Blanche quand elle dit que nous ne pouvons pas faire une discrimination entre les jeunes, qu'ils viennent de la banlieue parisienne ou d'ailleurs. Cependant, il faut reconnaître que l'enseignement du grec et du latin, des langues dites classiques, a aussi servi de filtre sélectif dans notre système éducatif.

J. : Que voulez-vous dire ?

P. C. : Eh bien, ces langues ont été utilisées pour créer des groupes de bons élèves ; les chefs d'établissement, n'ayant pas le droit de constituer des classes de niveau, ont utilisé ce prétexte pour créer des classes d'élite ; il y avait les bons, qui faisaient du grec ou du latin, et les autres.

Paul Lebrand : C'est d'ailleurs cette attitude qui a contribué à renforcer le caractère complexe de ces langues, qui ont été rejetées par beaucoup d'élèves.

P. C. : Tout à fait, et c'est dommage, car il est vrai que leur apprentissage peut favoriser le développement scolaire des étudiants.

S. B. : À commencer par l'orthographe ! La réforme des « f » en « ph » lorsqu'ils sont d'origine grecque, c'est quand même plus facile à comprendre quand on a fait du grec. Pharmacie, photographe…

J. : Orthographe !

S. B. : Orthographe, oui tout à fait. Mes enfants, qui ont fait du grec, ne font plus de fautes sur ces mots, ni d'ailleurs sur les accents circonflexes.

J. : Ah, justement ! Rappelez-nous la règle ?

S. B. : Eh bien, c'est très simple. Lorsqu'en latin, le « s » était suivi d'un « t », en français le « s » a disparu mais on l'a remplacé par un accent circonflexe. Dans « hôtel » et « hôpital », par exemple.

P. L. : Oui, enfin, c'est quand même un peu difficile pour un jeune qui a des difficultés en orthographe, de penser à revenir au latin ou au grec pour savoir comment s'écrit tel ou tel mot.

S. B. : Mais pourquoi pas, si ça marche ?

P. L. : Oui, bien sûr, pourquoi pas. On peut aussi essayer de se rappeler de ses cours de physique sur les vitesses ou les centres de gravité pour prendre un virage en voiture.

S. B. : Ah, vous exagérez !

J. : Alors, Paul Lebrand, spécialiste de l'enseignement des langues étrangères et auteur d'un ouvrage qui vient de sortir, *Les Langues, passeport du monde*, que pensez-vous du grec et du latin ?

P. L. : Oh, je n'ai rien contre le grec ou le latin, bien au contraire. Mais ce qui me gêne, c'est que nous sommes dans un pays où l'enseignement des langues étrangères n'est guère performant, alors je me demande s'il est bien nécessaire d'alourdir les programmes avec une autre langue, voire deux, alors que nous ne sommes même pas capables de bien enseigner l'anglais, l'allemand ou l'espagnol.

J. : Ça s'améliore quand même.

P. L. : Oui, ça s'améliore, c'est vrai. Mais nous avons des cours de langues étrangères encore trop classiques, trop basés sur l'enseignement de la grammaire ou de l'orthographe, justement. Nos enfants savent conjuguer des verbes, ils connaissent des tas de listes de vocabulaire mais ils sont incapables de communiquer avec les petits Anglais.

S. B. : Ce n'est tout de même pas la faute du latin, si les enseignements en anglais ne sont pas bons !

P. L. : Oui et non. La culture des lettres classiques a nui, à mon avis, à l'efficacité de l'enseignement des langues étrangères, justement parce que… on a oublié qu'une langue, c'est quoi ? C'est avant tout un outil de communication, et pas simplement un exercice intellectuel.

J. : Donc vous prônez un développement de l'enseignement des langues vivantes aux dépens des langues mortes ?

P. L. : Tout à fait. Il faut revenir à un enseignement fait pour construire un monde citoyen où chacun d'entre nous pourra parler plusieurs langues.

J. : Vous voulez dire qu'en enlevant des heures de latin et de grec on pourrait mettre davantage d'heures de langues ?

S. B. : Si l'enseignement des langues étrangères n'est pas bon, comme le dit lui-même monsieur Lebrand, je ne vois pas pourquoi il faudrait mettre davantage d'heures ! Faudrait déjà que les profs commencent par bien faire leur travail !

P. L. : Les enseignements ont évolué, monsieur Chanville le confirmera sans doute. Mais le système doit aussi s'adapter. Le ministère de l'Éducation fait actuellement de gros efforts : il a intégré les normes de référence du Conseil de l'Europe, il a mis en place des groupes à effectifs réduits en terminale, il est en train de revoir sa politique de certifications et d'évaluation. Tout ceci va contribuer à développer les langues étrangères, mais nos programmes, nos programmes sont encore trop lourds.

P. C.: Oui, c'est vrai que de gros efforts ont été accomplis, et je suis sûr que l'on récoltera bientôt les fruits de ce travail. Mais je pense, pour ma part, et pour répondre à votre question, que l'enseignement des langues étrangères n'est pas à opposer à celui des langues classiques ; je crois que nous devons abandonner les schémas classiques où tous les enfants faisaient de tout. Aujourd'hui le latin et le grec sont sans doute encore des langues utiles pour beaucoup d'élèves, et ceci indépendamment de leurs origines géographiques ou sociales, mais je ne crois pas qu'il faille les imposer. Il est temps que l'école s'ouvre à un enseignement différencié, où chaque élève pourra construire son parcours en fonction de ses centres d'intérêt…

P. L.: Ou de ses lacunes !

S. B.: Oui, ses lacunes en orthographe, par exemple ! Pour celui-là, le grec sera sans doute bien utile.

J.: Eh bien, voilà nos spécialistes réconciliés autour de ce thème : « Faut-il enseigner les langues classiques à l'école. » Mesdames, Messieurs, je vous remercie pour votre participation. Quant à vous, chers auditeurs, je vous donne rendez-vous la semaine prochaine avec un thème tout à fait d'actualité : « Faut-il plus d'autorité à l'école ? »

Enregistrement n° 26
L'école doit-elle tout enseigner ?

Chers auditeurs, bonsoir, nous nous retrouvons aujourd'hui dans le studio de votre émission culturelle préférée, « Un monde, des idées », pour poser à nos invités une question que vous vous posez tous : « L'école doit-elle tout enseigner ? »

Et avec nous ce soir pour tenter de répondre à cette question, plusieurs personnalités. Tout d'abord, bonsoir, monsieur Jean Cruchon, vous êtes inspecteur de l'Éducation nationale et auteur d'un ouvrage sorti aux éditions Éducation, *Le Miracle de l'école*. Euh, avec nous également, mademoiselle Marie-Paule Lesueur, bonsoir, lycéenne au lycée Henry Wallon de La Courneuve, en banlieue parisienne. Et madame Polanque, bonsoir Madame, sociologue, anthropologue et spécialiste du monde éducatif. Alors, j'ai envie de vous poser une première question : l'école a-t-elle aujourd'hui la même fonction qu'hier ? Qui veut commencer ? Madame Polanque ?

Madame Polanque: Non, bien sûr que non. L'école n'a plus la même fonction qu'hier parce que le monde a changé. Lorsque Jules Ferry instaure l'école laïque, gratuite et obligatoire pour tous, nous sommes à la fin du XIXe siècle, dans un pays en pleine expansion économique, un pays colonialiste qui fait sa Révolution industrielle mais qui reste encore très rural. Cette école avait une vocation première, peut-être non avouée d'ailleurs, celle de finaliser l'unification du pays. Il s'agissait avant tout de franciser la République, de faire en sorte que tous les petits Français parlent français.

J.: Ah, donc, vous voulez dire qu'on ne parlait pas français en France ?

Mme P.: Absolument. Vous savez, l'unité linguistique était loin d'être faite. Les Bretons parlaient breton, les Occitans occitan et les Corses corse.

J.: Mademoiselle Lesueur, vous qui êtes toute jeune, vous saviez cela ?

Mlle Lesueur: Non, je ne le savais pas, mais de toute façon, ne crois pas que l'école serve à ça.

Mme P.: Vous ne croyez pas, mais je peux pourtant vous assurer que c'était l'une des préoccupations majeures du ministère de l'Éducation de l'époque.

Monsieur Cruchon: Je ne peux pas vous laisser dire cela, Madame, l'école de la République qui a été fondée au XIXe siècle reste aujourd'hui extrêmement actuelle, et on ne peut pas dire qu'elle a simplement servi à franciser les Français. Laissez-moi vous dire d'abord que beaucoup de gens parlaient français ; n'oubliez pas que le français s'est imposé comme langue de l'administration dès le XVIe siècle, au traité de Villers-Cotterêt.

Mme P.: Oui, c'est vrai, mais qu'est-ce que ça change ?

M. C.: Ça change que tout le monde au XIXe siècle était obligé de comprendre le français pour aller à la mairie, au service militaire ou encore pour lire la presse.

Mme P.: Mais entre eux les gens parlaient leur langue maternelle, je suis désolée.

M. C.: Bon, mais ce qui compte, c'est que l'école de Jules Ferry, c'est une école qui a introduit de nouvelles valeurs pour l'époque, des valeurs qui fondent notre société aujourd'hui, et qui sont directement héritées de l'esprit des grands philosophes. Respect des droits de l'Homme, laïcité, égalité… C'est cela, l'apport de l'école du XIXe siècle.

J.: Et vous trouvez que cette mission a changé ?

M. C.: Non. Absolument pas. Je trouve que la mission est la même mais simplement on a tendance à l'oublier.

Mlle L.: Moi, je suis vraiment d'accord avec ce que dit le monsieur, là. Pour moi, l'école d'aujourd'hui elle marche pas parce que, justement, on tente de la faire reposer sur des histoires, enfin sur des valeurs, comme vous dites, qui sont du passé.

J.: Vous trouvez que les droits de l'Homme et l'égalité sont des valeurs du passé ?

Mlle L.: Non bien sûr ; mais ce que je veux dire, c'est que nos préoccupations, elles, elles ont changé. Nous les jeunes, aujourd'hui, on veut être plus écoutés ; on veut que l'école nous prépare à trouver du boulot, enfin du travail, quoi. L'histoire, l'éduction civique, tout ça c'est bien, mais ça ne nous prépare pas à trouver du travail.

Mme P.: Oui, je suis tout à fait d'accord avec la jeune fille. C'est exactement ce que je dis depuis tout à l'heure. La mission de l'école, elle a changé. Aujourd'hui, il faut ouvrir l'école au monde de l'entreprise, revaloriser les apprentissages, s'ouvrir aux nouvelles technologies et oublier un peu les grandes missions d'hier pour être plus pragmatiques. Plus concrets.

M. C.: Vous avez, Madame, une bien curieuse conception de l'éducation. Je peux comprendre ce discours de la part d'une lycéenne, mais de la part d'une spécialiste, ça me surprend vraiment. Je crois pour ma part…

Mme P.: Cela vous surprend parce que vous n'êtes pas à l'écoute des jeunes. Écoutez ce que vient de dire cette jeune fille ; c'est elle qui le dit, pas moi. Et avec elle, tous les jeunes de France.

M. C.: Je ne vois pas ce qu'il y a d'incompatible à enseigner des valeurs et en même temps de nouvelles techniques. Vous prônez une ouverture de l'école sur le monde d'aujourd'hui, je suis tout à fait d'accord avec vous. Vive Internet, vive l'informatique ! Mais ne croyez-vous pas pour autant que ce monde n'a pas besoin d'apprendre la tolérance ? Le respect ? Le droit à la différence ?

Mlle L.: Mais les jeunes, ils attendent ça depuis longtemps ! Le respect, l'égalité, tout ça, c'est ce qu'ils veulent, les jeunes ! Le problème, c'est que quand ils arrivent dans le monde du travail, il n'y a pas de respect ! C'est la jungle ! Si tu portes un nom arabe, tu as plus de mal à trouver du travail que si tu t'appelles François ou Sylvie ! Alors l'école, elle doit nous préparer à affronter ce monde-là !

M. C.: À affronter le monde et à le corriger, à l'améliorer. Vous êtes les citoyens de demain, et nous devons vous donner de bonnes bases, non seulement pour vous préparer face au monde moderne mais aussi pour que vous fassiez changer ce monde.

J.: Ah ! C'est une idée généreuse, monsieur Cruchon, mais l'école a-t-elle fait changer le monde ?

M. C.: Sans aucun doute. Notre société s'est développée parce que ses citoyens se sont éduqués.

Mme P.: C'est vrai. Mais pourtant, les inégalités persistent. Et on constate que la plupart des jeunes qui réussissent sont issus de milieux socioculturels favorisés. Y a combien de jeunes qui réussissent dans votre banlieue, mademoiselle ?

Mlle L.: Je ne sais pas. Pas beaucoup, peut-être ; pas assez en tout cas. Ce que je sais, par contre, c'est que beaucoup de jeunes restent sur le carreau. Pas de diplôme, pas de boulot. Et ça, c'est à cause de l'école, parce que l'école, elle les a dégoûtés, ils avaient plus envie d'apprendre ; alors maintenant, ils sont là, ils sont dans la rue et puis ils font n'importe quoi.

J.: Y en a beaucoup comme ça ?

Mlle L.: Bon, peut-être qu'il n'y en a pas encore beaucoup, mais de plus en plus.

Mme P.: Vous voyez, le rôle de l'école a changé. Nous avons aujourd'hui un taux de scolarisation proche de 100 % ; ce qui est déjà formidable. Ce n'était pas le cas il y a cent ans, et c'est très bien d'avoir réussi ça. Mais la société a évolué, et, si l'école ne le fait pas, il y aura de plus en plus de jeunes comme ceux que décrits mademoiselle Lesueur.

M. C.: L'école évolue, croyez-moi. Elle fait face à de nombreux défis et elle les relève. Le niveau des études ne cesse d'augmenter. On fait aujourd'hui en terminale ce qu'on faisait hier à l'université…

Mme P.: Oui, mais qui fait cela ? L'ensemble des jeunes ? Non. Les meilleurs, et les meilleurs sortent toujours du même milieu économique.

M. C.: Vous exagérez !

Mme P.: Non. L'ascenseur social est en panne. Avant, on pouvait aspirer à devenir haut fonctionnaire même si on était fils de paysan. Et aujourd'hui, si on vit dans une banlieue et qu'on a un père au chômage, c'est plus possible.

M. C.: Sans doute parce qu'avant, les parents s'occupaient davantage de leurs enfants. On ne peut pas demander à l'école de tout changer. Dans le livre que j'ai écrit, je raconte comment des parents de banlieue se sont organisés pour les devoirs des enfants. Ils ont créé une association, ils ont levé des fonds et ils ont embauché des étudiants pour aider leurs enfants. Les solutions, elles existent, et il ne faut pas toujours aller les demander à la société. L'école ne peut pas tout faire.

J.: Alors voilà, monsieur Cruchon vient de donner une réponse à notre question, l'école doit-elle tout enseigner ? Lui, il pense qu'elle ne peut pas tout faire. Et vous, mademoiselle ?

Mlle L.: Moi aussi, je pense que l'école, elle peut pas tout faire ; c'est vrai que les parents, les grands frères, on doit aider les petits pour y arriver. Mais si on n'a pas les moyens de le faire, on le fera pas. Si le père ou le grand frère y sait pas faire l'exercice de maths, il faudra bien que quelqu'un aide le petit à le faire. C'est ce quelqu'un, c'est l'école qui doit le trouver. Et puis l'école, elle ne doit pas dégoûter les élèves, elle doit les aider à apprendre à aimer l'école.

Mme P.: Tout à fait d'accord. Si l'école a une mission aujourd'hui qu'elle doit apprendre à retrouver, c'est bien celle-là. Il faut qu'elle enseigne à apprendre, à se faire aimer, même par ceux qui ne réussissent pas. Alors ça passe sans doute par une autre forme d'enseignement, non plus basé sur la sanction mais sur une vraie valorisation des apprentissages.

M. C.: Je ne crois pas que les enfants vont réussir parce qu'on va leur répéter tout le temps qu'ils réussissent.

Mme P.: Ah ! cette fois, c'est vous qui caricaturez ! Enseigner à un enfant qu'il peut réussir, ce n'est pas lui mentir ou lui cacher qu'il peut aussi échouer. C'est simplement lui redonner confiance en lui.

Mlle L.: Ouais. Pas le casser, quoi.

Mme P.: Voilà. Ne pas le casser.

J.: Le monde politique s'empare souvent de ce sujet. Pensez-vous que les hommes politiques apportent des solutions concrètes ?

Mlle L.: J'en sais rien, je ne sais pas ce qu'ils disent. Pour moi, c'est tous blanc bonnet et bonnet blanc.

Mme P.: Vous voyez, nous avons ici une nouvelle manifestation du décalage qui se crée entre les jeunes et la société ; ils ne se retrouvent plus ni dans l'école, ni dans la représentation citoyenne. C'est un véritable cri du cœur qu'ils poussent.

J.: En cela, vous considérez qu'on ne pourrait plus refaire Mai 68 ?

Mme P.: En Mai 68, les jeunes ont voulu changer le monde ; ils ont fait de même dans plusieurs pays, aux États-Unis, à Prague… Il y avait une véritable aspiration politique. Aujourd'hui, les idéologies ne leur parlent plus ; je crois qu'il faut inventer autre chose.

M. C.: Savez-vous, Madame, que l'école enseigne les idéologies modernes. Savez-vous que nos enseignants, qui ont une liberté énorme de programmation, peuvent leur parler d'alter-mondialisme, de microcrédit ou d'islamisme radical ? C'est un signe de plus que l'école tente d'atteindre les vraies préoccupations des jeunes, mais c'est bien difficile.

Mlle L.: Ouais, c'est difficile parce que les idéologies, moi, je crois qu'elles naissent dans les rues, pas dans les classes !

M. C.: C'est une belle définition. Mais qu'est-ce qu'on doit faire ? Faire l'école dans la rue ?

Mme P.: Et pourquoi pas *(rires).*

J.: Eh bien, le temps imparti à notre débat s'achève. Je vous remercie tous les trois d'avoir bien voulu y participer et j'espère qu'il aura intéressé nos auditeurs, en tous cas, moi, il m'a passionné. Nous nous retrouverons la semaine prochaine pour un tout autre débat d'idées : « Comment se protéger face aux épidémies mondiales ? »

Enregistrement à écouter sur http://www.radiofrance.fr/chaines/france-culture2/sommaire/
Albert Camus : Le discours de Stockholm

1re partie : durée 2'42"

Prochain RV avec la rédaction de France Culture
Avec Renaud Candelier-Vincent.
Merci Lucovic. Et à 9 h 05, 9 h 06 sur France Culture, il est temps de retrouver « Les grandes traversées ». Cette semaine, nouvelle grande traversée consacrée à Albert Camus.
Cette série vous est proposée par Raphaël Aendoven et Marie-France Diwo.

– Bonjour à tous et bienvenue sur France Culture pour cette semaine estivale consacrée tout entière à la figure d'Albert Camus, Albert Camus, la pensée de midi, à l'occasion de l'édition nouvelle dans la Pléiade de ses œuvres complètes.

On ne saurait tout dire de cet être singulier, inclassable don Juan romancier, philosophe, prix Nobel à contre-cœur, gardien de but, moraliste, dramaturge, ou encore grand journaliste.
Reste que Camus était aimable et qu'il était exemplaire et que ce sont ces qualités-là que nous essaierons de mettre en évidence toute la semaine. Car à ceux qui cherchent un sens à la vie, Camus répond qu'on ne sort pas du ciel qui nous contient ; à ceux qui se désolent de l'absurde, Camus raconte que le monde est beau ; aux idéologues, Camus répond qu'il faut aimer les hommes avant les idées ; aux partisans de la haine, il décrit la gratitude ; aux révolutionnaires qui s'endorment, tranquilles, sur l'oreiller des contestations incontestables, Camus enseigne que la véritable exigence est le contraire de la radicalité. À l'inverse de ceux dont le goût de l'absolu s'épanouit dans l'inefficacité pratique, les héros de Camus, eux, ne baissent jamais les bras dans un combat qu'ils savent pourtant perdu d'avance.

Car c'est dans la révolte elle-même que Camus cherche la mesure. C'est par elle qu'il veut empêcher que, selon ses propres termes, le monde ne se défasse. Bref, c'est au nom du courage que Camus se méfie des enragés. C'est dire combien cet homme était admirable et qu'il est normal à ce titre que les iconoclastes professionnels le méprisent un peu. Camus ne jouait pas le jeu or, ceux qui font profession d'anti-conformisme détestent, en général, les vrais esprits libres. C'est dire aussi que peu de paroles sont aussi utiles que l'anti-système solaire de Camus, peu d'exemples plus instructifs que l'avis de ce penseur à jamais trentenaire. Ce gamin d'Alger tubard et prix Nobel, ce penseur de midi, penseur à la fois de l'ombre la plus courte et d'exigence éthique la plus élevée, ce philosophe sans agrégation à qui l'histoire des idées, trop snob peut-être, ne pardonne pas d'avoir une fois pour toutes eu raison contre le grand petit Sartre. C'est dire enfin que la grandeur de Camus ne tient pas seulement à ses œuvres mais aussi, et surtout peut-être, au bel exemple de sa vie, à cette trajectoire magnifique, achevée trop tôt de la manière la plus bête du monde sur la route de Ville-blevin. (2:42)
[...]

2e partie : environ 15 mn

(4:24) Alors entrons sans plus attendre dans le vif du sujet. Automne 1957, Albert Camus est alors franchement déprimé au sortir d'un été stérile et décevant. Dans une lettre du 17 septembre à son ami René Char, l'écrivain confesse même son envie de disparaître. Et c'est dans ce contexte que, tel un cadeau empoisonné, le Comité Nobel croit bien faire en lui décernant son prix. (4:43)
[...]

(10:30) Ce qui est vrai, c'est que Camus se méfiait de la reconnaissance et n'aimait pas l'argent, or le voici étiqueté comme humaniste, riche à millions et en première page du *New York Times*. Camus, à l'époque, n'arrivait plus à écrire une ligne pour lui-même et le voici contraint de répondre aux lettres qui lui parviennent du monde entier. L'histoire raconte même qu'on dut embaucher pour cette tâche une dactylo supplémentaire pendant quatre mois. Camus n'aimait rien autant que la solitude de l'écrivain et la bonne compagnie des pensées intimes, or il aura désormais, c'est lui qui le dit, toujours des gens pour regarder par-dessus son épaule. Et puis Camus aimait le football et la nudité des corps dans l'eau, or le voici bien habillé et invité à déjeuner à l'ambassade, contraint de porter des décorations sur le col de son vêtement. Enfin Camus aimait le Sud et le voici en Suède. Il adorait les amis, le soleil et l'été, et le voici flanqué d'un attaché du ministère, ballotté entre les obligations officielles dans un pays où, en automne, la nuit tombe à 15 heures. Dans ce désastre glorieux, sa seule consolation était de se dire qu'en smocking, il ressemblait encore plus à Humphrey Bogart. C'est dans ce contexte, bizarre donc, qu'il tient le discours que vous allez entendre, le fameux discours de Stockholm où perce, sous l'enveloppe des convenances et l'attitude officielle, la mélancolie profonde d'un homme étranger partout, qui n'est riche, selon ses propres termes, que de ses doutes. (11:46)

« Sire, Madame, Altesse royale, Mesdames, Messieurs. En recevant la distinction dont votre libre Académie a bien voulu m'honorer, ma gratitude était d'autant plus profonde que je mesurais à quel point cette récompense dépassait mes mérites personnels. Tout homme et, à plus forte raison, tout artiste, désire être reconnu. Je le désire aussi. Mais il ne m'a pas été possible d'apprendre votre décision sans comparer son retentissement à ce que je suis réellement. Comment un homme presque jeune, riche de ses seuls doutes et d'une œuvre encore en chantier, habitué à vivre dans la solitude du travail ou dans les retraites de l'amitié, n'aurait-il pas appris avec une sorte de panique un arrêt qui le portait d'un coup seul, et réduit à lui-même, au centre d'une lumière crue. De quel cœur aussi pouvait-il recevoir cet honneur à l'heure où, en Europe, d'autres écrivains et parmi les plus grands sont réduits au silence, et dans le temps même où sa terre natale connaît un malheur incessant. J'ai connu ce désarroi et ce trouble intérieur ; pour retrouver la paix, il m'a fallu en somme me mettre en règle avec un sort trop généreux et, puisque je ne pouvais m'égaler à lui en m'appuyant sur mes seuls mérites, je n'ai rien trouvé d'autre pour m'aider que ce qui m'a soutenu tout au long de ma vie et dans les circonstances les plus contraires, je veux dire l'idée que je me fais de mon art et du rôle de l'écrivain. Permettez seulement que, dans un sentiment de reconnaissance et d'amitié, je vous dise aussi simplement que je le pourrais quelle est cette idée. Je ne puis vivre personnellement sans mon art, mais je n'ai jamais placé cet art au-dessus de tout. S'il m'est nécessaire, au contraire, c'est qu'il ne se sépare de personne et me permet de vivre tel que je suis au niveau de tous, l'art n'est pas à mes yeux une réjouissance solitaire. Il est un moyen d'émouvoir le plus grand nombre d'hommes en leur offrant une image privilégiée des souffrances et des joies communes. Il oblige donc l'artiste à ne pas se séparer, il le soumet à la vérité la plus humble et la plus universelle. Et celui qui souvent a choisi son destin d'artiste parce qu'il se sentait différent apprend bien vite qu'il ne nourrira son art et sa différence qu'en avouant sa ressemblance avec tous. L'artiste se forge dans cet aller-retour perpétuel de lui aux autres, à mi-chemin de la beauté dont il ne peut se passer et de la communauté à laquelle il ne peut s'arracher. C'est pourquoi les vrais artistes ne méprisent rien, ils s'obligent à comprendre au lieu de juger, et s'ils ont un parti à prendre en ce monde c'est de comprendre une société, où selon le parti de Nietsche, ne régnera plus le juge mais le créateur, qu'il soit travailleur ou intellectuel. Le rôle de l'écrivain, du même coup, ne se sépare pas de devoirs difficiles. Par définition, il ne peut se mettre aujourd'hui au service de ceux qui font l'histoire, il est au service de ceux qui la subissent ou sinon, le voici seul et privé de son art. Toutes les armées de la tyrannie avec leurs millions d'hommes ne le retireront pas de la solitude, même et surtout s'il consent à prendre leur pas. Mais le silence d'un prisonnier inconnu abandonné aux humiliations à l'autre bout du monde suffit à retirer l'écrivain de l'exil chaque fois qu'il parvient, au milieu des privilèges de la liberté, à ne pas oublier ce silence et à le relayer pour le faire retentir par les moyens de l'art. Aucun de nous n'est assez grand pour une pareille vocation, mais dans toutes les circonstances de sa vie, obscure ou provisoirement célèbre, jeté dans les fers de la tyrannie ou libre pour un temps de s'exprimer, l'écrivain peut retrouver le sentiment d'une communauté vivante qui le justifiera à la seule condition qu'il accepte autant qu'il peut les deux charges qui font la grandeur de son métier, le service de la vérité et celui de la liberté. Puisque sa vocation est de réunir le plus grand nombre d'hommes possibles, elle ne peut s'accommoder du mensonge et de la servitude qui, là où ils règnent, font proliférer les solitudes. Quelles que soient nos infirmités personnelles, la noblesse de notre métier s'enracinera toujours dans deux engagements difficiles à maintenir : le refus de mentir sur ce que l'on sait et la résistance à l'oppression. Pendant plus de vingt ans d'une histoire démentielle, perdu sans secours comme les hommes de mon âge dans les convulsions du temps, j'ai été soutenu ainsi par le sentiment obscur qu'écrire était aujourd'hui un honneur parce que cet acte obligeait, et obligeait à ne pas écrire seulement. Il m'obligeait particulièrement à porter, tel que j'étais et selon mes forces avec tous ceux qui vivaient la même histoire, le malheur et l'espérance que nous partagions. Ces hommes, nés au début de la première guerre mondiale, qui ont eu vingt ans au moment où s'installaient à la fois le pouvoir hitlérien et les premiers procès révolutionnaires, qui furent confrontés ensuite pour parfaire leur éducation à la guerre d'Espagne, à la deuxième guerre mondiale, à l'univers concentrationnaire, à l'Europe de la torture et des prisons, doivent aujourd'hui élever leurs fils et leurs œuvres dans un monde menacé de destruction nucléaire. Personne, je suppose, ne peut leur demander d'être optimistes. Et je suis même d'avis que nous devons comprendre, sans cesser de lutter contre eux, l'erreur qui de ceux qui, par une surenchère de désespoir, ont revendiqué le déshonneur et se sont rué dans les nihilismes de l'époque. Mais il reste que la plupart d'entre nous, dans mon pays et en Europe, ont refusé ce nihilisme et se sont mis à la recherche d'une légitimité. Il leur a fallu se forger à un art de vivre partant de catastrophes pour naître une seconde fois et lutter ensuite à visage découvert contre l'instinct de mort à l'œuvre dans notre histoire. Chaque génération, sans doute, se croit vouée à refaire le monde. La mienne sait pourtant qu'elle ne le refera pas. Mais sa tâche est peut-être plus grande, elle consiste à empêcher que le monde se défasse. Héritière d'une histoire corrompue où se mêlent les révolutions déchues, les techniques devenues folles, les dieux morts et les idéologies exténuées, où de médiocres pouvoirs peuvent aujourd'hui tout détruire mais ne savent plus convaincre, où l'intelligence s'est abaissée jusqu'à se faire la servante de la haine et de l'oppression, cette génération a dû en elle-même et autour d'elle restaurer à partir de ses seules négations un peu de ce qui fait la dignité de vivre et de mourir. Devant un monde menacé de désintégration, elle sait qu'elle devrait dans une sorte de course folle contre la montre, restaurer entre les nations une paix qui ne soit pas celle de la servitude, réconcilier à nouveau travail et culture, et refaire avec tous les hommes une arche d'alliance. Il n'est pas sûr qu'elle puisse jamais accomplir cette tâche immense mais il est sûr que partout dans le monde, elle tient déjà son double pari de vérité et de liberté et, à l'occasion, sait mourir sans haine pour lui. C'est elle qui mérite d'être saluée et encouragée partout où elle se trouve et surtout là où elle se sacrifie. Et c'est sur elle en tout cas que, certain de votre accord profond, je voudrais reporter l'honneur que vous venez de me faire. Du même coup, après avoir dit la noblesse du métier d'écrire, j'aurai remis l'écrivain à sa vraie place, n'ayant d'autre titre que ceux qu'il partage avec ses compagnons de lutte : vulnérable mais entêté, injuste mais passionné de justice, construisant son œuvre sans honte ni orgueil à la vue de tous, sans cesse partagé entre la douleur et la beauté et voué enfin à tirer de son être double les créations qu'il essaie obstinément d'édifier dans le mouvement destructeur de l'histoire. Qui, après cela, pourrait attendre de lui des solutions toutes faites et de belles morales ? La vérité est mystérieuse, fuyante, toujours à conquérir, la liberté est dangereuse, dure à vivre autant qu'exaltante. Nous devons marcher vers ces deux buts, péniblement mais résolument, certains d'avance de nos défaillances sur un si long chemin. Quel écrivain dès lors oserait dans la bonne conscience se faire prêcheur de vertus ? Quant à moi, il me faut dire que je ne suis rien de tout cela. Je n'ai jamais pu renoncer à la lumière, au bonheur d'être, à la vie libre où j'ai grandi. Mais bien de cette nostalgie explique beaucoup de mes erreurs et de mes fautes. Elle m'a aidé sans doute à mieux comprendre mon métier. Elle m'aide encore à me tenir aveuglément auprès de ces hommes silencieux, qui ne supportent dans ce monde la vie qui leur est faite que par le souvenir et le retour de brefs et libres bonheurs. Ramené ainsi à ce que je suis réellement, à mes limites, à mes dettes, comme à ma foi difficile, je me sens plus libre de vous montrer pour finir l'étendue et la générosité de la distinction que vous venez de m'accorder. Plus libre de vous dire aussi que je voudrais recevoir avec votre permission comme un hommage rendu à tous ceux qui, partageant le même combat, n'en ont reçu aucun privilège mais ont connu, au contraire, malheur et persécution. Il me restera alors à vous en remercier du fond du cœur et à vous faire publiquement, en témoignage personnel de gratitude, la même et ancienne promesse de fidélité que chaque artiste vrai, chaque jour, se fait à lui-même dans le silence. »

Albert Camus, « Discours du 10 décembre1957 »
in *Discours de Suède* recueilli dans *Essais*,
Bibliothèque de la Pléiade

CORRIGÉS

Compréhension de l'oral
Pour vous entraîner

Activité 1, p. 15
Nombre de locuteurs : 2, 2, 1, 2, 1.
Qui parle ? À qui ? : 1. un journaliste / un charpentier ; **2.** une journaliste / une femme médecin ; **3.** un journaliste ; **4.** un journaliste / un ardoisier ; **5.** une journaliste.
Où ? : 1. dans un studio ; 2. dans un studio ; 3. dans un studio ; 4. dans une fabrique d'ardoises ; 5. dans un studio.

Activité 2, p. 15
Nature des documents : émissions de radio : **1.** interview / témoignage ; **2.** interview ; **3.** chronique littéraire : monologue ; **4.** interview ; **5.** chronique : monologue.

Activité 3, p. 15
Thème : 1. changer de métier pour changer de vie ; **2.** la vitamine C ; **3.** l'histoire du Sahara, des livres sur le Sahara et une initiative du CNRS ; **4.** le métier d'ardoisier ; **5.** la gestion de la neige dans les stations de ski, enjeu économique.

Activité 4, p. 15
Type d'oral : 1. écrit oralisé (journaliste) et oral spontané (homme interrogé) ; 2. écrit oralisé (journaliste), oral spontané (femme interviewée) ; 3. écrit oralisé ; 4. oral spontané ; 5. écrit oralisé.

Activité 5, p. 16
a. trois.
b. une journaliste, la présidente d'une association, un médecin.
c. Il s'agit d'un débat. La journaliste joue le rôle de médiateur.
d. L'échange a lieu dans un studio de radio.
e. Les deux invités expriment leurs opinions sur le sujet de la vaccination.
f. Il s'agit d'oral spontané.

Activité 6, p. 16
Connecteurs : initialement [introduit une première idée], depuis [introduit une deuxième idée], en outre [ajoute un élément dans le discours], puisque [introduit une justification], en effet [introduit une explication], étant donné que [introduit une justification], non seulement [ajoute un élément dans le discours], mais en plus [ajoute un élément dans le discours en donnant une idée d'intensité par rapport au premier terme], mais [introduit une opposition], d'autre part [exprime une deuxième opposition], de plus [ajoute un élément dans le discours], mais [introduit une opposition], alors que [indique la simultanéité et l'opposition], en un mot [permet de résumer ce qui vient d'être dit], en revanche [introduit une opposition], malgré tout [exprime une concession], or [marque une conséquence], autrement dit [introduit une reformulation].

Activité 7, p. 17
Donner son avis : Notre association exige ; vous oubliez, l'efficacité de la vaccination est sûre…
Demander l'avis de quelqu'un : Mais, est-ce que vous ne pensez pas qu'il vaudrait mieux convaincre que contraindre ?
Exprimer une impression : Attention, il semblerait que…
Exprimer son accord : Je suis d'accord avec vous sur ce point-là…
Partager un point de vue : Tout à fait ; Je partage votre analyse…
Approuver un point de vue en émettant des réserves : Certes, mais je vous rappelle…
Exprimer son désaccord : C'est ridicule ; Je ne partage pas votre avis ; Pas tout à fait. Je vous rappelle quand même que…
Exprimer un doute : Nous persistons également à avoir des doutes ; Je suis toujours perplexe…

Activité 8, p. 18
Pour : F. Frias : donner la possibilité aux gens de choisir ou non de se faire vacciner (objection de conscience). Pr Guttierez : l'efficacité de la vaccination est sûre ; la vaccination permet non seulement une protection collective ; les médecins ont le devoir d'informer les patients des risques liés aux vaccins ;

le respect des contre-indications et des précautions d'emploi permet de limiter les risques ; les risques liés à l'utilisation des vaccins restent malgré tout minimes au regard de la protection qu'ils assurent ; ne pas faire vacciner un enfant revient donc à lui faire courir un risque individuel médical lorsqu'il sera adulte.

Contre : F. Frias : la France est le seul pays de l'Union européenne à avoir une législation si contraignante en matière de vaccination ; il existe une polémique au sein de la communauté médicale ; les familles sont mal informées des risques liés à la vaccination ; il existe trop d'effets secondaires liés à la vaccination (hépatite B) ; l'effet des vaccins diminue dans le temps (oreillons, rubéole).

Activité 9, p. 18
Mots clés : caractéristiques de la qualité de la vie professionnelle, évolution de cette notion, situation inadmissible, études menées, amélioration, apports des disciplines scientifiques, intensification du travail, apparition de nouvelles contraintes de rentabilité, s'adapter.
Synthèse : Les exigences quant aux conditions de travail ont changé à cause de l'évolution du monde du travail.

Activité 10, p. 19
Mots clés : conséquences d'une surcharge de décibels, hyperacousie, conséquences désastreuses, intensité du son et durée, maladies professionnelles, effets sur l'organisme, loi, mise en garde systématique.
Synthèse : un excès de bruit peut avoir des conséquences dangereuses sur les facultés auditives et sur la santé. Il est primordial de mettre en garde et d'informer les personnes de ces conséquences.

Vers l'épreuve

Activité 1, p. 21
Quand il a arrêté les malfaiteurs.

Activité 2, p. 21
1. Il est très dépendant des jeux vidéo.
2. beaucoup de succès.
3. au choix, avec ou contre d'autres.
4. permet de faire connaissance avec d'autres joueurs.

Activité 3, p. 22
1. L'unification de l'Europe a longtemps été impossible car les pays européens manifestaient leur souveraineté nationale sous forme de nationalisme ou encore de sanglantes tentatives d'hégémonie d'un pays sur l'autre.
2. La civilisation européenne a été menacée par la souveraineté nationale qui barrait la route à l'unité de l'Europe (passé de déchirement et de ruine).
3. En utilisant cette expression, l'historien indique que les accords européens ont permis de contrer les nationalistes qui empêchaient l'unification de l'Europe.

Activité 4, p. 22
1. Elles sont moins nombreuses dans les laboratoires, elles progressent moins rapidement que les hommes, sans raisons clairement avouées.
2. La créativité, l'autorité, la combativité.
3. Les femmes possèdent des qualités indéniables pour le travail scientifique : elles ont de solides capacités d'organisation, font d'excellentes responsables, sont plus concrètes et plus orientées vers l'action.

Activité 5, p. 22
1. Les chaussures neuves ou anciennes sont adaptées à la forme de votre pied grâce à une semelle thermoformée à la forme du pied.
2. Les semelles sont réalisées sur place immédiatement.
3. Le vendeur diagnostiquera le problème, prescrira la semelle adéquate, puis équipera vos chaussures avec les semelles magiques réalisées sur place.

Activité 6, p. 23
1. Les difficultés rencontrées par les femmes pour concilier vie professionnelle et vie familiale.
2. Les ministres européens.
3. 9 %
4. Au moins trois éléments parmi : travail à mi-temps, stages ponctuels, horaires atypiques ou irréguliers, précarité professionnelle.

5. Les trois axes :
– le développement des services aux familles ;
– une réorganisation du temps travail ;
– le développement de l'égalité entre hommes et femmes.
6. En Suède et dans les pays du Nord, les féministes ont réussi à théoriser assez tôt, dans les années soixante-dix, la double nécessité pour les femmes de travailler, et pour les hommes de s'impliquer dans la vie familiale.
7. Une pénurie des offres de garde, des horaires de travail non adaptés aux horaires des parents, le coût engendré par les frais de garde.

Activité 7, p. 23

1. Les différentes unités pour mesurer le temps.
2.

Professionnels	Objet d'étude	Unité de référence
Géologue	La terre	Milliards d'années
Astronome	L'univers	Dizaine de milliards d'années
Physicien, chimiste	La matière	Dizaine de dixièmes de secondes

3. Elle représente 625 millions d'années.
4. Il est directeur de l'Observatoire européen de l'espace.
5. Les astronomes travaillent en années-lumière car c'est très parlant pour des objets astronomiques. Les années-lumière leur indiquent automatiquement à quel moment a eu lieu l'événement qu'ils sont en train d'observer.
6. C'est le cas dans l'étude des phénomènes cycliques, tels que la comète de Halley qui revient tous les 76 ans dans notre système solaire. Cet ordre de durée, à l'échelle d'une vie humaine, se rencontre également avec les galaxies et les étoiles lors de l'explosion des supernovas.
7. Lors de l'étude de certains phénomènes, ils doivent renoncer à toute autre activité, ils sacrifient leurs vacances car l'événement dure une centaine de jours, au cours desquels ils ne peuvent quitter leurs téléscopes car l'observation doit être de tous les instants.

Activité 8, p. 24

1. Elle est journaliste spécialiste des questions d'environnement.
2. Conservatoire du littoral, public, 1975, 800 km.
3. Oui. *Justification :* elles se rendent compte que le vert peut valoir de l'or.
4. Les deux possibilités existent.
5. Au Conservatoire du littoral.
6. Le fait que le site soit accessible à tout le monde (aux Douarnenistes notamment), et non réservé à quelques privilégiés.
7. La fréquentation importante nécessite un entretien de plus en plus coûteux.
8. Le budget est principalement utilisé pour étendre le patrimoine.
9. C'est le fait de concevoir des projets d'aménagement et de réhabilitation de territoires naturels.
10. Deux éléments parmi : plus de végétation, roche mère à nu, sentiers dégradés.
11. Réaménagement de sentiers accompagné de leur drainage.
12. Oui. *Justification :* malgré une très forte augmentation de la fréquentation, les sites sont et demeurent en meilleur état.
13. Trois éléments parmi budget public, dons financiers, legs de terrain, mécénat d'entreprises ou de fondations, vente de produits partage.
14. En fabriquant des tee-shirts estampillés « Conservatoire du littoral » et en reversant 1 euro par tee-shirt vendu, Armor Lux soutient l'action de préservation du patrimoine naturel conduite par le Conservatoire.
15. *Le Tiers sauvage.*

Activité 9, p. 25

1. De l'aspect noirâtre des lésions et croûtes sur la peau.
2. L'anthrax fait peur car il entraîne la mort en une quinzaine de jours.
3. Le caractère très contagieux de la maladie ou la facilité de propagation du virus.
4. En 1980.
5. Dans des laboratoires aux États-Unis et en Russie.
6. Deux raisons : de nouvelles méthodes de recherche permettent de mieux comprendre le virus ; on peut mieux comprendre d'autres virus de la même famille.
7. L'existence de rapports ou le livre écrit par un Russe qui dit que la variole s'est échappée des laboratoires.

8. On ne sait pas où se trouve le virus.

9. Les pays doivent préparer et stocker du vaccin.

10. En cas d'attaque utilisant le virus de la variole, il faut vacciner avant cinq jours tous ceux qui ont été en contact avec le virus.

Exemple d'épreuve

Première partie, p. 27

1. Mille et un lits.

2. Le lieu, le climat, la religion, les habitudes culturelles.

3. De l'époque préhistorique.

4. Parce qu'on l'apprend, qu'elle se transmet par l'éducation.

5. Sur le ventre : après 1970 ; sur le dos : avant 1970 ; couette : après 1970 ; draps : avant 1970 ; stricte : avant 1970 ; libre : après 1970.

6. Les sociétés méditerranéennes et les sociétés de type nordiques.

7. Société méditerranéenne : bordé avec des draps + couverture ; non chauffée ; oui, pyjama, chemise de nuit. **Société nordique :** couette ; chauffée ; non, nu.

8. Dans les pays méditerranéens où il fait chaud, les gens ne chauffent pas les chambres et pourtant ils se couchent tout habillés sous des draps et sous une pile de couvertures. Alors que dans les pays nordiques, où il fait froid, les gens chauffent très fort l'intérieur des maisons, se couchent sur des lits chauffés et dorment nus sous une couette.

Deuxième partie, p. 28
Document 1

1. à quatre parties de l'année.

2. de la latitude.

Document 2

Une technologie.

Document 3

Interviewé 1

1. Plutôt pour.

Interviewé 3

2. Une bonne organisation permet d'éviter les désagréments.

Interviewé 4

3. Ne se prononce pas.

4. Les usagers sont prioritaires.

Interviewé 5

5. Réservé.

6. Le droit de grève a des limites.

C1 – Compréhension des écrits
Pour vous entraîner

Activité 2, p. 35
REF CA321

Intervenant : Discours de Monsieur Dario Pagel, Président de la FIPF
Indices retenus : il adresse son salut…, au nom de membres de la FIPF.

REF CA322

Intervenant : Allocution de Son Excellence Michael F. Kergin, Ambassadeur du Canada aux États-Unis d'Amérique
Indices retenus : *Canada*   Commentaire : attention de ne pas perdre l'objectif d'identification. L'efficacité consiste à ne pas laisser la curiosité l'emporter et à ne pas lire la totalité du paragraphe alors que vous aviez relevé les indices qui vous permettaient d'identifier le locuteur dès le début.

REF CA 323

Intervenant: Discours de Monsieur Abdou Diouf Secrétaire général de l'Organisation internationale de la Francophonie (OIF)
Indices retenus: nécessité d'avoir lu les autres extraits pour revenir à celui-ci et en identifier l'auteur.

REF CA 324

Intervenant: Allocution de Madame Éliane De Pues-Levaque, Représentante permanente de la Communauté française de Belgique (Wallonie-Bruxelles)
Indices retenus: Communauté française Wall… (à terminer par Wallonie-Bruxelles) et donc à associer à Belgique.

REF CA 325

Intervenant: Allocution de Madame Nathalie Normandeau Ministre du Développement régional et du Tourisme du Québec
Indices retenus: « gouvernement du » (donc ni de la France, ni de la Belgique). En revanche, Québec ou Canada peuvent convenir – en fait, vous auriez forcément lu le mot qui suivait (gouvernement du Québec) avant de passer à la suite du document.

REF CA326

Intervenant: Allocution de Madame Margot M. Steinhart, Présidente de l'Association américaine des professeurs de Français
Indices retenus: Cette personnalité est en situation d'accueillir et est donc américaine.

REF CA 327

Intervenant: Discours de Monsieur Xavier Darcos, Ministre délégué à la Coopération, au Développement et à la Francophonie de la République française
Indices retenus: « au nom des autorités » (il ne représente donc pas l'autorité suprême) françaises.

REF CA 328

Intervenant: Message de Monsieur Jacques Chirac, Président de la République française
Indices retenus: « message ».

Activité 3, p. 37
Intervenants: M. Abou Diouf (323), M. Jacques Chirac (328), M. Xavier Darcos (327), Mme Nathalie Normandeau (325), Son Excellence Michael F. Kergin (322), Mme Éliane De Pues-Levaque (324), Mme Margot Steinhart (326), M. Dario Pagel (321).

Activité 4, p. 38
Le Centre Pompidou propose une conférence sur Roland Barthes intitulée « La traversée des signes » (date non précisée). Roland Barthes était un intellectuel, professeur au Collège de France. Il a marqué son époque (l'après-guerre jusqu'au milieu des années 70) par ses travaux en sémiologie et sa recherche obsessionnelle du sens. Proche de divers courants intellectuels, littéraires et artistiques, admiré par les uns, contesté par les autres, sa mort brutale a cependant plongé ce penseur dans un relatif oubli. Il est temps, et juste, de le redécouvrir.

Activité 5, p. 39
Paragraphe 1: Mort d'un penseur
Paragraphe 2: Fin du purgatoire
Paragraphe 3: Période-temps
Paragraphe 4: Approche critique de RB
Paragraphe 5: Affirmation de conviction
Paragraphe 6: Autre regard sur le texte
Paragraphe 7: Affinités (intellectuelles) et quête de sens
Paragraphe 8: Approche intellectuelle rigoureuse: strates, effeuillage
Paragraphe 9: Mémoire d'un esprit indépendant

Activité 6, p. 39
Identité: Roland Barthes.
Statut, fonction occupée: Professeur au Collège de France où il occupait la chaire de sémiologie (1re ligne); penseur, écrivain (dernière ligne).
Apogée de sa carrière: les Trente Glorieuses (1945-1975).
Objet de ses recherches: la sémiologie = quête de sens: « qu'est-ce que ça veut dire? »
Ses domaines de prédilection: théâtre, histoire, cinéma, œuvres picturales, littératures contemporaine et classique.
Affinités intellectuelles: les avant-gardes littéraires.
Son désaveu
Période: de sa mort à nos jours (« le temps du purgatoire est passé »).
Objet – motif: indépendance d'esprit, va à l'encontre d'autres mouvements intellectuels dominants.
Conséquence: rejet de ses idées de la part des autres intellectuels.
Aujourd'hui: il est temps de le relire (« Le temps du purgatoire est passé. Celui de la relecture commence »).

Activité 7, p. 39
Référent(s) historique(s): les Trente Glorieuses (xxe siècle): de l'après Deuxième Guerre mondiale à la crise pétrolière des années 70; ou encore de 1945 à 1975. Origine du terme: Jean Fourastié.
Et aujourd'hui: xxie siècle – 30 ans plus tard.
Référent(s) géographique(s): France.
Référent(s) littéraire(s): structuralisme, avant-garde littéraire.
Référent(s) culturel(s): Sartre, Flaubert, Proust, etc.

Activité 8, p. 40
Définitions extraites du Petit Robert.
• **Sémiologie:** du grec *sêmeïon* « signe »; suffixe: -logie; ce suffixe sert à désigner des sciences, des études méthodiques, des façons de parler, des figures de réthorique.
Sens déduit d'après le contexte: le travail de Roland Barthes porte sur la recherche de sens.
Définition: science étudiant les systèmes de signes (langues, codes, signalisations, etc.).
Citation: « Le mythe relève d'une science générale extensive à la linguistique, et qui est la sémiologie » (Barthes).
• **Paradigme:** du latin *paradigma*, du gr. *Paradeigma* « exemple ».
Sens déduit d'après le contexte: modèle.
• **Idiosyncrasie:** du grec *idiosugkrasia* « tempérament particulier », de *sugkrasis* « mélange »; préfixe idio-: du grec *idios*, « propre, spécial ».
Sens déduit d'après le contexte: (forte) personnalité, force de caractère.
Définition: tempérament personnel.
• **Herméneutique:** du grec *hermêneuikos*, de *hermêneuein* « interpréter ».
Sens difficile à déduire d'après le contexte.
Définition: interprétation.
• **Barthésienne:** propre / relatif à Roland Barthes.

Activité 9, p. 40
1. Roland Barthes est mort accidentellement (« renversé par une camionnette »).
2. Il est temps de le redécouvrir.
3. Il se sentait proche des avant-gardes littéraires avec lesquelles il croyait partager le même goût pour la recherche du sens.
4. Le colloque offrira une occasion idéale pour redécouvrir l'homme avide de pensée qu'était Roland Barthes.

Activité 12, p. 42
1. Site peinedemort.org (transcription de l'allocution de Robert Badinter, Garde des sceaux, le 17 septembre 1981 à l'Assemblée nationale).
2. Voter la loi pour l'abolition de la peine de mort.
3. Raymond Forni était rapporteur de la commission des lois ayant étudié le projet et Président de l'Assemblée nationale.
4. Idées principales:
– la demande (d'abolition de la peine de mort);
– le travail des différents acteurs, la responsabilité (en leur âme et conscience) des députés qui voteront ou non la loi;
– 200 ans de lutte pour arriver à ce jour;

– la grandeur de la France à travers sa puissance, l'éclat de ses idées, les causes qu'elle a su défendre (abolition de la torture et de l'esclavage) ;
– pourtant, un combat reste à gagner : celui de l'abolition de la peine de mort.

Activité 13, p. 42
a) §2 : « en cet instant dont chacun mesure la portée »
§2 : « homme de cœur et de talent »
§3 : « un débat de conscience et le choix auquel chacun d'entre vous procédera, l'engagera personnellement »
§4 : « la peine capitale », « le châtiment suprême »
b) § 2 : « le changement politique majeur que nous connaissons »
§3 : « un débat de conscience et le choix auquel chacun d'entre vous procédera, l'engagera personnellement » : contexte de l'Assemblée nationale, les députés ne doivent pas respecter de quelconques consignes de vote, se cacher derrière leur parti, mais voter en fonction de leurs opinions personnelles.
§4 : « longue marche » : parallèle avec la Longue marche de Mao.
§7 : « et je baisse la voix pour le dire »

Activité 14, p. 42
Abolition de l'esclavage : France et monde, une des premières.
Abolition de la peine de mort : France et Europe occidentale, un des derniers pays.

Activité 15, p. 43
a) Pourtant cette idée ne semble pas avoir inspiré les dirigeants – c'est donc une idée novatrice ? Mme Royal est précurseur, a l'esprit plus vif que ses collègues du Parti ; il est surprenant que les autres partis n'aient pas mis en avant cette priorité.
b) Il y a d'autres points de vue sur la démocratie participative qui mesurent les limites de cette approche, mais on ne dit pas lesquels. De l'usage de la litote (« n'a rien de critiquable en soi ») on déduit qu'il est bon d'avoir une démocratie participative, que c'est une bonne idée.
Sous-entendu : l'idée n'est pas critiquable en soi, mais sa mise en œuvre pourrait l'être.
c) Indices : « longtemps » = passé ; « semblé » + « urgence ».
Déduction : cela ne relève plus de l'urgence aujourd'hui (confirmé plus loin).
Sous-entendu : on s'en désintéresse, à tort ou à raison.
d) Indice : opposition « excès » / « dans l'autre » = absence de juste milieu.
Déduction : on adopte aujourd'hui une position qu'on n'admettait pas hier.
Sous-entendu : mais l'excès reste présent (même approche radicale), donc les deux attitudes sont critiquables. De fait, la position actuelle n'est pas meilleure que l'ancienne = la solution n'a pas été trouvée et se situe possiblement à mi-chemin.
e) Indices : « aujourd'hui » = opposition passé / présent.
Déduction : s'il dit cela, c'est qu'il a essayé… de gouverner au sondage !
Sous-entendu : par expérience, il peut affirmer que gouverner au sondage est impossible : il l'a essayé (de son propre gré ou non), lors de son passage à Matignon (bureau et résidence du Premier ministre).
f) Indices : « six siècles », « à chaque fois ».
Déduction : il faut en revenir aux recettes qui ont fait leurs preuves.
Sous-entendu : le pays a besoin de gens courageux, d'hommes politiques prenant des initiatives personnelles, parfois à contre-courant de l'opinion publique et non de gens qui s'y accrochent (essaient de « surfer sur la vague »).
Autrement dit, celui qui prend en considération les sondages et se soucie de son image n'est pas très fiable ni sérieux ; pour que le pays s'en sorte, il faut une personnalité qui sache se mettre en danger, en faisant passer par exemple des mesures, même impopulaires.

Activité 16, pp. 44-46
1. Domaine : appareil d'État, opinion, etc. Analyse politique.
2. (Les limites de) la démocratie d'opinion.
3. Oui, en France, au moment où paraît l'article. Mais quand on le lit en détail, c'est, en partie du moins, un article de fond…

Activité 18, p. 46
1. S'interroger et alerter. *Justification :* la méthode Royal est-elle susceptible, ou non, de rapprocher les citoyens de la politique ? Référence aux sondages.
2. a. polémique : oui, voir l'introduction.

b. admiratif: non, l'attaque est assez franche: la candidate potentielle a une façon de présenter les choses qui crée une ambiguïté, voire une sensation de malaise.

c. ironique: oui (« L'objectif avoué est louable »).

d. humoristique: non.

3. Doutes sur la démocratie d'opinion telle que la présente Ségolène Royal; doutes sur la méthode de Mᵐᵉ Royal (résultats contraires); doutes sur la conception d'une gouvernance au sondage que semble adopter Ségolène Royal (il est prouvé que c'est voué à l'échec).

4. Ça a déjà été expérimenté.

5. Lorsqu'il suggère que, si les sondages déterminent la politique, autant proposer que le directeur de l'institut de sondages reconnu soit président de la République.

6. b. inquiétant: référence à la nécessité d'un homme fort dans les moments de crise – référence à l'ouvrage *Le Phénix*.

7. *Le Phénix français:* référence mythologique (le phénix renaît de ses cendres). Métaphore avec la France.

8. Un pays a besoin d'un homme fort, capable de rallier l'opinion à ses valeurs, capable de les défendre à moment où il rencontre des difficultés.

10. a. Conseil de quartier. L'auteur se montre dubitatif (il a des doutes).

b. Démocratie participative = démocratie d'opinion = contre-pouvoir parallèle (implicite: les élus ont peur de la démocratie participative, assimilée à un contre-pouvoir).

c. La démocratie participative n'est probablement pas l'unique / la meilleure solution. D'où la constante remise en question et recherche de solution.

Sujet 1, page 48

1. Faire ressortir l'idée de pour/contre/autrement. Exemples: « Les pour, les contre, les autres »; « Pour, contre, autrement »; « Les pour, les contre, ceux qui jouent la différence »

2. Présenter une image nuancée de la mondialisation.

3. À l'utilisation d'un concept. *Justification:* les premiers à en avoir fait un véritable usage.

4. Ont adopté assez massivement la vision des économistes.

5. La majorité [des opinions exprimées] s'accorde sur le fait...

6. a. Ils étaient contre la mondialisation et sont maintenant pour l'altermondialisation.

b. « une conception trop libérale et financière de la mondialisation »

7. Des rassemblements (des manifestations) antimondialisation.

8. Faux; Vrai; Faux; On ne sait pas.

9. Optimiste. *Justification:* avec l'apparition du concept de citoyenneté mondiale.

10. L'apparition d'une nouvelle échelle d'appartenance (la citoyenneté mondiale) et, avec elle, l'émergence d'un imaginaire commun.

Sujet 2, page 50

1. Demander à Robert Sue d'expliciter sa démarche intellectuelle.

2. Le constat selon lequel « les bonnes nouvelles de la modernité se transforment en catastrophes ».

3. Le sociologue cherche à comprendre le mécanisme de cette machine à perdre: vrai. *Justification:* « Toute la question... angoisse ».

Il est capable d'en dégager les rouages: vrai. *Justification:* plusieurs raisons peuvent expliquer cette représentation négative de la réalité. La première est d'ordre culturel.

Il peine toutefois à identifier un phénomène de cause à effet: faux. *Justification:* le discrédit des principales idéologies entraîne le désenchantement de la modernité, etc.

4. a. § 4: manque d'anticipation / de vision stratégique (« Mais voilà que... »).

b. § 4: les politiques et les intellectuels (« Et la question a été occultée... »).

5. Risque de défaite électorale (« Faute d'envisager... »).

6. § 5: protecteur (mot clé: rampart).

7. L'exagération.

8. a. Déclencher. **b.** profiter de. **c.** révoltée.

9. Suspicieuse: avec la phrase: sont-elles seulement un dérapage?

10. § 6: différence entre les générations d'hier et d'aujourd'hui. Plus haut niveau d'éducation, plus d'indépendance génèrent une approche plus lucide, plus critique.

11. Qu'elle est entrée dans une nouvelle logique ». *Justification:* § 7, « le lien social, aujourd'hui, se construit par le bas ».

12. Leur développement est frappant; leur développement est excessif.

13. Alors qu'il est considéré comme un coût, le salarié devrait être vu comme une ressource.

14. A évolué dans ses aspirations: § 9, « grand décalage entre l'évolution des gens et le politique ».

Pour aller plus loin

1. Sociologue, professeur à l'université de Paris V-Sorbonne, auteur.

2. Quelqu'un qui dérange, qui empêche de se lamenter tranquillement sur notre sort, de laisser les visions pessimistes dominer.

3. Altruisme et ouverture sur l'autre.

4. C'est la pensée collective (négative) qui contribue au déclin (phénomène négatif).

5. Aliénation, prison, enfermement.

6. Aux années Mitterrand (Président socialiste ayant enchaîné deux mandats de 7 ans entre 1981 et 1994).

7. Les politiques restent dans l'optique d'une société de masse, alors qu'on voit l'avènement d'une société où l'on doit permettre à l'individu de jouer plus directement un rôle (dans la société).

8. Non, mais à l'impossibilité, dans les structures actuelles, de lui permettre de s'engager pleinement et de contribuer à l'avènement d'une nouvelle société.

C1 – Production écrite

Argumentation, vers l'épreuve

Sujet 2, p. 86

Paris, le 3 mai 2007

Chers parents,

Introduction

(Sujet amené) Suite aux différents problèmes d'incivilité et de petite délinquance que l'établissement scolaire de nos enfants vient de connaître, je me permets, en tant que Président(e) de notre association, de partager avec vous l'idée que je me fais de notre rôle de parents et de la part de responsabilité que l'école tient dans l'éducation de nos enfants. **(Sujet posé)** La principale question qui me vient à l'esprit est la suivante : de nos jours, en France, peut-on limiter la définition de l'éducation à une stricte transmission de règles de comportement à respecter en société ? **(Sujet divisé)** Pour répondre à cette interrogation, il me paraît nécessaire de définir les responsabilités et le rôle de chacun, parents et professeurs, dans l'éducation des enfants pour, finalement, statuer sur le partage éventuel des devoirs en matière d'éducation entre milieu scolaire et milieu familial.

Première partie – Exemple de rédaction d'une idée essentielle

(Idée essentielle 1) Les parents ont un rôle primordial à jouer dans l'éducation des enfants qui ne dépend, en soi, que de leur responsabilité. Être parent, c'est s'engager, seul, dans un long suivi de l'éducation des enfants. **(Argumentation – Idée secondaire 1)** En effet, le premier devoir des parents est d'inculquer à leurs enfants, dès leur plus jeune âge, les règles communes de vie qui constituent la base même de l'apprentissage de la vie en société. De nombreux psychologues et pédopsychiatres se sont penchés sur cet aspect de l'éducation et proposent aux parents en difficulté des pistes d'enseignement des règles. Ce sont elles qui vont permettre à l'enfant de découvrir ses limites et, ainsi, de respecter spontanément son environnement. **(Illustration de l'idée secondaire 1)** Ce respect passe, par exemple, par l'apprentissage de la politesse qui entraîne, de façon plus naturelle, le respect de l'autre. Ce respect de l'autre et de ses différences prend d'autant plus de sens qu'on attache une importance à son propre système de valeur.

(Argumentation – idée secondaire 2) Mes valeurs et ma culture ne sont, cependant, pas nécessairement les mêmes que celles de mon voisin, de mon camarade de classe. Il est donc nécessaire d'apprendre à faire la différence entre la culture commune (celle qu'on partage avec toutes les personnes extérieures à la famille) et celle du cercle familial. Là encore, les parents ont un rôle prépondérant à jouer pour permettre à l'enfant de bien faire la part des choses. **(Illustration de l'idée secondaire 2)** C'est bien par la mère et par le père que se transmettent les valeurs religieuses propres à une famille ou l'apprentissage de la langue maternelle. Cette langue n'est pas toujours celle du pays où l'on vit, mais celle propre au clan familial. Respecter ma culture, c'est aussi vouloir que l'autre la respecte. Et par le fait même, il m'appartient de respecter celle des autres.

Deuxième partie – à rédiger

Conclusion

Devons-nous reprocher uniquement à nos enfants d'être responsables de ces actes d'incivilité ? Sans vouloir aller jusqu'à éduquer les parents, je crois important que chacun, nous (parents) et l'école, doive faire face à ses responsabilités. Certes, nos enfants sont responsables. Mais nous aussi, parents… et l'école ne doit pas nous laisser tomber : elle doit nous épauler dans nos efforts quotidiens. Je crois, chers parents, que la clé de la réussite scolaire et civile de nos enfants est entre nos mains.

C1 – Production orale

Pour vous entraîner

Exposé 1
Activité 1, p. 99
1. Le tableau est sombre.
2. La société de demain.
3. La passivité.
4. Attitude générale: victime (mot clé difficile à reformuler); stratégies développées: s'isoler, passer inaperçu (interprétation de « camouflage attitude »); principaux défauts: peu courageux, paresseux (« sens de l'effort limité », « feignant »).
5. a. Faux: 650 spécimens + une vingtaine d'experts.
b. Faux: les jeunes manifestent contre le Front National.
c. Faux: ils sont contre le CPE.
d. On ne sait pas: « fringues » et « fric » semblent être à égalité.
e. Vrai: hypothèse réaliste si le discours adressé aux jeunes change.
6. Ironie.

Activité 2, p. 99
Éléments à reprendre: résultats inquiétants et surprenants d'une enquête sur les jeunes de 11 à 25 ans (échantillon de 650) demandée par NRJ. De l'avis des spécialistes, le portrait est peu flatteur: le jeune se prend pour une victime du système, adopte une attitude de repli sur lui-même, et semble partisan du moindre effort. Son leitmotiv: fringues et fric. Dans ces conditions, alors pourquoi s'engage-t-il pour défendre certaines valeurs? En conclusion, NRJ n'hésite pas à adresser des recommandations aux marques et tente de les responsabiliser. Sans les marques, pas de salut.

Activité 3, p. 100
2. « NRJ met les adolescents à nu »

Exposé 2
Activité 8, p. 105
a. Ils traitent de la biodiversité vue sous l'angle des responsabilités, de sa manifestation sur terre ou en mer, des conséquences de sa destruction sur terre ou en mer.

Activité 9, p. 105
Document 1
Éléments essentiels: milieu universitaire, interdisciplinarité (sciences et droit), statut de l'invité de dernière minute.
Thème de la conférence: interrogation sur les lenteurs de la mise en application de la Convention sur la diversité biologique.
À quels acteurs s'intéresse Claude Hamel? Aux pays en développement.
Quelle est son intention? Dresser un bilan (mettre en relation convention signée il y a 15 ans et résultats concrets sur le terrain).
Sur quoi s'interroge-t-il? Sur l'engagement et l'efficacité de l'action des pays en développement, sur l'identification des raisons de l'inertie.
Intérêt de la participation de S.S. Monsieur Henri Djombo: son rôle sur la scène africaine et non seulement congolaise (président de l'Organisation africaine du bois).
Rappel des objectifs de la Convention: bilan dix ans après la signature, étude de la réalité du terrain et identification des causes des résultats décevants. Autres axes de la Convention: identifier les moyens les plus adaptés (et donc les plus porteurs d'efficacité).
Axes de travail de Claude Hamel: étudier le rôle des populations locales (dans des zones déterminées), conservation ≠ développement.
Informations en fin d'article riches en idées à reprendre ou à développer: comportements des populations locales et responsabilités, sensibilisation nécessaire, énonciation des intérêts pour ces populations.

Si l'on applique la stratégie 3 au document 1:
Quoi? Séminaire interdisciplinaire du CEDRIE sur la mise en œuvre de la Convention sur la diversité biologique. « Presque quinze ans après la mise en œuvre de la Convention sur la diversité biologique, les pays en développement peinent à la mettre vraiment en application. » Pourquoi?

Qui? Henri Djombo, ministre de l'Économie forestière et de l'Environnement de la République du Congo et Claude Hamel, professeur de sciences biologiques à l'UQAM.
Quand? 7 novembre 2006.
Où? Faculté de Droit, Université de Montréal.
Etc.

Document 2
On peut relever:
– exemple du Brésil, données chiffrées, description du phénomène, évolution, conséquences sur les pays voisins;
– identification des responsabilités (localement, régionalement, à l'échelle internationale);
  les hommes (les exploitants, les importateurs, les consommateurs);
– moyens d'action (forces et limites; localement, régionalement, à l'échelle internationale).

Document 3
Menace potentielle, nouveauté (la biodiversité maritime), étude des causes et conséquences.

Activité 10, p. 106
Plan possible:
• Définition de la biodiversité
• Analyse du problème:
– Pourquoi est-elle menacée? (causes, conséquences)
– Pourquoi est-il difficile de la défendre? (enjeux politiques, économiques, sociaux)
• Situation demain: sur quoi s'opéreront les changements?

Pour aller plus loin, p. 106
1. a. Bilan catastrophique.
b. Dans l'absolu non, car il s'agit de propos rapportés.
c. Des mesures conservatoires ont déjà été mises en place et les résultats sont positifs.
d. Croisement de données provenant d'organismes défendant des intérêts différents (à préciser).
e. Sans surprise!
f. Les chiffres parlent = *a priori*, réalité objective. Il s'agit ici d'une évaluation quantitative. L'appréciation (subjective) est pondérée par les critères définissant le mot effondrement.
g. Jeu de dominos, cascade.
2. a. Hypothèse formulée (« les poissons pourraient… », donc ce n'est pas certain) sans souci de sensationnalisme.
b. Exemples: « L'adieu aux poissons », « 2048: la pêche aux désillusions »

Vers l'épreuve

Exposé 3
Activité 2, p. 112
Document 1
Thématique: intégration des nouveaux arrivants > rôle de l'État. Opposition France / États-Unis (politique de la ville, intégration).
Type de lecture: lecture détaillée.

Document 2
Thématique: plus de diversité. Concept de discrimination positive dans la formation professionnelle. Meilleure représentation des minorités dans certaines catégories socioprofessionnelles, dans la fonction publique.
Type de lecture: balayage (contenu très descriptif, un exemple parmi d'autres possibles).

Document 3
Thématique: représentation des minorités dans les médias au Canada > évolution des mentalités, des représentations.
Type de lecture: lecture globale (document court) et balayage (document informatif, contenu relativement descriptif).

Activité 3, p. 112

Voici ce que peut donner une séance de remue-méninges:

Racisme > comment agir sur les représentations?

Ghetto, banlieues.

Droit à la représentation dans les différents domaines de la vie publique (professionnel, politique, associatif, etc.).

Accès à l'éducation et à la formation.

Barrière de la langue / barrière à l'intégration.

Politique d'accueil des migrants.

Naturalisation, citoyenneté, situation des sans-papiers.

Intégration: économique, sociale, politique des minorités.

Rôle et place des femmes.

Etc.

Activité 4, p. 112

a. Politique française de la ville: responsabilité partagée, transversale et globale, acteurs du public et habitants; partenariat services publics, État animateur; refus du terme d'intégration; problème vient de l'urbanisme, pas de la ville; ville = creuset refusant les ghettos, le communautarisme.

Intégration à l'américaine: plus de flux; multiculturalisme:

– négatif: juxtaposition de cultures autosuffisantes. Choque les Français républicains.

– positif: melting-pot, frottement des populations, acquisition d'une culture commune. Conservation de sa culture. Participation à la vie publique / politique.

b. En faveur des États-Unis. Voir fin du paragraphe sur la politique de la ville française (attitude peu convaincante de la France) et début du paragraphe sur la politique d'intégration américaine (plus de nouveaux arrivants à intégrer aux USA).

Activité 5, p. 112

Nous vous proposons des pistes mais il ne s'agit pas là des seules possibilités offertes.

A. Plan comparatif

Par exemple, communautarisme contre intégration forcée.

Description des deux types de politique:

1. Communautarisme:

– omnipotence de la communauté, de ses règles et de ses valeurs en matière de choix culturels, religieux, moraux;

– poids et force de la communauté;

– moyens de préserver l'unité (langue, médias, etc.);

Avantages (unité de la communauté par le respect de valeurs traditionnellement partagées, par exemple) et limites (risque de repli des cultures sur elles-mêmes, entraînant l'isolement de la communauté).

2. Logique d'intégration:

– volonté politique: recherche d'unité sociale, de paix, d'égalité des chances et mise en place de mesures incitatives (formation à la citoyenneté, formation linguistique, etc.), coercitives (régularisation et contrôle);

– volonté individuelle: éducation, implication dans le tissu social,

Avantages (appartenance à diverses communautés non exclusives, respect de la diversité, partage de valeurs républicaines, etc.) et limites (exemples d'échecs de politiques menées par le passé, facteurs de résistance, etc.).

Conclusion: leçons à tirer et avenir de l'immigration.

B. Plan par catégories

Quelles mesures entreprendre au niveau des:

– politiques économiques;

– politiques sociales, de l'emploi;

– politiques éducatives;

– politique de la ville (urbanisme).

C. Autre plan par catégories

La notion de représentation des migrants:

– dans les médias;

– dans les milieux professionnels (embauche dans le service public et les entreprises, CV anonyme par exemple);

– dans les instances représentatives de la cité ;
– en politique.

Exposé 4
Activité 1, p. 113
Quelques exemples d'associations d'idées :
– Publicité et influence sur la consommation : création de nouveaux besoins.
– Place / Rôle de la pub dans la société : incitation à une approche comparative ?
– Publicité, vecteur d'humour, aspect interculturel, dimension esthétique, créativité (image, lexique, slogans popularisés).
– Ciblage des publics : la ménagère de moins de 50 ans, les enfants, les cadres supérieurs…

Activité 2, p. 113
Document 1
Source : http://antipub.net/reflexion/
Thématique : omniprésence, invasion des supports publicitaires. Éthique et contenus des campagnes et des messages publicitaires.

Document 2
Source : *Le Monde*, 10.11.2006.
Thématiques, problèmes abordés : crainte d'une reproduction du « modèle » américain.
Deux questions autour de la place de la publicité dans les programmes :
– placement de produits publicitaires dans les films. Influence sur l'œuvre ou mariage dangereux de la création artistique et de la publicité ;
– fréquence et longueur des coupures publicitaires.
Également, la réglementation des nouveaux services à la demande.

Document 3
Source : *Le Monde*.
Thématiques, problèmes abordés : vision de science-fiction, enfer.
– Jeu-concours, bon d'achat, étude de neuromarketing…
– Connaissance intime des clients. Risques d'intrusion.
– Communication personnalisée, plus ciblée.
– Consommateurs et réseaux de communication de plus en plus équipés (pour recevoir).
– Étude des réactions des consommateurs (suivi électronique, cobayes…).
– Tendance croissante : nombre de publiphobes supérieur aux publiphiles.
– Réticence croissante au matraquage publicitaire.
– CNIL pour protéger les consommateurs (comme pour les spams).

Les trois documents pointent avant tout les aspects négatifs de la publicité et ses limites (ou le franchissement des limites).

Activité 3, p. 115
• **Plan chronologique :** difficile mais possible en cas d'exploitation importante du document 3 qui propose une vision futuriste…
• **Plan dialectique** (thèse / antithèse / synthèse) :
La publicité est nuisible dans une certaine mesure,
MAIS elle revêt tout de même des aspects positifs.
Il s'agit donc non pas de l'interdire mais de la réglementer.
• **Plan analytique** basé sur raisonnement logique :
Causes : la société de consommation dans laquelle nous vivons (documents 1 et 3).
Conséquences : possibilité d'un monde tel qu'il est décrit dans le document 2.
Solutions : réformer le système ? mais comment ? nécessité d'une réglementation.
• **Plan comparatif** (pour / contre / conclusion personnelle) : difficile…
• **Plan par catégories, plan thématique :** les différents aspects d'un problème.
La publicité, un problème :
1. Économique.
2. Politique.
3. Éthique.

Activité 4, p. 115

Les éléments soulignés sont des éléments « personnels », non issus des documents.

1. Les aspects négatifs de la publicité

Force à consommer.

→ Présente un mode de vie où la consommation joue un rôle important.

→ Crée de nouveaux besoins, de nouveaux désirs superflus.

S'immisce dans la vie privée :

→ Les entreprises veulent nous connaître, savoir ce que l'on consomme.

→ Déjà à l'heure actuelle, les listings informatiques existent.

→ Kafka, anticipation, film *Brasil*, paranoïa (voir texte 3).

Société marchande omniprésente. Société de consommation.

Choque parfois : images violentes, sexistes, osées…

Textes qui poussent à l'extrême, qui caricaturent ce qu'il y a de pire.

2. Mais, la publicité :

Peut parfois être un art.

Joue sur l'humour, les formes, le design > un espace de créativité.

Montrer du rêve, l'imaginaire, le désir.

Informe les consommateurs.

Impossible aujourd'hui d'imaginer un monde sans publicité. Les consommateurs veulent savoir ce qu'ils achètent.

3. Pour des réglementations plus strictes et une action des consommateurs.

Règlement contre les images sexistes, choquantes…

Instances de contrôle plus exigeantes.

Pour une déontologie : les enfants, l'accès aux informations privées.

Réglementer les nouveaux médias et NTIC.

Éduquer les consommateurs à une vision critique. Créer des associations de consommateurs.

Refuser systématiquement certaines publicités ou certaines pratiques : dans les boîtes aux lettres, dans la rue, par téléphone…

Activité 5, p. 115

Pistes proposées :

– La publicité nous entoure : dans la rue, à la télévision, sur Internet, dans nos boîtes à lettres, dans la presse… Elle cherche à nous atteindre par tous les moyens.

– La publicité est ressentie comme une agression.

Activité 6, p. 115

Pistes proposées :

– La publicité est un des symptômes les plus fragrants de la société libérale dans laquelle nous vivons. Les consommateurs doivent se défendre contre certaines pratiques et ne pas se laisser envahir.

– La publicité n'est qu'une des multiples manipulations que nous subissons. Il en est de plus insidieuses. Le conditionnement des esprits.

– La puissance du système publicitaire et sa force de pénétration dans tous les domaines de la société aujourd'hui. Qu'en sera-t-il demain ?

Exposé 5

Activité 1, p. 116

Quelques exemples d'associations d'idées :

– Supports médias : presse écrite, télévision, publicité en ligne (e.publicité), jeux vidéos, téléphones portables…

– Mise en garde : manipulation du public et en particulier des cibles fragiles (enfants par exemple).

– Moyens d'y échapper, possibilités de filtrage : par qui ? parents (par exemple, les options de contrôle parental), société.

– Impacts positifs pour les marques, pour le public.

– Enjeux financiers.

– Points positifs : dimension éducative. Les jeux ludo-éducatifs, la découverte du monde sur Internet, les CD-Rom d'apprentissage. La familiarisation avec les nouvelles technologies.

– Rôle des parents, quand les parents sont eux-mêmes dépassés par les nouvelles technologies…

Activité 2, p. 116
Document 1
Titre: Drogués aux jeux virtuels.
Source: *Le Monde*, 02.05.06
Thématiques, problèmes abordés:
– Dépendance aux jeux virtuels.
– Profil des jeunes.
–·Problèmes physiques et psychologiques.
– Rôle des parents.

Document 2
Titre: La protection de la vie privée et les jeunes.
Source: http://www.media-awareness.ca/francais/enjeux/vie_privee/vie_privee_jeunes.cfm
Thématiques, problèmes abordés:
– Les sites pour les jeunes sur Internet.
– Les sites commerciaux font de la publicité et collectent des informations privées (avec des concours, formulaires).
– Les jeunes = part de marché, cible, clientèle à fidéliser, clientèle de l'avenir.
– Pas de surveillance des parents.
– Les jeunes vont surtout sur des services de communication (mail, chat, forum…).

Document 3
Titre: Télévision et enfance.
Source: http://infokiosques.net/imprimersans2.php?id_article=154
Thématiques, problèmes abordés:
– Place de la télévision dans la vie des enfants (réflexe, accapare, informations unilatérales, adultes responsables → la norme de la télévision).
– Conséquences (effet hypnotique, troubles divers, propagation d'une sous-culture, incitation à un comportement passif (plus de réflexion personnelle), représentations conformistes, uniformisées.
– Le conditionnement: agent d'intégration dans la société de consommation.
Pour l'interdiction de télévision aux enfants. Frustration mais construction de la personnalité de l'enfant dans le conflit et la frustration. Développement de l'imaginaire nécessaire à l'épanouissement de l'enfant.

Les trois textes proposés sont globalement très négatifs, critiques vis-à-vis des NTIC. Tous mettent en garde contre les différents problèmes posés par les NTIC.

Activité 3, p. 118
• **Plan chronologique:** difficile. À la rigueur, émergence d'un nouveau type de problèmes éducatifs.
Les nouvelles générations de parents ont été élevées avec la télévision et ont connu Internet sur le tard. Quels sont les défis des parents aujourd'hui? À l'avenir?
• **Plan dialectique** (thèse / antithèse / synthèse): difficile…
• **Plan analytique** basé sur raisonnement logique (causes, conséquences, solutions): difficile.
• **Plan comparatif:** pour les NTIC / contre les NTIC / conclusion personnelle (dans ce cas sur le rôle des parents). Réalisable.
• **Plan par catégories, plan thématique:** les différents aspects d'un problème. Dans ce cas, par exemple, on peut imaginer traiter des aspects négatifs des NTIC, puis du rôle des parents et plus largement de la société.

Activité 4, p. 118
Les éléments soulignés sont des éléments « personnels », non issus des documents.
1. Rôle négatif des médias. Problèmes soulevés par les médias et NTIC dans l'éducation des enfants.
– **Problèmes psychologiques** > violence des images, isolement, fuite dans des univers virtuels. Dépendance, retrait du monde. (doc. 1)
– **Problèmes physiques:** Caractère hypnotique de plusieurs heures passées devant l'ordinateur (du vide), la vision, le manque d'exercice, de dépense physique. Jusqu'à l'hospitalisation! (doc. 1)
– **Conditionnement:** la société de consommation. Donner une vision du monde faussée. (doc. 3)
– Le caractère transgressif de certains jeux, de certaines émissions (excès de vitesse, meurtres…).
– La divulgation d'informations personnelles (doc. 2). Mise en contact avec des univers étrangers ou des personnes pouvant être nocives pour l'enfant.
Transition: les trois documents sont relativement critiques vis-à-vis des NTIC. Il est intéressant de voir qu'aucun ne mentionne le rôle positif que les médias peuvent jouer dans l'éducation.

2. Rôle positif. Avantages des médias et NTIC dans l'éducation.
Des jeux ludo-éducatifs dans plusieurs sens du terme :
– <u>**au niveau cognitif**</u> / <u>au niveau des savoir-faire</u> :
• <u>la réaction, l'appel à la logique de certains jeux (résolution de problème).</u>
• <u>le maniement de nouvelles technologies devient un enjeu dans la formation > dès le plus jeune âge.</u>
– <u>**au niveau culturel**</u> :
• <u>la découverte de nouveaux univers, apprentissage de savoirs académiques / encyclopédiques.</u>
• <u>la créativité dans certains jeux, jeux historiques, création d'une civilisation, simulations...</u>
Transition : Ainsi que nous venons de le voir, les nouvelles technologies peuvent avoir une valeur éducative, mais il faut souligner que beaucoup d'applications ne le sont malheureusement pas, ou peu. Comment doivent donc réagir les parents face aux problèmes posés par de nombreux jeux, émissions ou sites Internet proposés actuellement ?
3. Quel est le rôle de parents dans la gestion des médias ?
– Certains parents déjà élevés à la télévision, renonciation.
– Dans les documents 1 et 2, il est dit que les enfants sont trop souvent laissés seuls devant les médias.
– <u>La télévision ou les jeux peuvent constituer une certaine libération pour les parents (leur enfant ne bouge plus, il regarde l'écran).</u>
– L'interdiction (doc. 3) est possible mais elle provoque une frustration.
– <u>Plutôt surveiller, sélectionner et orienter : choisir les contenus, possibilité d'accès limité et contrôlé sur Internet – contrôle parental, limiter le monde d'heures passées à ces activités, toujours garder un œil sur les émissions regardées à la télévision.</u>
– <u>Avant tout, inciter ses enfants à faire d'autres activités (sportives, artistiques) favorisant un développement équilibré.</u>
Pour éviter les problèmes de frustration, assurer un suivi, une régulation des activités : gérer l'emploi du temps de ses enfants, proposer d'autres activités pour le temps libre, montrer sur Internet des sites intéressants, comment effectuer une recherche, accompagner dans la découverte. Éduquer à un regard critique sur l'information et les médias.
Conclusion : Les parents n'ont pas un rôle facile. Il est presque impossible et d'ailleurs peut-être pas souhaitable d'interdire complètement les nouveaux médias. Leur maniement fait en effet partie des connaissances indispensables à acquérir aujourd'hui pour avoir accès à l'information. Il est cependant impératif d'éduquer les enfants à une utilisation raisonnée des jeux électroniques et des médias.
Élargir ensuite. Par exemple sur :
– le problème de l'éducation des parents (la politesse avec les téléphones portables ou le choix des émissions de télévision) ;
– les évolutions des multimédias (téléphones multifonctions, lecteur audio / vidéo de poche...).

Activité 5, p. 118
Les éléments soulignés sont des éléments « personnels », non issus des documents.
1. Les problèmes posés par les médias.
– **Problèmes psychologiques** → <u>violence des images</u>, isolement, fuite dans des univers virtuels. Dépendance, retrait du monde. (doc. 1)
– **Problèmes physiques :** caractère hypnotique de plusieurs heures passées devant l'ordinateur (du vide), <u>la vision</u>, le manque d'exercice, de dépense physique. Jusqu'à l'hospitalisation ! (doc. 1)
– **Conditionnement :** la société de consommation. Donner une vision du monde faussée. (doc. 3)
– <u>Le caractère transgressif de certains jeux, de certaines émissions (excès de vitesse, meurtres...).</u>
– La divulgation d'informations personnelles. Mise en contact avec des univers étrangers ou des personnes pouvant être nocives pour l'enfant. (doc. 2)
2. Le rôle des parents.
– Dans les documents 1 et 2, il est dit que les enfants sont trop souvent laissés seuls devant les médias.
– Certains parents déjà élevés à la télévision, renonciation.
– <u>La télévision ou les jeux peuvent constituer une certaine libération pour les parents (leur enfant ne bouge plus, il regarde l'écran).</u>
– Interdiction (doc. 3) mais frustration.
– <u>Plutôt sélectionner et orienter : choisir les contenus, possibilité d'accès limité et contrôlé sur Internet – contrôle parental, limiter le monde d'heures passées, forcer à faire d'autres activités, toujours garder un œil sur les émissions regardées à la télévision.</u>
Suivi, régulation : gérer l'emploi du temps de ses enfants, proposer d'autres activités pour le temps libre, montrer sur Internet des sites intéressants, comment effectuer une recherche, accompagner dans la découverte. Éduquer à un regard critique sur l'information et les médias.

3. Le rôle de la société.
– Protester contre cette invasion de la société marchande dans les vies privées. Les publicités devraient prendre une place réduite à la TV, comme sur Internet.
– <u>Régulation au moins pour les enfants : jeux plus éducatifs, interdiction des images ou situations trop violentes dans les jeux et les émissions (excès de vitesse, meurtre, guerre, combat), interdiction des données personnelles.</u>
– <u>Faciliter la tâche des parents en proposant des services de garde avec des activités encadrées.</u>
Mais force est de constater que tout dans le monde des communications est axé sur le profit, l'incitation à la consommation et à l'exemplification d'un certain mode de vie. <u>C'est tout le système qui est à repenser. Une révolution ? Législation ?</u>

Activité 6, p. 119
Introduction proposée pour le plan comparatif :
La place qu'occupent la télévision et des médias dans nos vies est un phénomène extrêmement récent. On a pu assister à un incroyable développement des NTIC dans les dix dernières années. Cela ne va pas sans poser de nouveaux problèmes. On se rend compte que des générations sont touchées par cette omniprésence des médias et ce n'est encore rien à côté des dernières générations nées après l'explosion d'Internet. Comment réagissent les enfants ? Quelles sont les conséquences de ce phénomène sur l'éducation ? Comment doivent réagir les parents ?
Nous verrons dans un premier temps les problèmes posés par l'exposition aux NTIC, puis nous essayerons de montrer les aspects éducatifs, constructifs de certains médias. Enfin, nous analyserons les différentes réactions possibles en tant que parent afin de déterminer la meilleure attitude à avoir.

Activité 7, p. 119
Pistes proposées :
– Il ne s'agit pas d'interdire complètement mais de jouer à différents types de jeux… avec modération et d'éduquer à un regard critique.
– Accélération de l'Histoire formidable ces cinquante dernières années. Bouleversement majeur des sociétés. Difficultés pour réagir vite et voir les conséquences à long terme.
Élargir sur les années à venir, quel futur ? D'autres conséquences sur les générations élevées avec Internet encore incertaines.
– Le développement de notre société : société marchande, de consommation. Tout se commercialise, plus d'éthique dans les nouveaux médias, manipulation dès les plus jeunes générations. Nous sommes en partie responsables passivement. Idée du conditionnement par un système.

Exposé 6
Activité 1, p. 119
Quelques exemples d'associations d'idées :
– Les catastrophes naturelles (tsunami, cyclones…), les phénomènes climatiques extrêmes et les inondations > des réfugiés écologiques ? Le cas du Bangladesh, par exemple.
– La gabegie énergétique
  • société de surconsommation, croissance économique passe avant tout > décroissance ?
  • La question de l'énergie ou des « énergies ».
– L'avenir des pays émergents et des pays en voie de développement > imitation du mode de consommation occidental.
– L'empreinte écologique de l'homme > les traces qu'il imprime sur la Terre en l'utilisant (prendre l'avion, prendre un bain…).
– Les énergies vertes, renouvelables, les biocarburants.
– Les découvertes scientifiques sur le climat : par exemple, les changements prévus pour les différentes régions.

Activité 2, p. 119
Document 1
a) Les italiques mettent en relief la légitimité des propos tenus : référence bibliographique et rapport de propos d'experts.
b) Un constat et des données scientifiques.

Document 2
a) Stigmatisation de la consommation de pétrole.
b) Exemples de titres possibles pour chaque paragraphe : « L'État face au "tout-automobile" » ; « L'Alliance entre publicitaires et constructeurs automobiles » ; « Notre rapport irrationnel à l'énergie ».

Document 3
a) Les mots clés sont donnés dans les questions du journaliste.
b) Entretien avec un climatologue : des données scientifiques sur les différents procédés de géo-ingénierie et leurs risques.
c) Position défaitiste : craint d'en arriver à cette extrémité > observation de la diplomatie des pays du Nord.
d) Comme l'autre climatologue, il est aussi pour les recherches en géo-ingénierie dans le sens où il pense que nous serons contraints d'en arriver là. Il pointe tout comme l'autre climatologue la responsabilité des États dans la réduction des gaz à effet de serre.

Activité 3, p. 122
Document 1
Une publication à la fois mineure et fondamentale : une publication qui apporte peu de nouvelles connaissances mais qui synthétise l'état de la recherche à l'heure actuelle.
Occulter les efforts déjà engagés : faire oublier les initiatives en matière de...

Document 2
Prendre la mesure des actions à entreprendre : prendre conscience des actions à mener.
Diminuer drastiquement : prendre des mesures draconiennes pour réduire les émissions de GAS.
Symptomatique : caractéristique,
La canicule : une période de forte chaleur.
La schizophénie : comportement paradoxal.
Le résultat tangible : la conséquence observable. La preuve matérielle.

Document 3
Prospective : futuriste.
La géo-ingénierie : ensemble des procédés d'ingénierie qui ont trait à la planète entière.
Un tout dernier recours : une solution extrême, la dernière extrémité.
Les effets collatéraux : les effets secondaires liés au phénomène.
Je crains [...] qu'on en vienne à de telles extrémités : malheureusement, je pense que nous aurons à en arriver là (j'ai bien peur qu'on en arrive là).

Activité 4, p. 123
Exemple de plan analytique :
1. Causes : gabegie énergétique (par exemple, la climatisation).
2. Conséquences : réchauffement.
3. Solutions : réduction des GAS ou procédés de géo-ingénierie.
Conclusion : la nécessité d'agir rapidement à tous les niveaux.

D'autres plans peuvent reposer sur un autre raisonnement. Exemples :
1.1. Constat / bilan au jour d'aujourd'hui.
1.2. L'implication des politiques dans la réduction des gaz à effet de serre
Mais décroissance impopulaire...
Économie, bouleversement profond de nos modes de vie.
+ cela sera-t-il suffisant étant donné l'énergie que l'on consomme... ?
1.3. Des solutions radicales mais... très risquées : les procédés de géo-ingénierie.
Des élucubrations de scientifiques. Scénario impossible, trop risqué...

2. Introduction = constat.
2.1. Des solutions radicales mais extrêmement risquées.
2.2. Donc : une diminution drastique des émissions de GAS qui implique un changement profond des modes de vie.
2.3. Donc : l'environnement doit être une préoccupation pour tous (scientifiques, citoyens, industriels, politiques). Environnement est de la responsabilité de tous : non seulement des scientifiques mais aussi des citoyens et des gouvernements.
Mais problème : les hommes politiques y ont-ils intérêt ?
Conclusion : Pour une action à tous niveaux pour résoudre un problème brûlant. Au cœur des préoccupations internationales. Guerre de l'eau, des énergies...

Activité 5, p. 123
Introduction du sujet (discours rédigé) : Les questions d'écologie sont de plus en plus présentes dans les médias. Beaucoup consacrent à présent une rubrique intégrale à l'état de la Terre. S'il y a une problématique qui touche l'ensemble de la population mondiale, c'est bien celle du réchauffement climatique. Il y a en effet urgence car notre avenir à tous en dépend. C'est d'un problème planétaire qu'il s'agit.
Introduction de la problématique : Comment faire face à cet enjeu ? Quelles sont les mesures à prendre, les solutions pour aujourd'hui et pour demain ?
Annonce du plan : Je dresserai dans une première partie un bilan de la situation présente **avant de présenter** les différentes alternatives au problème du réchauffement climatique. **Nous verrons tout d'abord** la solution la plus raisonnable, la réduction drastique des gaz à effet de serre, et également l'engagement que cela implique de la part des politiques. **Je traiterai enfin** d'éventuelles solutions, beaucoup plus radicales, et des risques qu'elles comportent.

Activité 6, p. 123
Résumé du contenu de l'exposé : Les solutions envisagées par les scientifiques ne sont que d'ultimes recours et aucune n'est encore attestée comme ne comportant pas d'effets collatéraux. Il est donc clair que nous devons tous nous employer à réduire de façon drastique nos émissions de gaz à effet de serre. Cela implique de renoncer à certains conforts et d'y penser dans nos gestes quotidiens.
Résumez votre position : Je pense cependant que, sans intervention politique forte de la part de tous les gouvernements, cela reste impossible. Seule une législation contraignante parviendra à faire que certaines personnes « égoïstes » changent de mode de vie. Malheureusement, les gouvernements n'ont ni envie de freiner la croissance économique des entreprises, ni de s'attirer les foudres des électeurs par des mesures impopulaires.
Constatation / problématique plus vaste : Il est clair que de grands problèmes se profilent à l'horizon. Le monde entier va être touché par le réchauffement climatique qui est dû à notre utilisation irraisonnée des ressources naturelles. Des guerres de l'eau et de l'énergie sont à prévoir dans les prochaines années, il faudra héberger des réfugiés climatiques… Nous allons en effet vers des temps sombres comme le prédit James Hansen (doc. 1).

C2 – Compréhension et production orales
Pour vous entraîner

Activité 2, p. 143
1. interview, reportage ; **2.** interview, reportage ; **3.** interview, reportage ; **4.** débat à plusieurs ; **5.** débat à deux.

Activité 3, p. 144
1. problème / solution ; **2.** description, témoignage, récit ; **3.** Cause / effet ; **4.** avantages / inconvénients ; **5.** polémique.

Activité 6, p. 145
1. « Les conditions de vie dans la Chine de l'avant-révolution culturelle »
2. Pour ancrer l'émission dans une réalité. Les bicyclettes sont un élément culturel de la Chine d'antan et d'aujourd'hui.
3. Sur les lieux de son enfance (dans la cour de l'immeuble).
4. Il y a vécu pendant de 1960 à 1992.
5. a. Exiguïté : vrai (« une ou deux pièces par famille ») ; **b.** Promiscuité : vrai (« chaque famille sait ce qu'on mange ») ; **c.** absence d'hygiène : vrai (« un robinet commun ») ; **d.** Très difficiles.
6. Sa grand-mère est plus humaine et plus gentille que sa mère qui est très sévère.
7. a. « Chaque famille sait ce qu'on mange » ; **b.** « 150 g de viande par mois » ; **c.** Les fêtes.
8. Il était privé de jouets (« pas de petites voitures »).
9. Les relations entre adultes sont tendues. Les voisins étaient aussi les collègues de travail, ce qui ne facilitait pas les relations.

Activité 8, p. 146
Voir transcription p. 197.

Activité 9, p. 147
Processus argumentatif :
Assertion (affirmation) : les gens mangent trop
Explication 1 : portions sont plus grosses (qu'où ? qu'en Europe ?) – une portion plus petite oblige à moins manger.
Explication 2 : cuiller plus grande – on avale plus à chaque cuillerée.
Explication 3 : bol plus gros – on se sert plus.
Explication 4 : les plats restent sur la table (implicite : on peut se resservir).

Position du Dr Jean-Patrick Baillargeon :
Problème n° 1 : le sentiment de satiété ne joue pas vraiment un rôle de régulateur car les signaux ne sont pas toujours faciles à percevoir par l'individu (« Le docteur Jean-Patrice Baillargeon est endocrinologue à l'université de Sheerbrook »).

Commentaires de la journaliste :
Résultat des études : elles aboutissent à un résultat : proposer de plus petites portions et limiter le nombre de calories (« Brian Wansix, chercheur au laboratoire [...] Cornell, dans l'État de New York).
Commentaire : solution inadéquate pour les sujets souffrant d'obésité ou de diabète.
Solution proposée : faire de l'exercice (« bouger »).
Problème soulevé : l'environnement urbain n'est pas favorable.

Avis d'Avy Friedman :
Constat : distances excessives pour des achats quotidiens, ne permettent pas les déplacements à pied (« Avy Friedman est professeur d'urbanisme à l'Université McGill »).

Commentaires de la journaliste :
Commentaire : plan d'urbanisme responsable de la situation.
Perspectives : pas d'espoir d'évolution avant au moins une génération.

Activité 11, p. 148
Contexte et informations utiles sur le document sonore (lieu/cadre, date, conditions, etc.) : conférence amphi Fresnel à l'Institut de physique à Strasbourg.
Thèmes abordés : thème de la conférence : « Des mots M.OT.S. et des maux M.A.U.X de la physique d'hier et d'aujourd'hui. »
Lien avec l'actualité : année internationale de la physique de l'UNESCO ; grands anniversaires pour la physique : références à Einstein.
Autres questions soulevées : néant.
Invité(s) : conférencier : Jean-Marc Lévy-Leblond,
– professeur Université de Nice,
– physicien,
– philosophe ou épistémologue,
– directeur trentaine d'années collection « sciences ouvertes » éditions du Seuil,
– directeur / rédacteur en chef / animateur d'une revue *Alliage* depuis douzaine d'années,
– essayiste, critique de sciences.
(Organisateurs : la SFP, la Société française de physique.)

Activité 14, p. 149
Nous vous proposons ici des éléments de compte-rendu avec une utilisation raisonnée des verbes du discours indirect.
Cette conférence, qui a lieu à Strasbourg, a été organisée par la Société française de physique. L'invité, **Jean-Marc Lévy-Leblond, traite des** « Mots et des maux de la physique », de l'utilisation problématique du langage dans les sciences.
Avant d'aborder ce thème, **Jean-Marc Lévy-Leblond tient à rappeler** quelques dates importantes. Cette conférence est organisée pour l'Année internationale de la physique. Il s'agit de fêter un double anniversaire : le centenaire des très fameux articles d'Einstein en 1905 qui ont marqué l'entrée de la physique moderne dans une nouvelle ère ; c'est également le 50e anniversaire de sa mort (le 18 avril 1955).
Jean-Marc Lévy-Leblond souligne qu'il y a cependant d'autres anniversaires tout aussi importants à fêter cette année, pas seulement du point de vue de ces grands noms et de ces découvertes, mais aussi de la place et du rôle de la science dans la société :
– 6 août 1945 = une bombe nucléaire sur Hiroshima, la seconde sur Nagasaki. 60 ans depuis la première explosion nucléaire.

Jean-Marc Lévy-Leblond rappelle que 10 ans après 1955, 2 mois avant sa mort, Einstein cosignait un appel qui est connu sous le nom d'appel Russel-Einstein.
– Appel célèbre cosigné par de très grands noms, la plupart étaient des prix Nobels.
Jean-Marc Lévy-Leblond parle plus particulièrement d'un des cosignataires, Rotblat. Participant au projet Manhattan, le seul à avoir démissionné, fondateur du mouvement Pugwash.
– Appel à la renonciation à la force pour régler les conflits internationaux et au désarmement nucléaire, appel à tous les gouvernements du monde.
Il met en avant le rôle non négligeable de ces actions dans la prise de conscience et dans la lutte contre la course aux armements.
Il cite enfin l'anniversaire de deux autres physiciens.
– Hans Bette contre la guerre en Irak. La responsabilité civique du scientifique.
C'est à partir de cet exemple que Jean-Marc Lévy-Leblond critique et dénonce l'attitude de certains collègues par rapport à la bombe (Langevin, Joliot-Curie). (Il oublie de parler du second physicien.)
Il s'agit pour lui de prendre en charge tous les anniversaires. Qu'entend-il par là ? **Il éclaire l'Histoire de la physique à partir de ces différents anniversaires et en tire des conclusions. Il cherche en effet à faire un bilan des dernières décennies et à montrer tant les progrès que les dérives** (bilan complet : pas de lumières sans ombres).
Ceci l'amène au problème des déficiences dues à l'emploi de la langue commune aux scientifiques = difficulté à partager leurs réflexions.
Le conférencier revient finalement, après cette digression sur les anniversaires de la physique, au thème initial de son exposé : les MOTS et MAUX de la physique.

Activité 16, p. 149
1. Invités : △ 1 Antoine Garcia, journaliste : contre (« l'un accable »).
△ **2** Valérie de Salles, archéologue : pour (« l'autre défend »).
2. Problématique : partis pris adoptés pour présenter des œuvres issues « de peuples dont la culture n'a pas l'Occident en partage » (nom du musée, architecture, choix muséographiques).
Quatre échanges principaux peuvent être mis en évidence :
1. AG rappelle les raisons qui l'ont amené à visiter le musée, dénonce trois erreurs à ses yeux : le nom, l'architecture et l'aménagement intérieur, et l'absence d'accompagnement pédagogique.
De son côté, VDS se contente de réagir sur la critique relative au nom en donnant un exemple qui prouve qu'un président de la République ne voit pas systématiquement son nom accolé à celui d'un musée dont il a soutenu le projet.
2. À l'incohérence implicite dénoncée par VDS sur la nécessité soudaine d'AG de trouver un accompagnement pédagogique dans un musée, la réponse est claire : tout est question de culture personnelle et de références. AG enchaîne avec un contre-argument qui n'en est pas un : ce musée a permis de faire reparaître au grand jour des œuvres qui tombaient dans l'oubli. L'attaque fuse à nouveau de la part d'AG : trop d'œuvres exposées génèrent l'incompréhension.
3. VDS évoque la position de Jean Rouch : contre le projet initial et pour un rapport des œuvres au public basé sur la vie, sur l'image, sur le mouvement dans son contexte d'origine. C'est au tour d'AG de souligner d'une part un des points forts du musée, les émotions transmises au visiteur par diverses approches (boîtes à musique, etc.), mais d'autre part de s'interroger sur le mode d'acquisition des œuvres présentées et de se montrer alors suspicieux. Ce à quoi VDS répond que la question se pose alors pour tous les musées.
4. L'échange final porte sur l'acceptation ou non d'un choix muséographique. Là où VDS estime que tout peut se concevoir à partir du moment où on affiche clairement la ligne adoptée, AG conteste en affirmant qu'il y a justement un paradoxe entre le discours et la réalité. Ces Arts dits premiers semblent être cantonnés à une forme de marginalité. Les deux interlocuteurs se rejoignent pour finir en admettant qu'il est décidément difficile d'allier Art et Savoir.
3. Les Arts premiers : les Arts premiers (expression quasiment intraduisible dans d'autres langues) seraient avant tout les vestiges de cultures éteintes.
(http://fr.wikipedia.org/wiki/Art_premier) : les expressions « art premier » ou « art primitif » (*primitive art* en anglais) sont employées pour désigner les productions artistiques des sociétés dites « traditionnelles », « sans écriture » ou « primitives ».

Activité 17, p. 149
1. Malaise sur l'appellation « arts premiers » / « arts primitifs », musée Jacques Chirac.
2. La muséographie porte sur la conception et la réalisation d'une exposition, que celle-ci soit temporaire ou permanente.
3. Il s'agit de la volonté de proposer toutes formes de commentaires relatifs aux œuvres présentées de façon à donner des repères au visiteur.
4. Le fait que Jean Rouch a été directeur de musée donne une légitimité et une crédibilité à son avis.

5. Il est effectivement question de transferts d'œuvres d'art d'un musée à l'autre, mais cela ne signifie pas que ce soit la vocation du MQB. En revanche, regrouper les œuvres appartenant aux arts premiers dans un lieu unique fait sens.

6. On reconnaît la difficulté à associer esthétique et transmission de connaissances, voire initiation à l'histoire de l'art.

Vers l'épreuve

Activité 1, p. 151
Contexte et informations utiles sur le document sonore (lieu/cadre, date, conditions, etc): rendez-vous scientifique hebdomadaire.
Problématique: le documentaire scientifique doit-il être objectif?
Thèmes abordés: véritables succès d'audience des documentaires. Même au cinéma, les films animaliers attirent un public de plus en plus nombreux.
La mise en scène de connaissances scientifiques pose quelques problèmes.
La tentation de prendre quelques libertés avec la rigueur afin de rendre le scénario plus marquant, les explications plus faciles à comprendre, ou les scènes plus spectaculaires : caricature de la réalité scientifique.
La science = prétexte à des productions à grands spectacles mobilisant de gros moyens financiers.
Vulgarisation qui frôle souvent l'imprécision, voire la déformation.
Lien avec l'actualité: *Homo sapiens, une brève histoire de l'homme* de Thomas Nagati, accusé de défense indirecte de thèses néo-créationnistes.
Autres questions soulevées:
– Vulgariser les connaissances scientifiques ou au contraire s'agit-il une œuvre personnelle du réalisateur qui peut prendre des libertés avec la réalité souvent complexe et contradictoire du savoir scientifique?
– Le public non averti peut-il faire la part entre les connaissances reconnues par la communauté scientifique et la création cinématographique?
– À vouloir trop simplifier la science, pour la rendre accessible, ne la déforme-t-on pas?
Participants, invités:
△ **1 Jean-Pierre Tillier:** documentariste, directeur de la société de production (dir soc prod) Eurofilm et président du festival du documentaire scientifique Pariscience (pdt festiv doc sc).
△ **2 Hervé Gayic:** responsable des documentaires scientifiques, médicaux et historiques sur France 4.
△ **3 Thomas Nagati:** documentariste, réalisateur, producteur à Science Movie et auteur d'*Homo sapiens, une brève histoire de l'humanité* et de *Tchernobyl ou les oubliés de la catastrophe nucléaire.*

Activité 2, p. 151
1. Il n'est pas évident de classer les invités en groupes car ils appartiennent tous au milieu du documentaire scientifique. Il n'y a pas de scientifiques critiquant, par exemple, les documentaires scientifiques et les approximations que l'on y trouve.

Activité 3, p. 151
△ **3 Thomas Nagati:** auteur d'*Homo sapiens,* accusé de néo-créationnisme. Il montre qu'il s'agit d'une enquête. Une personnalité scientifique contestée est peut-être trop mise en avant mais le choix d'exposer une thèse à fond était délibéré.
△ **2 Hervé Gayic:** a vu le film deux fois. Vraie démarche rigoureuse, enquête, instructif. Le film a été surinterprété. Est pour une seule thèse dans un film. Pourquoi pas faire deux films exposant les deux thèses?
△ **1 Jean-Pierre Tillier:** film extrêmement documenté, rigoureux, pour le parti pris dans un film.
Film = objet culturel, point de contact entre l'image et la science. Notion de thèse officielle et confusion majorité / vérité. La télévision ne doit pas présenter que des thèses officiellement reconnues.

Activité 5, p. 152
1. De néo-créationnisme.
2. Levée de bouclier, polémique, vives critiques, attaques, accusations, dénigré.
3. Créationnisme. Présentation d'une seule thèse. Le choix et la mise en avant de la scientifique Judith Marty, auteur de thèses controversées.
4. Homonyme (autre personne s'appelant Thomas Nagati) défenseur du néo-créationnisme, nom de la société de production...
5. Ils le soutiennent. Négation des accusations de créationnisme, soutien de la thèse unique.
6. « À chaud », « à froid » : réflexion distanciée sur le film.
7. Il ne faut pas se limiter aux thèses dominantes.

Activité 6, p. 152
Films qui défendent une thèse :
– **Thomas Nagati** : aller au fond. Suivre une thèse, la défendre, l'exposer.
– **Hervé Gayic** : enquête ; s'immerger. Contenu scientifique ardu. Une thèse = déjà bien. Faire un deuxième film sur l'autre thèse.
– **Jean-Pierre Tillier** : adhère au fait que le réalisateur puisse avoir un fort parti pris. Suivre un personnage. Monde de l'image, réalisation personnelle d'un objet culturel. Thèse majoritaire ≠ vérité, objectivité. Manque d'objectivité souhaitable.
Films qui présentent deux visions :
– **Thomas Nagati** : présenter le pour et le contre. Polémique.

Activité 7, p. 152
– **L'anthropomorphisme (pour désigner une déviance des films animaliers).**
anthropo = homme ; *morpho* = forme. Donc, donner une forme humaine.
C'est le fait de donner un caractère humain, d'« humaniser » ; le don de caractéristiques, de traits de caractère, l'attribution d'expressions réservées aux humains.
Normalement, la tendance est à concevoir les Dieux à l'image de l'homme.
– **La vulgarisation scientifique :**
vulgus = le commun des hommes. Vulgaire : ici dans le sens « commun, familier ». Le profane. Donc, mettre à la portée de tous, rendre accessible à un public non spécialiste, « pédagogiser » un contenu complexe. Simplifier pour rendre accessible. Simplification pédagogique.
– **Le néo-créationnisme.**
neo = nouveaux, création = Genèse, terme à connotation religieuse. Il s'agit de nouveaux adeptes de la création divine des espèces. Anti-darwinisme (contre la théorie de l'évolution).
Trouvez un antonyme : darwinisme, évolutionnisme.

Activité 2, p. 154
1. France Culture, « Les grandes traversées », série de l'été, thème Albert Camus (journaliste P. Aendoven).
2. La parution dans la Pléiade (Éditions Gallimard).
3. Être singulier (à part) aux multiples facettes : philosophe, Prix Nobel « à contre-cœur », gardien de but, moraliste, dramaturge, journaliste.
4. À ceux qui s'interrogent sur le sens de la vie, sur l'absurdité des choses, aux bourreaux, aux révolutionnaires, aux idéologues, aux partisans de la haine, à ceux emprunts d'un discours de radicalité.
5. Exigence ne signifie pas radicalité.
6. La disparition accidentelle de Camus dans un accident de la route, alors qu'il n'avait pas encore 40 ans.
7. À Jean-Paul Sartre.
8. Sa vie et son œuvre.

Activité 4, p. 155
1. Déprimé, conviction d'être le jeu d'une erreur de jugement (ce prix « aurait dû aller à Malraux »). Sentiment d'incompréhension et atterrement définiraient assez bien, selon moi, ce qu'il a ressenti à l'annonce de la nouvelle.
2. C'est au moment où il traverse une crise d'inspiration qu'on lui remet un prix pour l'ensemble de son œuvre (œuvre qu'il estime inachevée, « en chantier »).
3. Méconnaissance éventuelle (voire probable) du discours mais le journaliste l'évoque en ces termes : le fameux discours de Stockholm.
4. Il voit ce prix comme une récompense imméritée.
5. Évocation de l'Europe « bâillonnée » et de la crise algérienne.
6. Vers les écrivains moins fortunés que lui, privés de liberté d'expression.
7. À son art. À l'idée de son art et au rôle de l'écrivain.
8. Pas de vie sans art. L'art est au-dessus de tout.
9. Comme un échange, une interaction. Il puise dans le monde qui l'entoure, il se mêle à ce monde et il redonne. Il insiste sur la notion de partage et d'échange.
10. Il a un devoir d'insoumission. Dénoncer, se faire le porte-parole d'un individu ou d'une communauté réduite au silence, à l'oppression, à l'humiliation.
11. Vérité et liberté, ce qui signifie l'interdiction de mentir et l'interdiction de se soumettre.
12. Il considère que sa mission ne se limite pas à l'écriture et qu'il lui faut porter le malheur (du monde) et porter l'espérance. On peut presque dire qu'il porte sa croix.
13. Cette classe d'âge (les hommes nés en 18, ayant 20 ans en 33) ont vécu les grands bouleversements du XXe siècle (guerre d'Espagne, Seconde Guerre mondiale, univers concentrationnaire, Europe de la torture et des prisons, avènement de l'arme nucléaire).

14. Sur le compte du désespoir.

15. Effectivement, bien qu'il reconnaisse que le propre des nouvelles générations est de penser qu'elles peuvent changer le monde, il affirme que la sienne « sait » qu'elle ne le refera pas.

16. Il cite pour cela une liste inquiétante qui va des révolutions déchues à l'usage de techniques non maîtrisées et aux capacités de nuire aujourd'hui, à la portée des gouvernements les moins avertis. Il dénonce aussi la corruption des consciences (« l'intelligence s'est abaissée à se faire la servante... »).

17. Effectivement, cette génération est censée devoir « restaurer la paix, réconcilier travail et culture, refaire l'Arche d'Alliance ».

18. Doutes sur la faisabilité.

19. Pour n'en citer que quelques-uns : « vulnérable et entêté », « injuste et passionné de justice ».

NOTES

NOTES

NOTES

NOTES

Crédits :
p. 38 : Anne-Sophie Chazaud, Bibliothèque Publique d'Information – p. 41 : Journaux Officiels – p. 55 : © Editions Gallimard – p. 69 : RFI, D.R. – pp. 77, 78, 79, 177, 178, 179 : www.doctissimo.fr, D.R – p. 100 : NRJ Group/Agence Vertu ; Stratégies, édité par Reed Business Information, 2, rue Maurice Hartmann, BP 62, 92133 Issy-les-Moulineaux cedex, tél. 01 46 29 46 29 – p. 104 : logo United Nations Environment Programme ; article tiré du site du Centre d'études et de recherches internationales de l'Université de Montréal (cerium.ca) – p. 107, 108 : D.R – p. 110 : Eduscol, D.R – pp. 111, 117 : © 2007 Media Awareness Network, www.media-awareness.ca, reproduit avec permission – p. 118 : infokiosques.net, D.R – p. 120 : www.anti4x4.net, D.R – p. 173 : www.chiennesdegarde.org – p. 180 : Centre Evian pour l'eau, D.R – p. 183 : © Editions Jean-Claude Lattès, 1998 – pp. 184, 185 : CIEP.

Références des documents sonores :
Transcriptions : p. 188 (enregistrement 1, doc. 3) : *La Science en livres*, par Laurent Broomhead, journaliste scientifique et chroniqueur, France Info, 15/10/2003/INA – p. 193 (enregistrement 12) : *Le conservatoire du littoral*, par Stéphane Paoli avec Nathalie Fonterel, émission *Le 7-9*, France Inter, 12/05/2005/INA – p. 196 (enregistrement 16, doc. 1) : doc. 1 : *Après l'attribution du Prix Nobel de la Paix à Muhammad Yunus, quel bilan tirer du système de micro-crédit ?*, IRIS, www.iris-France.org ; doc. 2 : *Le divan de M. Huo*, introduction de l'épisode 1, réalisation Marie-Hélène Bernard, mixage Christophe Rault, production ARTE Radio, extraits d'une série documentaire en ligne sur arteradio.com ; doc. 3 : interview d'Avy Friedman par Anne Kirion, Radio Canada, Toronto – pp. 198-199 (enregistrements 17 et 18) : *Le divan de M. Huo*, épisodes 1 et 10, réalisation Marie-Hélène Bernard, mixage Christophe Rault, production ARTE Radio, extraits d'une série documentaire en ligne sur arteradio.com – p. 199 (enregistrement 20) : Canalc2, Colloques et Conférences TV. Université Louis Pasteur, Strasbourg, Jean Marc Lévy-Leblond, physicien et essayiste, professeur émérite de l'Université de Nice – pp. 208-210 (enregistrement 23) : © Éditions Gallimard.

Nous avons recherché en vain les éditeurs ou les ayants droit de certains documents reproduits dans ce livre. Leurs droits sont réservés aux Éditions Didier.

PAPIER À BASE DE FIBRES CERTIFIÉES

éditions didier s'engagent pour l'environnement en réduisant l'empreinte carbone de leurs livres. Celle de cet exemplaire est de :

813 g éq. CO$_2$
Rendez-vous sur
www.editionsdidier-durable.fr

Achevé d'imprimer en mars 2014 par l'imprimerie JOUVE
Dépôt légal : 6101/11